Destinados A Reinar

JOSEPH PRINCE

O segredo para o sucesso, a plenitude e a vida vitoriosa já preparados para você

Belo Horizonte

Diretor
Lester Bello

Autor
Joseph Prince

Título Original
Destined To Reign
The secret to effortless success, wholeness
and victorious living

Tradução
Etiene Farias de Arruda / Idiomas & Cia

Revisão
Idiomas & Cia / João Guimarães / Edna Guimarães
Ana Lacerda /Elizabeth Jany

Diagramação
Julio Fado
Ronald Machado (Direção de arte)

Design capa (adaptação)
Fernando Rezende
Ronald Machado (Direção de arte)

Impressão e Acabamento
Promove Artes Gráficas

BELLO PUBLICAÇÕES

Rua Vera Lúcia Pereira, Nº122
Bairro Goiânia CEP 31.950-060
Belo Horizonte / Minas Gerais - Brasil
contato@bellopublicacoes.com
www.bellopublicacoes.com.br

© 2012 em língua portuguesa por Bello
Comércio e Publicações Ltda-ME.
Para distribuição no Brasil.

© 2007 por Joseph Prince.
Todos os direitos reservados.
Disponível em outros idiomas pelo site:
https://store.josephprinceonline.com/
int/c-117-other-languages.aspx

Publicado pela
Bello Comércio e Publicações Ltda-ME
com a devida autorização de
Joseph Prince Teaching Resources
e todos os direitos reservados.

Primeira edição — Julho de 2012
3ª. Reimpressão — Abril de 2015

Todos os direitos reservados. Nenhuma parte desta publicação poderá ser reproduzida, distribuída ou transmitida sob qualquer forma ou meio, ou armazenada em base de dados ou sistema de recuperação, sem a autorização prévia por escrito da editora.

Exceto em caso de indicação em contrário, todas as citações bíblicas foram extraídas da Bíblia Sagrada Almeida Revista e Atualizada, da Sociedade Bíblica do Brasil, © Copyright 1993. Outras versões utilizadas: AA (Almeida Atualizada, Sociedade Bíblica do Brasil), ARC (Almeida Revista e Corrigida, Sociedade Bíblica do Brasil) e NVI (Nova Versão Internacional, Editora Vida). Citações seguidas da indicação "TVO" indicam Tradução da Versão Original feita pela tradutora, com base na KJV, NIV e NASB, contrapondo as versões. Todos os itálicos e negritos nas citações bíblicas não constam nos originais da Bíblia e são grifos do autor.

Dados Internacionais de Catalogação na Publicação (CIP)

Prince, Joseph
P955   Destinados a reinar: o segredo para o sucesso,
a plenitude e a vida vitoriosa já preparados para
você / Joseph Prince; tradução de Etiene Farias
de Arruda / Idiomas & Cia. – Belo Horizonte: Bello
Publicações, 2015.
296p.
Título original: Destined to reign

ISBN: 978-85-61721-90-9

1.Evangelização. 2.Sucesso – Aspectos religiosos.
I. Título.

CDD: 269.2
CDU: 266

Dedicatória

Este livro é amorosamente dedicado:

À glória do meu Senhor Jesus Cristo
Que me abençoou além de tudo que eu jamais teria imaginado, e que me ama além da minha compreensão.

A Wendy
Minha querida esposa, cujo apoio e amor por mim nunca falham em elevar o meu coração acima das nuvens do fracasso e da mediocridade. "Mulher virtuosa, quem a achará?" Eu achei!

A Jessica
Minha preciosa e amada filha, cuja vida, embora ainda jovem, produz frutos maravilhosos da graça, e que têm impactado multidões. Quando ela está nos braços do papai, ele é o homem mais rico do mundo.

E à amada **comunidade da Igreja New Creation**, cujo apoio incessante e lealdade ao seu pastor estão definitivamente escritos nos registros do livro de memórias do céu. Ela é uma abençoada alegria para o seu pastor!

Sumário

Introdução		9
Capítulo 1	Destinados a reinar	13
Capítulo 2	A lei foi cumprida	22
Capítulo 3	Controvérsias que cercam o Evangelho da graça	30
Capítulo 4	Nós temos sido roubados!	45
Capítulo 5	Deus está julgando os Estados Unidos da América?	57
Capítulo 6	A conspiração do diabo	68
Capítulo 7	O Evangelho que Paulo pregou	79
Capítulo 8	A principal cláusula da nova aliança	93
Capítulo 9	Uma cachoeira de perdão	102
Capítulo 10	O ministério da morte	118
Capítulo 11	Desenterrando a raiz mais profunda	128
Capítulo 12	A condenação mata	143
Capítulo 13	A dádiva da não condenação	154
Capítulo 14	Não mais consciência do pecado	165
Capítulo 15	O caminho para Emaús	183
Capítulo 16	O segredo de Davi	196

Capítulo 17	Uma figura da pura graça	**210**
Capítulo 18	Só uma coisa lhe falta	**220**
Capítulo 19	O segredo para uma vida vitoriosa sem esforço	**229**
Capítulo 20	O problema da mistura	**242**
Capítulo 21	O segredo para uma grande fé	**255**
Capítulo 22	Coisas boas acontecem	**269**

Palavras finais	**284**
Notas	**287**

Introdução

Tudo começou em 1997, quando eu desfrutava férias com minha esposa, Wendy. Ela estava adormecida, sentada no banco do carona do carro, respirando suavemente próxima a mim enquanto eu dirigia pelas incríveis paisagens dos Alpes Suíços. Foi ali que ouvi distintamente a voz do Senhor dentro de mim. Não era uma impressão do Espírito. Era uma voz, e eu ouvi claramente Deus me dizer:

"Filho, você não está pregando a graça."

Eu disse:

"Como assim, Senhor? Isso é um golpe baixo. Isso é um verdadeiro golpe baixo!" E acrescentei: "Eu sou um pregador da graça. Tenho sido um pregador da graça durante anos e, assim como muitos pregadores, prego que somos salvos pela graça!"

Deus disse:

"Não. Toda vez que você prega a graça, você a apresenta misturada com a lei. Você se esforça para contrabalançar a graça com a lei como muitos pregadores, e no momento em que equilibra a graça, você a neutraliza. Não se pode colocar vinho novo em odres velhos. Você não pode colocar a graça e a lei juntas." Ele prosseguiu: "Filho, muitos pregadores não estão pregando a graça do modo como o apóstolo Paulo o fazia." E, então Deus encerrou a conversa enfaticamente com esta sentença que revolucionou o meu ministério.

"Se você não pregar a graça radicalmente, a vida das pessoas nunca será radicalmente abençoada e radicalmente transformada."

Aquela palavra poderosa vinda do Senhor me sacudiu, e percebi pela primeira vez que eu realmente estava pregando uma mensagem de uma graça que era temperada com a lei. Eu retornei à minha igreja com um forte mandato do Senhor, e comecei a pregar a graça radicalmente.

Naquele tempo, nossa congregação atingiu um nível de frequência de cerca de 2 mil pessoas. Desse modo, pouco depois do meu encontro com o Senhor nos Alpes Suíços, começamos a experimentar um crescimento explosivo na igreja, ano após ano, e pela graça do nosso Senhor, mais de 15 mil pessoas frequentavam nossos cultos naquele primeiro domingo de 2007. O Senhor confirmou Sua palavra não somente no crescimento de nossa congregação, mas também na impressionante transformação de milhares de vidas preciosas, quando expostas à pregação radical da graça. Ao longo dos anos, tenho tido o privilégio de testemunhar restauração de casamentos, cancelamento sobrenatural de dívidas, curas milagrosas, e também tenho tido o privilégio de sentir a alegria de ver os filhos de Deus libertados de vícios destrutivos.

Nos últimos anos, o Senhor também tem aberto portas para que eu pregue o Evangelho da graça em países como Noruega, Holanda, Inglaterra, Canadá, Austrália, Tailândia e Indonésia. Também iniciamos uma transmissão pela TV nos Estados Unidos, no Canadá, na Austrália e em Uganda. A resposta para o que eu chamo de "Revolução do Evangelho" tem sido tremenda. Recebo testemunho após testemunho de como indivíduos são libertados da escravidão da lei e hoje estão vivendo e usufruindo das verdades da nova aliança e das promessas que Jesus comprou com Seu próprio sangue.

Você pode imaginar como este livro ardeu em meu coração por muitos anos até hoje. Se há um livro que eu quero escrever deste lado do céu, é este livro aqui, e fico muito feliz por você tê-lo nas mãos.

Creio que ele irá tocá-lo e transformá-lo. O que o Senhor me disse cerca de dez anos atrás sobre como vidas jamais seriam radicalmente abençoadas e radicalmente transformadas sem a pregação radical da graça ainda está ecoando fortemente em meu coração. Este livro, portanto, é sobre ser radicalmente transformado por Sua graça, e somente por Sua graça.

Neste livro, você vai descobrir o segredo do agir de Deus para que você reine em vida, naturalmente, sem esforço próprio! O homem desenvolveu muitas estratégias, metodologias, técnicas e táticas para atingir o sucesso pessoal. Apenas dê uma olhada para as livrarias hoje em dia. Na verdade, você pode estar em uma delas agora mesmo. Se estiver em uma, aproveite para dar uma olhada ao redor. O que vê? Provavelmente, uma enorme seleção de livros de autoajuda. Deixe-me declarar-lhe que há um modo mais elevado para alcançar o sucesso na vida do que o de depender dos esforços próprios. A Bíblia diz bem no primeiro versículo do Salmo 1: "Bem-aventurado o homem que *não* anda no conselho dos ímpios". Assim, do mesmo modo que há "conselho" nos recursos dos "ímpios", há um modo mais elevado para o crente! Por que depender de autoajuda quando você pode ter acesso direto à ajuda de Deus? O nome de Jesus em hebraico, *Yeshua*, simplesmente significa Salvador. Vamos clamar a Ele para nos salvar, em lugar de depender de nossas próprias capacidades para salvar a nós mesmos.

Infelizmente, há muitos crentes que não clamam ao seu Salvador porque acreditam na *mentira* de que não têm direito de fazer isso. Há crentes que pensam que seus erros os desqualificam para pedir ajuda a Deus. Alguns até mesmo acreditam que recebem ajuda apenas parcial do Senhor porque não têm frequentado a igreja regularmente, não têm lido a Bíblia suficientemente ou orado o bastante. Meu amigo, quando você está se afogando, não precisa de um professor de natação para ensinar-lhe os movimentos corretos necessários para nadar e se salvar. Você não precisa de uma lista de "faça isso e não faça aquilo". Você precisa de um Salvador que mergulhe destemidamente na água para salvá-lo sem considerar o que você sabe ou não, o que faz ou não! Você não pode despertar por meio de suas próprias obras o desejo de Deus de salvar você! Isso acontece pela graça de Deus!

Vamos começar a reconhecer que por nossa própria força e por nós mesmos não podemos e não temos a capacidade de nos salvar. Em essência, nós tínhamos um débito que não podíamos quitar, mas Jesus, na cruz, o pagou com a própria vida — um débito que não era Dele. Tudo foi completamente realizado pelo esforço de Jesus e pelo feito de Jesus. Nossa parte é acreditar Nele e receber tudo que Ele conquistou em nosso lugar. Soa ridiculamente simples, unilateral e injusto? Bem, meu amigo, é exatamente isso que a graça faz: graça! Graça só é graça quando é imerecida, não resultante do seu trabalho e não por mérito.

Você está pronto para ser tremendamente abençoado e transformado pela graça de Deus e para desistir de seus próprios esforços em ter sucesso, plenitude e uma vida vitoriosa? Creio que assim que você começar a trilhar esta jornada de descoberta da graça radical de Deus, sua vida jamais será a mesma. Meu amigo, você é alguém destinado a reinar!

Capítulo 1

Destinados a Reinar

Você é destinado a reinar em sua vida.

Você é chamado pelo Senhor para ser um sucesso, desfrutar de abundância, desfrutar de saúde e ter uma vida vitoriosa.

Não é a vontade do Senhor que você viva uma vida de derrota, miséria e fracasso.

Ele chamou você para ser cabeça e não cauda.

Se você é um homem de negócios, Deus quer que você tenha um negócio próspero. Se é uma dona de casa, você é ungida para educar filhos maravilhosos no Senhor. Se é um estudante, Deus quer que você se sobressaia em todos os seus exames. E se está confiando no Senhor para uma nova carreira, Ele não apenas quer que você tenha um trabalho, mas Ele também quer que você tenha uma posição de influência, de forma que possa ser uma bênção e um benefício para a sua empresa!

Seja qual for a sua vocação, você é destinado a reinar porque Jesus é o Senhor da sua vida. Quando você reina em vida, reina sobre o pecado, sobre os poderes das trevas e a depressão, sobre a miséria, sobre toda maldição e sobre toda doença e enfermidade. Você REINA sobre o diabo e suas artimanhas!

O poder para reinar não depende de sua ascendência familiar, suas qualificações educacionais, sua aparência ou quanto você tem em sua conta bancária. O poder para reinar está inteiramente baseado em Jesus, e somente Nele. Meu amigo, isso não é um clichê de algum livro de autoajuda ou pensamento positivo. A declaração de que você reinará está embasada em uma promessa gravada por toda a eternidade na Palavra de Deus:

> Se, pela ofensa de um e por meio de um só, reinou a morte, muito mais os que **recebem a abundância da graça e o dom da justiça reinarão em vida** por meio de um só, a saber, Jesus Cristo (Romanos 5:17).

A palavra "reinar", usada em Romanos 5:17, é a palavra grega *basileuo*,[1] de onde se origina a palavra em português "basílica". Na Roma Antiga, as basílicas eram usadas como tribunais,[2] portanto, a palavra refere-se a um domínio real e legal. Em outras palavras, o uso do termo *reinar* nessa passagem indica **reinar em vida como um rei**, ter governo real e possuir domínio real.

O segredo de reinar na vida consiste em receber tudo que Jesus conquistou para nós na cruz.

Se você está vivendo uma vida de fracasso, sendo derrotado pelo pecado, pela culpa perpétua e pela condenação, pelas doenças, pelos ataques de ansiedade, pela perda financeira e por relacionamentos quebrados, não está vivendo a vida que Deus planejou para você. Com base na autoridade da Palavra de Deus, você está destinado a "reinar em vida" como um rei, ter domínio real sobre todos os seus desafios e circunstâncias. Você é chamado para estar **acima** deles e não para ser pisoteado por eles. Chegou a hora de parar de abdicar de seu direito de reinar em sua vida!

Hoje, em lugar de nos vermos reinando em vida, vemos mais evidências da morte reinando no mundo. A Bíblia relata que foi por causa da "transgressão de um homem" — o pecado de Adão no jardim do Éden — que a morte começou a reinar. É importante que você observe que nossas vidas são entrelaçadas na vida dos nossos antepassados. Então, somos pecadores não porque pecamos, mas por causa do pecado de Adão. Muitos crentes ainda pensam que se tornaram pecadores ao cometer um pecado, mas não é isso que a Palavra de Deus diz. O que ela diz é que somos pecadores por causa do pecado de Adão. Pelo mesmo critério, somos feitos justos na nova aliança não por nossos atos de justiça, mas por causa da obediência de um Homem (Jesus) na cruz. Portanto, o segredo de reinar na vida consiste em receber tudo que Jesus conquistou para nós na cruz.

Receber *versus* Conquistar

A Bíblia estabelece muito claramente que só vamos reinar na vida por intermédio de Jesus Cristo se **recebermos** Dele duas coisas: a abundância da graça e o dom da justiça. A maneira de Deus agir é contrária à do homem. O homem pensa que para que Deus o abençoe, ele precisa merecer, obter e ser digno do favor e das bênçãos de Deus por seus próprios esforços. O homem pensa que as bênçãos de Deus são baseadas em seu desempenho e boas obras.

No entanto, esse não é o modo de agir de Deus. Seu modo de agir não tem a ver com adquirir, mas com receber. Ele prometeu que se **recebermos** a abundância da graça e o dom da justiça, nós reinaremos em vida. Ele não disse que quando nós **conquistássemos** a graça e nossa própria justiça, reinaríamos em vida. Mas por alguma razão, muitos cristãos continuam a viver com base em um sistema de conquistas!

"Pastor Prince, se é fácil assim, por que muitos cristãos não estão reinando em vida?"

Fico contente que você tenha feito essa pergunta. Como resposta, deixe-me primeiro propor uma pergunta: você já reparou que a maioria das pessoas acredita que precisa trabalhar duro para **atingir** o sucesso na vida? O sistema de sucesso do mundo está construído sobre os pilares gêmeos do esforço próprio e da diligência. Sempre há algumas "leis" que você tem de obedecer e alguns "métodos e técnicas" que precisa continuar praticando antes que possa haver quaisquer resultados. Na maior parte das vezes, qualquer resultado que você consiga começa a se desvanecer assim que parar de aplicar os tais métodos e passos prescritos.

Fomos ensinados a manter o foco em conquistar, em fazer as coisas confiando em nossos próprios esforços. Somos induzidos a "fazer, fazer, fazer", esquecendo-nos de que o cristianismo é, na verdade, "feito, feito, feito". O mundo diz que quanto mais você fizer, quanto mais arduamente trabalhar, quanto mais horas empreender, mais sucesso vai conquistar. O estilo do mundo é fustigar você a trabalhar mais intensamente, esquecer-se de ir à igreja aos domingos, passar menos tempo com sua esposa e filhos e mais tempo no escritório, trabalhando durante as noites, fins de semana e feriados. Tenho certeza de que você já ouviu que precisa "pagar o preço", afinal, "quem não arrisca, não petisca", certo?

O que os crentes fazem é pegar o sistema do mundo e aplicá-lo à sua própria vida cristã. Em vez de dependerem da graça de Deus em Seu favor para que as bênçãos fluam, eles dependem de seus próprios esforços para tentar merecer o favor e bênçãos de Deus. Todavia, a maneira de Deus não é que sejamos abençoados por nossos próprios esforços. Você não pode ganhar as bênçãos de Deus a partir de seu próprio desempenho. Elas são fundamentadas inteiramente em Sua graça. As bênçãos de Deus sobre sua vida devem ser imerecidas, não resultantes de seu trabalho e não por seu mérito. Em outras palavras, não há nada que você possa fazer para merecer Suas bênçãos porque elas são baseadas inteiramente em **receber a Jesus,** e, por meio de Sua obra consumada, receber a abundância da graça e o dom da justiça.

Deus quer que paremos de tentar adquirir e comecemos a receber o favor, as bênçãos e a cura que Jesus conquistou na cruz. Quando estava pregado na cruz há cerca de 2 mil anos, Jesus bradou em alta voz: "**Está consumado!**"[3] Tudo que você e eu precisamos para reinar em vida foi conquistado no Calvário em nosso lugar. É por isso que chamamos o que Jesus fez na cruz de Sua "obra consumada"! Ele a concluiu. Ele a completou. Está FEITO! A única coisa que funciona é essa obra consumada! Pare de fazer o que já está FEITO! Pare de fazer e comece a receber o que Jesus JÁ FEZ!

A Obra está Consumada, Sente-se

Recentemente eu estava desfrutando de um tempo de comunhão com meu querido amigo Brian Houston, e ele compartilhou comigo que tem certa implicância quando as pessoas começam a adorar com canções cujas letras tentam revogar o que Jesus já conquistou para nós na cruz. Concordo inteiramente com Brian, e penso que todos concordamos que ele é alguém que sabe sobre o que está falando quando se refere a canções de adoração. Brian é o pastor sênior da Igreja Hillsong, e Deus verdadeiramente tem ungido sua igreja para escrever lindas canções de louvor e adoração que têm impactado toda uma nova geração de adoradores nestes últimos tempos. De fato, algumas de minhas canções de adoração favoritas são do grupo de louvor Hillsong. Em meus momentos de devocional a sós na presença do Senhor, enquanto dou graças a Ele por pagar o preço completo na cruz por todos os meus pecados, doenças e miséria, meu coração transborda de gratidão e eu o adoro:

Tu és magnífico, eternamente
Maravilhoso, glorioso
Jesus
Ninguém há que se compare a Ti,
Jesus.[4]

Ah, como eu amo quando o Senhor responde preenchendo toda a minha contemplação com Sua presença tangível e meu coração começa a arder em espírito na presença do meu Amado! Eu enfatizo para minha igreja que nem sempre temos de sentir a presença tangível de Deus, porque não é isso que vivemos hoje. Mas quando você **realmente** sente a Sua presença, especialmente durante os momentos de adoração profunda e íntima, deleite-se Nele, aprecie o Seu amor e permita que o Seu abraço inunde você! Aprecie os momentos em Sua presença quando Ele o renova, restaura e cura. Você não tem de esperar até o domingo para adorar ao Senhor. Você não precisa de uma banda com cinco integrantes e um líder de adoração para adorar ao seu Salvador. Agora onde você está, sem instrumentos, você pode levantar as suas mãos, sua voz e seu coração, adorá-lo e dar graças por Sua obra consumada e por Sua graça em sua vida.

Aleluia! Ele é tão lindo!

Eu amo canções de adoração que são plenas da pessoa de Jesus e da Sua obra consumada. Em minha igreja, tenho recomendado ao ministro de louvor que se certifique de que as canções escolhidas para entoarmos em nossos cultos congregacionais sejam canções que testifiquem a obra consumada de Jesus. Por exemplo, considerando a nova aliança, não precisamos ficar pedindo ao Senhor em nossas canções o perdão porque **Ele já nos perdoou**.[5] Quero que você diga comigo, em voz audível:

"Eu já sou perdoado!"

O sangue de Jesus nos limpou de uma vez por todas!

A Palavra de Deus declara isso quanto à obra consumada de Jesus na cruz:

> Jesus, porém, tendo oferecido, **para sempre, um único sacrifício** pelos pecados, **assentou-se** à destra de Deus, porque, com uma única oferta, **aperfeiçoou para sempre** quantos estão sendo santificados (Hebreus 10:12-14).

A obra de Jesus consumada na cruz foi oferecida como um único sacrifício PARA SEMPRE, e quando você recebeu a Jesus Cristo em sua vida, você foi APERFEIÇOADO PARA SEMPRE! E quanto dura "para sempre"? Estudei a expressão "para sempre" usada neste versículo, no original grego, e imagine o que descobri? "Para sempre" significa para sempre! Você foi aperfeiçoado para sempre pelo sangue purificador de Jesus, não pelo sangue dos sacrifícios de animais que **jamais** poderiam retirar nossos pecados!

Você deve estar surpreso em descobrir que há muitos crentes hoje que não acreditam que foram aperfeiçoados para sempre pela obra consumada de Jesus Cristo. Eles ainda estão dependendo de seus esforços próprios para se qualificarem a si mesmos. Talvez você mesmo esteja se perguntando: "Como posso estar plenamente seguro de que todos os meus pecados já foram perdoados?" Boa pergunta. Repare que depois que Jesus ofereceu a Sua vida como sacrifício e pagamento por todos os nossos pecados, Ele "assentou-se"!

Ele assentou-se à direita do Pai. Você já percebeu que segundo a antiga aliança, "todo sacerdote *permanecia em pé, ministrando diariamente* e oferecendo repetidamente os mesmos sacrifícios, os quais *não podiam jamais tirar pecados*?"[6] Mas a Bíblia segue dizendo que Jesus, "tendo oferecido, *para sempre, um único sacrifício* pelos pecados, *assentou-se*".

Jesus assentou-se para demonstrar para nós que a obra está de fato consumada. Segundo a antiga aliança, o sacerdote que servia no tabernáculo de Moisés jamais se assentava, mas "permanecia em pé, ministrando diariamente" porque sua obra nunca era concluída. O sangue dos bois e cabras não podia jamais "tirar pecados". Na verdade, você já notou que no santo lugar do tabernáculo de Moisés não havia uma única peça de mobiliário preparada para que o sacerdote se assentasse nela? Você não encontrará uma única cadeira no santo lugar. Você encontrará o altar de incenso, o menorá e também a mesa dos pães da propiciação — mas, interessante notar isto, não há cadeiras. Isso porque a obra do sacerdote **nunca era consumada**.

Somente a obra de Jesus é uma **obra consumada**. E Ele não somente assentou-se à direita do Pai, Ele nos fez ASSENTAR COM ELE!

> Mas Deus, sendo rico em misericórdia, por causa do grande amor com que nos amou, e estando nós mortos em nossos delitos, nos deu vida juntamente com Cristo, — pela graça sois salvos, e, juntamente com ele, nos ressuscitou, e **nos fez assentar** nos lugares celestiais em Cristo Jesus (Efésios 2:4-6).

Talvez você esteja se perguntando: "O que significa todo esse assunto sobre 'cadeiras' e 'assentar-se'?" Bem, meu amigo, "assentar-se" na Bíblia é uma ilustração do descansar do crente na obra consumada e completa de Jesus. Ele concluiu toda a obra na cruz em seu lugar, e agora está assentado à direita de Deus. O fato de que tudo isso foi conquistado em seu favor significa que você pode parar de depender de seus esforços para se qualificar e obter as bênçãos de Deus em sua vida. Você pode assentar-se com Jesus à direita do Pai!

Pare de depender de seus esforços para se qualificar e obter as bênçãos de Deus em sua vida.

Agora, preste muita atenção ao que estou dizendo. Eu não estou defendendo uma vida de passividade e preguiça. Você pode se engajar em cursos, ler livros, fazer seu trabalho diligentemente, e coisas do gênero, mas sua fé não deve estar nessas coisas. Ela deve estar no que Jesus fez por você. Então, se você é um estudante, por exemplo, tudo isso se traduz da seguinte maneira: estude seriamente e conquiste várias notas máximas em seu rendimento como estudante, para a glória de Deus! Mas não confie na sua inteligência ou qualificações para trazer para você as bênçãos de Deus.

A graça de Deus não nos torna preguiçosos ou improdutivos. Ao contrário, ela torna seu trabalho muito mais abundante para a glória Dele. O apóstolo Paulo, um pregador da graça de Deus e da obra consumada de Jesus, disse: "... trabalhei muito mais do que todos eles."[7] Na nova aliança, o modo de Deus agir é primeiro abençoar você, e então o conhecimento da Sua bênção lhe proporciona o poder de trabalhar mais abundantemente. Em outras palavras, não trabalhamos para ser abençoados, mas, em lugar disso, temos o poder para trabalhar porque **já fomos abençoados**. Você consegue perceber na nova aliança a diferença básica na condição para trabalhar?

Muitos crentes são fracassados porque estão se esforçando profundamente para se qualificarem, por meio de suas próprias obras, para as bênçãos de Deus. O esforço próprio roubará de você o privilégio do reinar em vida por meio da graça de Deus. Você não pode receber sua salvação, sua cura ou sua saída pelos seus próprios esforços. Se o maior milagre de todos — ser salvo do inferno — vem pela graça mediante à fé, e não por suas obras, quanto mais os milagres menores, como cura, prosperidade e casamentos restaurados.

Meu amigo, Jesus conquistou cada uma dessas coisas na cruz. Nossa parte é crer em Sua obra perfeita, receber com os braços abertos a abundância da graça e o dom da justiça, e começar a reinar na vida por intermédio do Único, Jesus Cristo. Hoje mesmo, faça desta a sua oração — declare que você vai parar de tentar obter a graça de Deus como resultado de seu próprio esforço. Para essa mudança acontecer, comece permitindo que o Espírito Santo lhe ensine a depender da obra consumada de Jesus e a receber as bênçãos por meio da Sua graça. Esse é o caminho simples de Deus para o sucesso e a plenitude de uma vida vitoriosa!

Capítulo 2

A Lei Foi Cumprida

Lembro-me de ter sido convidado, alguns anos atrás, para falar em uma convenção. Quando um dos palestrantes se levantou e seguiu em direção ao púlpito para pregar, ele disse aos ouvintes com imensa convicção em sua voz: "O maior chamado em suas vidas é para suas famílias!" A multidão amou aquilo, e o auditório inteiro aplaudiu e aclamou em concordância.

Na sessão seguinte, outro palestrante se levantou e declarou com ardente paixão nos olhos que "o maior chamado em sua vida é para missões". Desta vez, a multidão foi à loucura, e pelo auditório inteiro ressoaram gritos de "Amém!".

Então, chegou a minha vez de pregar, e eu orei: "Deus, eles esgotaram todos os 'maiores chamados'. Dê alguma coisa para mim." E quando me levantei, o Senhor colocou algo em meu coração, e eu o compartilhei: "O maior chamado em sua vida é ser um adorador!" Repare: muito tempo depois de todas as missões terem sido cumpridas na terra, e muito tempo depois que as famílias estiverem unidas no céu, nós ainda continuaremos adorando nosso lindo Salvador Jesus

Cristo por tudo que Ele fez por você e por mim, e o faremos por toda a eternidade.

Tudo tem a ver com Jesus! Tudo tem a ver com a Sua obra consumada!

Quanto mais você apreciar a obra consumada de Jesus e tudo o que Ele fez para que você reine em vida, mais você adorará e glorificará a Ele! Vamos dar uma olhada na Palavra de Deus para contemplar mais de Sua obra consumada.

> Pois a Lei foi dada por intermédio de Moisés, mas a graça e a verdade vieram por intermédio de Jesus Cristo (João 1:17, NVI).

Você já notou que a verdade está do lado da graça, e não da lei? Observe também que a lei foi **dada**. Isso implica senso de distância. Em contraste, a graça **veio**! A graça é pessoal e veio como uma pessoa — a Pessoa de Jesus Cristo. A lei é pesada, fria e impessoal. Você não pode ter um relacionamento com dois pedaços de pedra. Mas a graça é gentil e calorosa. A graça não é um ensinamento ou doutrina. A graça é uma pessoa e você pode ter um relacionamento com uma pessoa. Deus não está interessado em mera obediência e submissão. Ele é um Deus de amor, e anseia por ter um relacionamento íntimo com você. Isso é o que torna o cristianismo único. Muitos dos sistemas de crença do mundo são governados por códigos morais, regras e leis. Mas o cristianismo não tem nada a ver com essas coisas. Ele tem a ver com ter um relacionamento com o Deus Todo-Poderoso.

O nosso Deus veio, morreu de uma morte cruel na cruz e pagou toda a dívida de pecado com Sua vida, e então você e eu podemos reinar em vida hoje. Seu sacrifício na cruz fala de relacionamento. Jesus veio para reconciliar o homem pecador com o Deus Santo. Quando você recebe Jesus Cristo como seu Senhor e Salvador, você é feito santo e justo pelo Seu sangue, de uma vez por todas. E você pode entrar ousadamente na presença do poderoso Deus sem qualquer culpa, condenação ou expectativa de punição. Por causa da cruz, o preço do pecado foi pago, o julgamento foi executado, a ira decorrente do pecado foi esgotada, o véu foi rasgado e o caminho para a intimidade com Deus foi aberto. O pecado não pode mais impedir você de entrar na presença de Deus. O sangue de Jesus removeu todos os vestígios dos nossos pecados!

O nosso Deus veio, morreu uma morte cruel na cruz e pagou toda a dívida de pecado com Sua vida, e assim você e eu podemos reinar em vida hoje.

Jesus Cumpriu a Lei

No momento em que você coloca a lei de Moisés entre você e Deus novamente, você está negando a obra consumada de Jesus, pois se a justiça puder advir da Lei, então Cristo morreu em vão.[1] O cristianismo não pode ser reduzido a uma lista impessoal de faça e não faça. A morte de Jesus cumpriu as justas exigências da lei da antiga aliança. A Palavra de Deus nos diz que o "escrito de dívida" foi pregado na cruz.[2] Jesus veio para cumprir as exigências da lei em nosso lugar, portanto o caminho para Deus agora está aberto. Aleluia!

"Pastor Prince, você está dizendo que não estamos mais debaixo da lei. Mas o próprio Jesus disse que Ele não veio para abolir a lei."

É exatamente isso, meu amigo, mas você tem de mencionar por completo o que Jesus disse. Ele disse: "Eu não vim para abolir a lei, **mas para cumpri-la**."[3] Jesus não varreu a lei para debaixo do tapete. Ele veio e cumpriu perfeitamente cada exigência da lei em nosso lugar. Tudo o que éramos incapazes de fazer, Ele fez em nosso lugar. Então, através de Jesus, a lei foi cumprida!

Quando você quitar totalmente sua dívida no banco pelo financiamento de sua casa, meu conselho é que pare de depositar dinheiro para as parcelas mensalmente, porque a dívida já foi quitada. Se o banco enviar uma carta exigindo mais pagamentos de sua parte, tudo o que você tem de fazer é apresentar o documento de quitação da casa. De igual modo, a dívida que você e eu tínhamos para com a lei já foi quitada por nosso Salvador Jesus Cristo! Aleluia! Quando o diabo vem acusar você com a lei, e lhe mostra o quão rápido você caiu e falhou, tudo que você precisa fazer é apontar para o pagamento que Jesus fez na cruz. Cristo é o nosso documento de quitação, e é por isso que você é chamado **cristão** hoje. Você não pertence mais a si mesmo. Você foi comprado pelo precioso sangue de Jesus Cristo. A lei não tem mais qualquer poder sobre você!

O Diabo foi Desarmado

Provavelmente você já sabe que a questão do "desarmamento nuclear" é uma grande notícia hoje no mundo. Mas você tem consciência de que há alguém mais sinistro que já foi desarmado? A Bíblia diz que Deus "desarmou principados e potestades". Sabemos por intermédio do livro de Efésios que a expressão "principados e potestades" se refere a Satanás e sua corte.[4] Então, o diabo já foi desarmado! Mas você sabe qual arma ele estava empunhando antes de seu desarmamento forçado? Vejamos o que a Palavra de Deus diz acerca disso:

> Tendo cancelado o **escrito de dívida**, que era contra nós e que constava de ordenanças, o qual nos era prejudicial, removeu-o inteiramente, encravando-o na cruz; e, despojando os principados e as potestades, publicamente os expôs ao desprezo, triunfando deles na cruz (Colossenses 2:14-15).

Com base no contexto do versículo, o diabo estava armado com o "escrito de dívida, que era contra nós". O que o "escrito de dívida" tinha de tão poderoso que foi preciso a morte de Jesus para anulá-lo? No monte Sinai, Deus escreveu os Dez Mandamentos em duas tábuas de pedra. O "escrito de dívida" era, portanto, uma referência à lei que foi escrita pelo dedo de Deus. O diabo, então, se armou com a **lei** para acusar e condenar o homem! Agora, leia isto cuidadosamente: Deus não deu a lei na mão do diabo, e sim o diabo, sabendo que a lei era contra o homem, tomou vantagem disso e a tem usado contra o homem.

Você foi redimido da maldição da lei.

A lei sempre condena e mantém o homem longe de Deus. Por conseguinte, o diabo a usa como arma para desviar ainda mais o homem de Deus. É por isso que, quando Deus pregou a lei na cruz, Ele fez do diabo e de todos os poderes das trevas um espetáculo público! Uma vez que a lei foi pregada na cruz de Jesus, Deus sabia que a lei não teria mais o poder de condenar o homem, desde que ele cresse em Jesus. Portanto, quando você reconhece e crê que **Jesus cumpriu plenamente a exigência de justiça da lei, o diabo não pode usar a lei para condená-lo cada vez que você cai.** Ainda que ele use a lei e aponte seus pecados hoje, você pode apontar para a cruz de Jesus e rejeitar a condenação. Talvez você diga: "Ninguém pode apagar o escrito de Deus." Sim, você está certo. Nenhum homem pode, mas Deus pode! E Deus o fez de maneira justa. Meu amigo, você foi redimido da maldição da lei. O diabo e suas hostes foram desarmados! Aleluia!

No entanto, se insistir em permanecer sob a lei, você está, na verdade, armando o diabo novamente! Deus crucificou a lei na cruz. Ele apagou as exigências da lei, tirando-a do caminho, e desarmou o diabo. Mas quando você se submete ao sistema da lei da antiga aliança, está devolvendo aquela arma nas mãos do diabo. Todo ensinamento que diz: "Temos de manter a lei para sermos abençoados por Deus" está colocando a arma da lei de volta nas mãos do diabo. Em lugar de descansar no desarmamento de Deus, as pessoas estão rearmando e militarizando novamente os poderes das trevas!

Quero enfatizar que a lei é santa, justa e boa. Por favor, não interprete erroneamente que estou afirmando o contrário. Mas apesar de a lei ser santa, justa e boa, ela não tem poder de santificar você, justificá-lo e torná-lo bom. Veja bem, a lei foi concebida para expor suas fraquezas, seus pecados e sua incapacidade de ser santo, justo e bom. É como um espelho, que reflete suas imperfeições — suas manchas e espinhas. Mas você não pode pegar o espelho e começar a esfregar o rosto nele para tirar suas manchas e espinhas, porque não é para isso que o espelho serve! Você precisa compreender que nenhum nível de obediência à lei pode fazer de você um santo. Somente o sangue de Jesus pode fazer isso. No entanto, a lei *é* santa. Ela não vem do diabo. Ela vem do próprio Deus.

A Finalidade da Lei

Deus concedeu a lei com uma finalidade: por ela, o mundo teria conhecimento do pecado[5] e reconheceria sua necessidade de ter um Salvador. Sem a lei, não haveria pecado.[6] Por exemplo, se não houvesse lei sobre o quão rápido você pudesse dirigir numa determinada rua, ou seja, se não houvesse limite de velocidade, o guarda de trânsito não poderia parar você e aplicar uma multa por excesso de velocidade. Não ter reconhecimento do pecado é o mesmo que não precisar de um Salvador! A lei foi dada para que o homem se voltasse para seu próprio fim, fazendo que em seu desespero ele visse sua necessidade de Jesus. Por causa da lei, nenhum homem pode dizer que não é um pecador e nenhum homem pode dizer que não precisa de Jesus. Esta é a finalidade da lei. Ela não foi dada para fazer de você um justo, mas para evidenciar sua impiedade.

O que o diabo tem feito é manter a lei martelando na cabeça das pessoas o tempo todo, de modo que elas se sintam constantemente condenadas e culpadas. O diabo é o mestre do legalismo, que constantemente lhe faz lembrar o quanto indigno você é. Ele é conhecido como o acusador dos irmãos.[7] Aqui estão alguns de seus ataques mais comuns:

"E você ainda chama a si mesmo de cristão?"

"Você é um hipócrita!"

"Esqueça essa história de orar. Deus nunca vai ouvir suas orações."

"Olhe para a sua vida. Você ainda ousa pisar na igreja?"

Meu amigo, isso é mentira, TUDO mentira! O diabo está usando a lei para torná-lo consciente de toda a sua inferioridade. Mas por intermédio de Jesus Cristo você não está mais sob a condenação da lei. O diabo foi desarmado pelo poder da cruz! Jesus, que não conheceu pecado, foi condenado em seu lugar na cruz. Mediante o sacrifício de Jesus Cristo, você agora é feito justo sem que as obras da lei contassem para isso. Então, quando ouvir a voz do acusador condenando-o, lembre-se de que você é feito justiça de Deus pelo sangue de Jesus Cristo. Declare isso em voz alta! Vamos lá, diga isso comigo três vezes, cada vez mais alto:

"Eu sou a justiça de Deus por intermédio de Jesus Cristo!"

"Eu sou a justiça de Deus por intermédio de Jesus Cristo!"

"Eu sou a justiça de Deus por intermédio de Jesus Cristo!"

Justiça é um dom. Não é um prêmio que se alcança por perfeita obediência à lei. Você está vestido hoje não com sua própria justiça, pois isso seria autojustificação, mas, sim, com a justiça de Jesus Cristo. Deus vê você tão justo quanto o próprio Jesus.

Somente a Graça Traz Esperança

Somente a pregação radical da graça traz esperança aos crentes. Somente a obra terminada de Jesus pode nos trazer plenitude, completude e a paz real. Algumas pessoas afirmam que a vida cristã é muito difícil. Meu amigo, ela não é difícil, ela é impossível! O único que pode vivê-la é o próprio Jesus, e Ele quer fazer isso em nós hoje. É por isso que ser cristão não tem a ver com nossos próprios esforços para cumprir a lei de Moisés. Ela foi cumprida em nosso lugar e o preço por nossos pecados foi pago na cruz. Nossa parte hoje é acreditar em nosso Salvador e receber Dele a abundância da graça e o dom da justiça. A vida cristã é uma vida de descanso em Cristo Jesus e em Sua obra consumada. É tempo de descansar de nossos esforços próprios e desfrutar Jesus! O diabo odeia o evangelho da graça porque ele faz o crente reinar em vida. E quando você reina, o diabo não reina!

Somente a obra consumada de Jesus pode nos trazer plenitude, completude e paz.

Capítulo 3

Controvérsias que Cercam o Evangelho da Graça

Você já perguntou a si mesmo por que no momento em que diz a palavra "graça" (não vamos falar ainda acerca da abundância de graça) as pessoas logo erguem suas defesas? Você vai ouvir as pessoas dizendo: "Ah... cuidado com esse pregador da graça. Ouvi dizer que ele está vindo para a cidade" ou "Você precisa tomar cuidado com isso, muita graça não é bom para você. Isso tem de ser equilibrado com a lei". Você já se perguntou de onde vêm todos esses medos e apreensões?

Pense em todos os filmes de Indiana Jones que você já assistiu. Antes de o herói Indiana poder se apossar de qualquer relíquia de valor inestimável, ele deve superar os obstáculos e armadilhas que cercam o prêmio. Dardos inflamados passam zunindo à sua esquerda. Flechas envenenadas voam em direção a ele à sua direita. Poços ocultos cheios de lanças pontiagudas estão à frente dele e gigantescos pedregulhos vêm rolando do alto. Tantos obstáculos se erguem simplesmente porque há um tesouro ao final.

> *No momento em que você aprende a receber graça,*
> *você começa a reinar em vida!*

Pela mesma razão, o diabo ergueu tantos obstáculos e muros ao redor do evangelho da graça. Ele está bem ciente de que no momento em que você aprender a receber graça, você começará a reinar em sua vida! O diabo vem para roubar, matar e destruir.[1] Ele quer ver você falido e quebrado. Ele não quer ver você reinando em vida. Então ele trabalha pesado para impedir os crentes de receberem a abundância da graça e o dom da justiça.

Controvérsias — A Estratégia do Diabo

A estratégia do diabo é envolver as verdades de Deus com controvérsias. Para evitar que o povo de Deus se beneficie com a plenitude das promessas do Altíssimo, ele ergue controvérsias como muros ao redor dessas verdades. **Você sempre pode dizer o quanto uma verdade é poderosa pelo número de controvérsias que o diabo coloca ao redor dela!** A Palavra de Deus nos alerta a não sermos ignorantes quanto às artimanhas do diabo. Quando Jesus morreu na cruz, a cabeça da serpente foi esmagada. Deus deu ao diabo um PHD[*] — **d**ano **p**ermanente na **c**abeça! Então você vai perceber que as estratégias do diabo sempre são desprovidas de criatividade — o que ele fez no passado, ainda está fazendo hoje.

Por exemplo, quando Deus estava restaurando a verdade da cura para o Corpo de Cristo, o diabo colocou um sinalizador nela que dizia: "Heresia!" Por muitos anos, a Igreja olhou para esse sinalizador e recusou a cura, dizendo: "Ah, isso é heresia. Isso é perigoso e controverso. Vamos esquecer essa história de cura na igreja."

---

[*] *PHD – permanent head damage*, expressão original em inglês. O autor faz uma alusão bem-humorada ao honroso título "Ph.D.", concedido por ocasião da aquisição de um título acadêmico de doutorado (Nota da tradutora).

Em lugar de estudar a Palavra de Deus para ver o que o próprio Deus diz acerca da cura, a Igreja recuou! Não deu importância ao fato de que quando Jesus caminhou na terra, mais que dois terços de Seu ministério envolveram curar os enfermos. Ele seguiu curando os enfermos e todos os que o tocavam eram curados. A Bíblia registra que "todos da multidão procuravam tocá-lo, porque dele saía poder; **e curava todos".[2]**

Quem dera alguém em Hollywood produzisse a cena que aparece em Lucas 6:19. (Mel Gibson, você está lendo isso?). Todos os que estavam enfermos, coxos e cegos vieram a Jesus, e tchum!, a virtude da cura de Jesus era poderosamente liberada, e todos os que o tocavam eram curados! Essa é uma imagem poderosa para ter em sua mente quando você estiver crendo em Deus para uma cura!

O mundo não tem a verdade. Eles embrulham a ficção e a apresentam como verdade. Eles apresentam criaturas de outros espaços e fazem que você acredite que alienígenas são reais! No outro extremo, nós, os crentes, temos a verdade, mas a apresentamos e embrulhamos como se ela fosse ficção. Ora, vamos! Crentes, nós temos a verdade. Vamos proclamar a verdade do evangelho de Jesus com ousadia! Somente a verdade da graça e do poder de Jesus tem a unção de libertar e tornar as pessoas livres. Eu creio de todo o meu coração que Deus está levantando uma nova geração de diretores, produtores e roteiristas em todo o mundo, os quais apresentarão a verdade do evangelho de Jesus em toda a sua pureza e poder.

E então, quando Deus estava restaurando a verdade da prosperidade para a Igreja, sinalizadores foram mostrados novamente, chamando isso de heresia. Por muitos anos, a Igreja abriu mão do ensino da prosperidade porque era controverso. Novamente, não se deu valor ao que a Bíblia declarou, que Jesus Cristo se tornou pobre na cruz para que por intermédio de Sua pobreza pudéssemos ser prósperos.[3] A Igreja abriu mão disso, dizendo: "Vamos esquecer essa ideia. É muito controverso."

Eu não compreendo o motivo de alguns crentes lutarem pelo direito de serem doentes e pobres.

Você acha que algum pai gostaria que seus filhos fossem doentes e vivessem em uma pobreza desprezível?

Por que você leva seus filhos ao médico quando eles não estão bem? Por que você dá a eles a melhor educação que pode custear?

Não é porque você quer que seus filhos sejam abençoados, saudáveis e tenham um futuro próspero? Você acha que seu Pai celestial ia querer algo para Seus filhos com menos expectativa que você? Você seriamente acha que seu Pai celestial abençoará você com mão sovina quando as ruas do céu são feitas de ouro puro? Preste atenção, cuidadosamente: as ruas do céu não são "folheadas" de ouro. Elas são feitas de ouro sólido! Pense nisso por um momento. Se você de alguma maneira sabe como dar presentes aos seus filhos, **quanto mais ainda o seu Pai celestial!**[4]

Reconheça que o diabo tem usado a controvérsia como uma artimanha ao longo da história da Igreja para impedir os crentes de terem acesso às verdades mais poderosas de Deus. Ele construiu muros de controvérsia ao redor da cura, da prosperidade e da graça para manter os crentes reinando sobre a doença, a pobreza e o pecado. Quanto mais controvérsias você percebe cercando a verdade de Deus, mais poderosa aquela verdade deve ser.

Preste agora ainda mais atenção ao que estou dizendo. Nem todas as controvérsias são baseadas na verdade da Palavra de Deus. Temos de testar tudo à luz do que a Bíblia diz. Portanto, a controvérsia é uma ferramenta que o diabo usa para impedir o povo de Deus de acessar Suas verdades. Ele é um mentiroso ardiloso e um ladrão fraudulento, então temos de basear o que acreditamos na Palavra de Deus, e testar tudo à luz das Escrituras. Não desista da graça apenas porque você ouviu que isso é controverso. Estude a Palavra de Deus por si mesmo e veja o que ela tem a dizer acerca da graça!

Favor Merecido *Versus* Favor Imerecido

"Ah, então você é um daqueles pregadores do 'evangelho da prosperidade'!"
Meu amigo, não existe essa coisa de "evangelho da prosperidade". Há somente um evangelho na Bíblia, e esse é o evangelho de Jesus Cristo. Portanto, quando você crê no evangelho de Jesus, o qual é fundamentado inteiramente na Sua graça, isso resulta em saúde e prosperidade. Na verdade, o evangelho de Jesus Cristo conduz a bênçãos, sucesso, saúde, restauração, proteção, avanços financeiros, segurança, paz, completude e MUITO MAIS!

Deus o abençoa não porque você é bom, mas porque Ele é bom.

Deus o abençoa não porque você é bom, mas porque Ele é bom. A graça é baseada na fidelidade e bondade Dele para com você. Não é uma eventualidade com base em seu desempenho, mas é fundamentada em Seu favor **imerecido**. Se fosse um prêmio relativo ao quanto você é bondoso, então nem de longe precisaria ser um prêmio baseado em graça, e sim, em lugar disso, seria com base no sistema da lei. Seria um favor **merecido**. Essa é a diferença entre a antiga aliança da lei e a nova aliança da graça:

Lei é favor merecido — quando você obedece perfeitamente aos mandamentos, você é abençoado.

Graça é favor imerecido — Jesus obedeceu perfeitamente, então você é abençoado por crer Nele.

Meu amigo, sob qual aliança você está hoje? A antiga aliança da lei ou a nova aliança da graça? Favor merecido ou favor imerecido? Se você tivesse de ser abençoado por Deus hoje dependendo do que faz, de sua capacidade em observar a lei e de sua capacidade de se tornar justo por si mesmo, então não haveria diferença entre estar sob a antiga aliança da lei e estar sob a nova aliança da graça. As boas-novas não seriam tão boas assim, uma vez que não haveria uma real diferença entre a antiga e a nova aliança. Ora, vamos, meu amigo — Deus apontou a culpa com a antiga aliança,[5] e por uma boa razão!

Muros ao Redor da Abundância da Graça

Um bom amigo meu, que é um colega pastor, certa vez sugeriu ao decano de uma escola Bíblia que a matéria "graça" fosse incorporada ao currículo escolar. O decano retrucou: "Você precisa tomar cuidado quando se trata de graça." Esta apreensão com relação à graça predomina em muitos círculos cristãos. No momento em que eles ouvem "graça", entram em alerta máximo!

Eu disse a meu amigo que na verdade não concordo que a graça deva ser um assunto em um currículo de escola bíblica. A graça não é um assunto — graça **é** o Evangelho. É a boa-nova! A palavra "evangelho" significa simplesmente "boas-novas". Graça não é uma teologia. Não é um assunto. Não é uma doutrina. É uma pessoa, e Seu nome é Jesus. Essa é a razão pela qual o Senhor quer que você receba a abundância da graça, porque **para ter a abundância da graça, é preciso ter a abundância de Jesus!**

"Como você pode dizer que a graça é uma pessoa e que essa pessoa é o próprio Jesus?"

Excelente pergunta! Vamos ver o que a Palavra de Deus diz acerca disso:

> Pois **a Lei foi dada** por intermédio de Moisés; mas **a graça e a verdade vieram** por intermédio de Jesus Cristo (João 1:17, NVI).

Observe que a lei foi **dada**, mas a graça e a verdade **vieram** por **Jesus Cristo**. A lei foi dada — isso implica numa percepção de distância —, mas a graça veio! Jesus é a personificação da graça. Jesus **é** a graça! É importante que você comece a perceber que a verdade está do lado da graça, e não do lado da lei. A Palavra de Deus declara que se você conhecer a verdade, a verdade o libertará. Bem, meu amigo, graça é **a** (artigo definido) verdade que liberta você, não a lei de Moisés. A lei está do lado de Moisés, mas a graça e a verdade estão do mesmo lado que o nosso Salvador. Mesmo assim, há pessoas hoje se apoiando na lei de Moisés e orando com base nisso, como se esta fosse a "verdade" que liberta. Meu amigo, a graça de Deus é a única verdade que liberta. A verdade está do lado da graça!

Se o diabo conseguir manter você sob a lei,
ele pode mantê-lo derrotado.

Você jamais ouve, "Ah, cuidado com os Dez Mandamentos" ou "Tome cuidado com esse pregador da lei. Ouvi dizer que ele está vindo para a cidade". Por que não há controvérsia acerca dos Dez Mandamentos? Isso ocorre porque o diabo quer que você esteja sujeito à lei. Ele não quer que você saiba que Jesus já o libertou da lei. Se ele puder manter você sob a lei, ele pode mantê-lo derrotado.

Curiosamente, as pessoas tem receio de que se você disser a um crente que ele está completamente perdoado pela graça e que não precisa mais receber seu direito de permanecer diante do Senhor por intermédio da lei de Moisés, isso o levaria a sair e viver uma vida de pecado e devassidão. No entanto, a Bíblia é muito clara ao dizer que "a força do pecado é a lei"[6]. Não é a graça que dá às pessoas a força para pecar. É a lei! Quanto mais você estiver sob a lei, mais o pecado é fortalecido! Controversamente, quanto mais você estiver sob a graça, mais o pecado será esvaziado de sua força.

Na verdade, a Bíblia declara que "o pecado não terá domínio sobre vós, porque vós não estais debaixo da lei, mas debaixo da graça". Agora, não minimize esta poderosa revelação. Leia o versículo novamente. É o texto de Romanos 6:14 — "Porque **o pecado não terá domínio sobre vós**, porque vós **não estais debaixo da lei**, mas **debaixo da graça**". Isso significa que quanto mais graça recebe, mais poder você tem para dominar o pecado. Em outras palavras, o pecado não pode ter domínio sobre você quando você recebe a abundância da graça!

Infelizmente, há pessoas bem intencionadas hoje que estão pregando uma mensagem completamente diferente. Eles pregam que o pecado não tem domínio sobre você quando você está cumprindo a lei! Isso, meu amigo, é como adicionar lenha ao fogo, porque a força do pecado é a lei. O pecado é fortalecido quando mais lei é pregada! Mas o poder de ter domínio sobre o pecado é transmitido quando mais graça é pregada! Então, quem é aquele que trocou os papéis? Será que o verdadeiro Evangelho se levantará, por favor? O diabo tem tosado a lã sob as vistas do rebanho de Deus! É tempo de pregar a verdade. É tempo de remover a lã de sobre nossos olhos e derrubar os muros que estão cercando o Evangelho da graça!

Muros ao Redor da Dádiva da Justiça

O diabo também tem sido bem-sucedido em erguer muros ao redor da dádiva da justiça. Hoje, a teologia convencional ensina que não somente há uma coisa chamada "justiça posicional", mas há também algo conhecido como "justiça prática". Eles estão dizendo que embora tenha sido justificado pela graça, você agora precisa fazer as coisas corretamente e manter a lei, para continuar sendo justificado. Eles chamam isso de ter "justiça prática".

Meu amigo, isso é algo que o apóstolo Paulo jamais ensinou! Há somente uma justiça — em Cristo Jesus. Vejamos o que Paulo diz acerca daqueles que são ignorantes desta justiça. Ele diz: "Porquanto, ignorando a justiça que vem de Deus [é isso que algumas pessoas classificam como 'justiça posicional'] e procurando estabelecer a sua própria, [isso agora é o que eles chamam de 'justiça prática'], não se submeteram à justiça de Deus" (NVI).[7] Então, é claro que Paulo é contra qualquer ensinamento que afirma que você tem de ganhar e merecer sua própria justiça. Ou você é justo, ou não é. Não existe essa coisa de primeiro ter "justiça posicional" e então ter de manter isso por meio da "justiça prática". Você é a justiça de Deus em Cristo, ponto final!

Observe que a estratégia aqui é enganar o crente e levá-lo a acreditar que justiça é algo que ele precisa alcançar ao guardar perfeitamente a lei. Isso tudo soa muito bom para a carne, mas se for assim, então a promessa de **dádiva** da justiça é completamente atirada pela janela. O diabo é muito astuto. Ele não tem problemas com a justiça, mas quer enganar você e fazê-lo correr atrás de sua própria justiça através da lei. Ele quer que você dependa de sua justiça própria — então ele retira a pequena palavra "dádiva" da frase "dádiva da justiça". Assim, ele lhe dá a falsa impressão de que você é responsável por alcançar sua própria justiça por meio de suas obras e esforços, em lugar de depender da obra consumada de Jesus.

Você é a justiça de Deus em Cristo, ponto final!

Há muitos crentes que são bastante sinceros a respeito de guardar a lei e atingir sua própria justiça — mas, desculpe por dizê-lo: eles estão sinceramente errados. O agir de Deus é por graça. A justiça não pode ser atingida por meio de boas obras. Isso só pode vir como uma dádiva. Uma dádiva jamais será uma dádiva se você tiver de trabalhar por ela.

Por exemplo, se eu desse a você uma Ferrari vermelha tinindo de nova, com a condição de você me pagar 20 mil dólares todo mês, pelo resto da sua vida, essa Ferrari seria realmente um presente? Claro que não! Como ela poderia ser um presente se você teria de pagar ou trabalhar por ela? Isso é conversa fiada! Mas é justamente o que algumas pessoas estão pregando hoje. Elas dizem que Deus dá a você a dádiva da justiça, sob a condição de que você guarde os Dez Mandamentos pelo resto de sua vida, para manter a justiça. Agora, isso é mesmo um presente? Ora, vamos — quando Deus deu a você a dádiva da justiça, foi um presente real. Pare de tentar alcançá-lo com suas próprias obras. Os presentes de Deus para nós são incondicionais!

Comece a acreditar que a justiça é uma dádiva na nova aliança! Muitos crentes estão derrotados hoje porque estão tentando alcançar sua própria justiça ao guardarem a lei e por meio de suas boas obras. Meu amigo, a justiça é um dom por causa do que Jesus conquistou na cruz para você. Todos os nossos pecados — passados, presentes e futuros — foram lavados por Seu precioso sangue. Você está completamente perdoado, e a partir do momento em que recebeu Jesus em sua vida, nunca mais será aprisionado por seus pecados novamente. Você foi feito tão justo quanto Jesus, não por meio do seu comportamento, mas pela fé Nele e em Sua obra consumada na cruz.[8]

Não há nada que você possa fazer que leve Deus a amá-lo mais, e não há nada que você possa fazer que o leve a amá-lo menos.

Talvez você esteja dizendo, "Mas... mas... Eu não fiz nada para me tornar justo!" É exatamente isso. Você não fez nada para se tornar justo. E Jesus não fez nada para se tornar pecador. Você está vestido não com sua própria justiça, mas com a perfeita justiça de Jesus. É um presente que Ele comprou para você com Seu próprio sangue! Portanto, a justiça diante do Senhor não pode ser alcançada. Sua permanência como justo ou permanência diante Dele só pode ser recebida como uma dádiva. Hoje, seu direito de ser justo é um direito comprado por sangue! Não há nada que você possa fazer que leve Deus a amá-lo mais, e não há nada que você possa fazer que o leve a amá-lo menos. Ele o ama perfeitamente e Ele o vê vestido com a justiça de Jesus. Então, comece a ver a si mesmo vestido com a justiça de Jesus.

Licença Para Pecar?

"Mas, Pastor Prince, se você pregar que alguém é eternamente justo diante do Senhor, não por meio das próprias obras e de guardar a lei, as pessoas não vão sair e viver uma vida lasciva? Isso não vai dar às pessoas licença para pecar?"

Outra pergunta fantástica! Vou começar minha resposta assim: você já notou que as pessoas já pecam sem precisar de uma "licença"? Todos nós temos o mesmo objetivo, de querer que as pessoas vivam uma vida de vitória sobre o pecado. Acompanhe o que vou discorrer a respeito a fim de tornar isso explicitamente claro, preto no branco, para não restar dúvida:

Eu, Joseph Prince, sou veementemente, completamente, agressivamente e irrevogavelmente CONTRA O PECADO!

O pecado é perverso. Eu realmente não tolero o pecado. Um estilo de vida pecaminoso somente leva você à derrota e à destruição. Então, apesar de nosso objetivo ser o mesmo, o ponto em que diferimos é "como" obter a vida vitoriosa. Alguns pensam que é pregando mais a lei. Estou convicto de que é pregando a graça de Deus.

Quando você visitar a nossa igreja, não vai encontrar uma congregação que, tendo recebido a boa-nova da abundância da graça e a dádiva da justiça, quer sair correndo para começar a viver em pecado. É claro que não! Na verdade, algumas das pessoas mais proeminentes nos negócios, gerentes executivos, empreendedores, advogados, contadores e consultores do meu país frequentam nossa igreja — e você vai encontrar uma congregação que é profundamente apaixonada pela pessoa de Jesus. Você ouvirá maravilhosos e surpreendentes testemunhos sobre como casamentos foram restaurados, como altas dívidas na casa dos milhões foram sobrenaturalmente canceladas, como doenças terminais têm sido miraculosamente curadas e outros testemunhos espantosos que a boa-nova de Jesus traz!

O pecado perde a atração quando você encontra a Pessoa da graça, Jesus Cristo, e se dá conta de tudo com o que Ele abençoou você e o que fez por você na cruz. Você começa a perceber que esta dádiva da justiça lhe foi dada, e que você não fez nada para merecê-la. Você não fez nada para obtê-la e não tem nenhum mérito para recebê-la como prêmio.

Agora, o que acontece? Este encontro com Jesus o induz a querer sair por aí pecando? É claro que não! Ao contrário disso, leva você a se apaixonar por Ele de novo. Faz de você um marido melhor, um pai melhor, uma dona de casa melhor, um estudante melhor. Faz de você alguém que deseja de todo o coração guardar a glória de nosso Senhor Jesus, ao viver uma vida que é vitoriosa sobre o pecado, por Sua graça e força! A preocupação com Cristo, em lugar da preocupação consigo mesmo, induz você a reinar em vida por meio do Único, Jesus Cristo — que é a Revolução do Evangelho! A Palavra de Deus diz: "Acordai para a justiça, e não pequeis mais."[9] Quanto mais você compreende que é justo, mais vitória você experimenta sobre o pecado! Acorde cada manhã e dê graças porque você é a justiça de Deus através de Jesus Cristo.

A Restauração Final

Ao longo dos séculos, Deus tem restaurado Suas verdades para a Igreja, e eu acredito que a verdade última e final é a pessoa de Jesus Cristo e tudo que Ele conquistou na cruz. A revelação da **obra consumada** de Jesus se tornará mais e mais forte no fim dos tempos e o homem começará a desfrutar os plenos benefícios da nova aliança da graça.

Jesus não morreu na cruz por nós porque alguns de nós o merecemos. Todos nós merecemos o fogo do inferno, mas fomos redimidos por Jesus Cristo. A palavra "redimir" literalmente significa comprar por um preço. O preço aqui é o próprio Jesus. Ele deu a si mesmo em resgate por você e por mim. Ele abriu mão de si mesmo, então você e eu podemos receber a abundância da graça e a dádiva da justiça para reinar em vida. E tudo por causa de Jesus!

É tempo de a Igreja parar de abrir mão da graça e parar de se preocupar se isso é um tema muito controverso. Estude a Bíblia e comece a ver por si mesmo que esse é o poder de Deus para salvação. Pare de abrir mão da graça!

Discernindo o Evangelho da Graça

Deixe-me ensinar a você como discernir se o ensinamento da graça que você está ouvindo é doutrinariamente são. Quando ouve a nova aliança da graça pregada, ela é sempre em exaltação a Cristo. Ela sempre revela mais e mais de Jesus. Ela sempre revela a beleza de Jesus e a perfeição de Sua obra consumada na cruz. Jesus é sempre glorificado quando a graça é ensinada. Não há graça sem Jesus.

Então, não fique tão facilmente impressionado só porque alguém diz a você que prega a graça. A Palavra de Deus nos diz para testar tudo. Deus quer que sejamos prudentes como serpentes e inocentes como pombas.[10] Mesmo enquanto lê este livro, não quero que você tome minha palavra em lugar da Bíblia. Quero que você esmiúce sua Bíblia, estude a Palavra de Deus por si mesmo e veja a graça do nosso Senhor Jesus na nova aliança se tornar revigorada. A graça não é uma doutrina. A graça é uma pessoa e Seu nome é Jesus. Portanto, não há ensinamento sobre a graça sem Jesus Cristo. Você não pode separar Jesus e a graça! Se alguém fica repetindo a palavra "graça" em seus sermões, mas não há exaltação de Jesus e de Sua obra consumada, esse **não é** o Evangelho da graça.

Similarmente, para melhor discernir se o que você está ouvindo é o Evangelho da graça, observe que ela não destaca seus esforços, seu desempenho ou suas obras. Ela torna os esforços pessoais dos homens em nada, e evidencia completamente os esforços de Jesus e o que Ele fez. A lei torna a pessoa autoconsciente. A lei está sempre perguntando, "O que eu devo fazer?" Mas a graça torna a pessoa consciente acerca de Cristo. E a graça está sempre perguntando: "O que Jesus fez?"

---

*Sua parte é somente crer em Jesus Cristo, e quando
faz isso, você é abençoado e justificado!*

Segundo a lei, o fardo fica sobre você e seu desempenho. Segundo a graça, o fardo fica sobre o que Cristo executou na cruz. Foi por isso que Jesus disse: "Vinde a Mim, todos os que estais cansados e oprimidos, e eu vos aliviarei, porque o Meu jugo é suave, e o Meu fardo é leve."[11] Jesus não estava falando para pessoas que estavam cansadas e oprimidas de seus trabalhos seculares. Ele se referia a pessoas que estavam esgotadas e oprimidas pelas exigências da lei de Moisés. O jugo da lei é severo e pesado. Jesus veio para revelar a graça, e o jugo da graça é leve e suave porque não envolve nada de você e tudo de Cristo. Ele suportou o fardo do pecado em seu lugar. Segundo a graça, sua parte é somente crer em Jesus Cristo, e quando faz isso, você é abençoado e justificado! Isso não é realmente uma maravilhosa graça?*

A nova aliança da graça é tão poderosa que tem havido tentativas de perverter esse ensinamento da graça de Deus. Há muitos assim chamados pregadores que estão pregando uma "graça" que não é a de Deus! Eles acreditam numa "salvação universal" e declaram isso, que por causa da graça de Deus, todos serão salvos, mesmo sem crer em Jesus. **Isso é uma mentira vinda do abismo do inferno**! Nenhum homem pode ser salvo senão através do nosso Salvador Jesus Cristo. Jesus é o caminho, a verdade e a vida.[12] Nenhum homem vem ao Pai e recebe vida eterna a não ser por meio de Jesus! Não há graça sem a pessoa de Jesus. O ensinamento de "salvação universal" é uma MENTIRA que desonra a Jesus e nega Sua obra na cruz! A graça verdadeira sempre faz de Jesus o centro de todas as coisas. Tudo tem a ver com Jesus!

É tempo de a Igreja derrubar estes muros de controvérsia que cercam a graça e começar a revelar mais e mais a Jesus. Esta é a

---

* *Amazing Grace*, expressão originalmente usada pelo autor, é uma alusão à famosa canção tornada tradicional e regravada por dezenas de famosos intérpretes. Essa canção foi trilha de filmes e foi executada em ocasiões formais e marcantes ao redor do mundo. O autor faz uma brincadeira com o título da canção enquanto enfatiza a profundidade da graça (Nota da tradutora).

batida do coração do meu ministério — revelar Jesus e ver mais de Jesus, Sua amabilidade, Sua perfeição e Sua graça. Tudo tem a ver com trazer de volta o "maravilhoso" à graça!

Se os crentes não entenderem que a graça de Deus é Seu favor imerecido, inalcançável e inadquirível, eles vão depender de seus próprios esforços para guardar a lei de Moisés para merecer, adquirir e obter por mérito tal favor. De igual modo, se não entenderem que a justiça é um presente e que está vinculada a uma "condição de direito" e não ao "fazer direito", eles dependerão de seus esforços próprios para adquirir este dom.

Derrubando Os Muros da Controvérsia

Meu amigo, você está destinado a reinar nesta vida. O nosso Senhor tem prazer em ver seu casamento abençoado, sua família abençoada, seu celeiro transbordando com mais que o suficiente e seu corpo cheio da vida ressurreta de Jesus!

Comece a perceber que o diabo fortaleceu bem os muros e construiu fortalezas tão reforçadas que hoje elas parecem paredes grossas. Essas paredes densas cercam a abundância da graça e a dádiva da justiça. Pela graça de Deus, vamos derrubar essas paredes compactas, porque as armas da nossa luta não são carnais, mas poderosas em Deus para derrubar fortalezas. Vamos derrubar essas fortalezas que têm roubado os crentes de seu destino para reinar em vida. Comece a receber os tesouros que foram comprados para você pelo sangue de Jesus e comece a reinar em cada área de sua vida!

O nosso Senhor tem prazer em ver sua família abençoada, seus celeiros transbordando e seu corpo cheio da ressurreição de Jesus!

Capítulo 4

Nós Temos Sido Roubados!

"Algumas vezes Deus fica zangado comigo, outras vezes Ele fica alegre comigo."

"Algumas vezes Deus cuida de mim, em outras vezes Ele me abandona."

"Hoje Ele me prospera, mas amanhã Ele pode me dar a pobreza para me humilhar."

"Hoje ele me cura, mas amanhã Ele pode me dar uma doença para me ensinar uma lição."

"Hoje Ele perdoa todos os meus pecados. Amanhã, sou responsável por eles."

Bem-vindo ao Cristianismo esquizofrênico! Isso é o que muitos crentes estão ouvindo e crendo hoje: algumas vezes Deus é bom, algumas vezes Ele não é! Algumas vezes Ele está feliz, algumas vezes Ele não está! Esses crentes estão sendo jogados de um lado para o outro, sem nunca serem ancorados na rocha de Jesus Cristo. Alguns crentes estão vivendo entre duas alianças — a antiga aliança da lei e a nova aliança da graça. Eles acreditam em uma mensagem misturada, que lhes diz que há momentos nos quais Deus está zangado com eles e momentos nos quais Ele está feliz com eles.

Se você lhes perguntar: "Quando Deus está feliz com você?", eles dirão: "Quando eu faço o que é certo."

Se você lhes perguntar novamente: "Isso significa que quando você faz algo errado, Deus fica zangado com você?", eles dirão: "Sim! Deus fica zangado comigo quando eu faço algo errado."

Meu amigo, aqueles que acreditam que Deus algumas vezes fica zangado com eles ainda estão vivendo sob a antiga aliança da lei, e não sob a nova aliança da graça. Segundo a lei, Deus exige justiça do homem. Segundo a lei, tudo depende do homem e de sua obediência. Segundo a graça, porém, tudo depende de Jesus e do que Ele fez na cruz. A lei exige, mas não move um só dedo para ajudar, enquanto a graça entrega e alcança tudo em seu favor.

Você já notou que na antiga aliança, baseada na lei de Moisés, tudo estava fundamentado no que você tinha de **fazer** ou **não fazer**? Apenas conte o número de vezes que a frase "**você** não pode..." aparece em Êxodo 20, quando os Dez Mandamentos foram dados ao povo. Compare essa informação com a nova aliança da graça, quando o Senhor diz:

> ... **firmarei** nova aliança com a casa de Israel... não segundo a aliança que fiz com seus pais... na sua mente **imprimirei** as minhas leis, também sobre o seu coração as **inscreverei**; e eu **serei** o seu Deus, e eles serão o meu povo... Pois, para com as suas iniquidades, **usarei** de misericórdia e dos seus pecados **jamais me lembrarei** (Hebreus 8:8-12).

A antiga aliança da lei é baseada em "você não pode... você não pode... você não pode...", ao passo que a nova aliança da graça é o Senhor dizendo, "Eu firmarei... Eu imprimirei... Eu serei...". Fica claro que a ênfase e a exigência da aliança da graça estão no agir do **próprio Deus**! Ele faz tudo em nosso lugar. Na verdade, porque Jesus já morreu na cruz por nós, Ele já **fez** tudo em nosso lugar. Lembre-se, o Cristianismo é "feito, feito, feito", não "faça, faça, faça". Jesus veio para estabelecer a nova aliança da graça, e segundo essa nova aliança, Deus jamais fica zangado com você, porque Sua raiva e furor já foram exauridos no corpo de Jesus na cruz.

A graça nos confere a justiça e já conquistou tudo em nosso favor.

Preste muita atenção agora, porque isto vai transformar radicalmente a sua vida: a única razão pela qual Jesus bradou em alta voz "Está consumado!" na cruz foi porque toda a fúria de Deus contra o pecado foi totalmente esgotada no corpo Dele. Jesus não pode mentir! Se a ira de Deus já foi completamente exaurida, como Deus pode estar zangado com você hoje? Como Deus pode estar zangado com você quando Ele já declarou: "Dos teus pecados e da tua iniquidade não me lembrarei mais"?

Como Você Vê a Deus Hoje?

A razão pela qual muitos crentes estão vivendo uma vida de derrota é porque acreditam na MENTIRA de que Deus está zangado com eles. A razão pela qual muitos não são capazes de reinar em vida e experimentar uma vida de vitória é que carregam com eles essa culpa e condenação de que Deus está zangado por causa de algo que fizeram no passado. Meu amigo, cuidado ao ouvir sermões que fazem Deus parecer um homem velho com um grande cajado, esperando para descarregar sua ira sobre você quando você falhar em viver de acordo com os Seus padrões!

Quando eu estava amadurecendo no Senhor, era exatamente assim que eu via Deus. Em minha mente, Ele era um homem idoso e carrancudo, de cabelos e sobrancelhas grisalhas e uma barba já branca. Eu costumava visualizá-lo segurando um grande bastão, esperando para desferir um golpe na minha cabeça assim que eu pecasse. É claro, na medida em que amadureci na compreensão de Deus, comecei a visualizá-lo sem aquele bastão ameaçador, mas Ele ainda não estava sorrindo e ainda era muito velho.

Certo dia, quando eu era um adolescente, estava em um ônibus orando ao Senhor e ouvi a voz de Deus dizendo a mim: "Filho, por que a imagem que você tem de Mim é essa, a de um homem velho?" Eu respondi com confiança: "Bem, o Senhor é um Pai e é assim que os pais se parecem, certo?" Ele continuou: "Filho, você sabia que ficar velho é parte da maldição que afligiu a terra por causa do pecado de Adão? No céu não há maldição. Somos jovens para sempre."

Quando o ouvi dizer isso, inesperadamente comecei a ver Deus como o mesmo Deus que falou com Abraão como quem fala com um amigo sob o carvalho e lhe mostrou as estrelas; o mesmo Deus que abriu o Mar Vermelho e libertou os filhos de Israel da escravidão; o mesmo Deus cuja mão de favor fez um jovem pastor de ovelhas rei sobre todo o Israel. É assim que vejo meu Deus hoje. **Ele é jovem eternamente, forte e amável!** Ele não está empunhando um cajado, pronto para me punir. Seus braços estão abertos, prontos para me abraçar.

Meu amigo, você visualiza um Deus zangado hoje, ou um Deus que está sorrindo e pronto para abraçá-lo? Por causa da obra consumada de Jesus, não estamos mais debaixo da aliança da lei, segundo a qual Deus está feliz com você algumas vezes e zangado com você em outras. **Hoje, Ele tem total prazer em você por causa de Jesus Cristo.**

Deixe que essa verdade se aprofunde no seu interior e o faça se apaixonar totalmente por Deus novamente.

E Quanto à Fúria de Deus?

Alguns anos atrás, eu estava caminhando em direção ao meu carro após um compromisso de pregação, quando um rapaz correu atrás de mim vindo do auditório. Como eu estava prestes a abrir a porta do meu carro, ele parou bem na minha frente, ofegante, e disse:

"Espere, pastor..." Ele estava respirando com dificuldade e tentando se recuperar de sua corrida. "Espere... eu tenho uma pergunta para você".

Ele parecia muito perturbado, e disse: "Você falou sobre o amor de Deus, mas a Bíblia também diz que Deus é fogo consumidor!"

Bem ali no estacionamento, comecei meu sermão seguinte. Expliquei que embora Deus **tenha** fúria, a Bíblia nunca o define **como** furioso. Em lugar disso, de acordo com a definição da Bíblia, Deus é **amor**.

Então, ele exclamou: "Mas pastor Prince, algumas vezes eu percebo Deus ficando zangado!"

Eu expliquei: "Realmente, vemos Deus zangado no Antigo Testamento e no livro de Apocalipse, onde Sua ira é contra aqueles que rejeitaram a Jesus. Mas quanto a você e a mim, crentes da nova aliança, nós não somos parte do Antigo Testamento e jamais seremos punidos, porque já recebemos a Jesus. Como crentes, Deus não está mais zangado conosco, porque toda a Sua ira por nossos pecados recaiu sobre Jesus na cruz. Jesus se tornou o Cordeiro de Deus que tira todos os nossos pecados. Na cruz, Jesus exclamou: 'Deus meu, Deus meu, por que me desamparaste?' Por que você acha que Jesus gritou aquilo? Ele o fez para que todos nós pudéssemos saber especificamente que, exatamente naquele momento, Deus despejava Sua fúria sobre Ele. Jesus se fez nossa oferta pelo pecado, e o fogo da ira de Deus o consumiu completamente, porque Aquele que não conheceu nenhum pecado se tornara nosso pecado — portanto, você e eu jamais experimentaremos a ira de Deus novamente."

Deus não está mais zangado conosco porque toda a Sua ira por causa dos nossos pecados recaiu sobre Jesus, na cruz.

Depois de lhe explicar isso, ele me agradeceu. A expressão perturbada que transtornava seu semblante tinha dado lugar a um sorriso. Acredito que enquanto ele caminhava, afastando-se, havia uma paz e uma segurança em seu coração de que Deus não estava mais zangado com ele porque seus pecados já tinham sido julgados completamente na cruz do Calvário. Aleluia!

Há muitos crentes sinceros hoje que são como este homem. Eles acreditam que Deus é um Deus de amor, mas ao mesmo tempo, eles também acreditam que Ele pode ser um Deus de grande ira. Quando leem a Bíblia, ficam confusos porque veem um Deus frequentemente irado no Antigo Testamento, mas um Deus amoroso no Novo Testamento. Deus é esquizofrênico? Ele realmente fica irado algumas vezes e amoroso em outras? Vamos descobrir isso no próximo tópico.

Discernindo Corretamente as Alianças

É importante que compreendamos que Deus atua por meio de alianças porque isso explica como Ele abençoa as pessoas. Segundo a antiga aliança de Moisés, se os filhos de Israel obedecessem aos "dez grandes" — os Dez Mandamentos — eles seriam abençoados, e caso contrário, seriam amaldiçoados e punidos. Pense sobre isso por um instante: eles eram amaldiçoados porque Deus é um Deus de ira? Não. Eles eram amaldiçoados porque estavam fadados a guardar os termos da aliança sob a qual viviam. Era uma aliança que dependia da capacidade deles de guardar a lei, e eles não conseguiam fazer isso.

A boa notícia é que você e eu não estamos mais sob as exigências da antiga aliança. Por intermédio da obra consumada de Jesus, estamos sob a nova aliança, e segundo ela, somos abençoados não porque somos bons ou porque fazemos o bem. Falando de modo simplificado, somos abençoados porque **Jesus** é bom, **Ele** nos tornou bons e aceitos ao nos purificar de todos os nossos pecados com Seu sangue! Temos de discernir corretamente as alianças.

"Pastor Prince, você está dizendo que Deus 'pegou leve' com o nosso pecado?"

De jeito nenhum, meu amigo! Ouça cuidadosamente o que estou dizendo: Deus é santo e justo, e Ele odeia o pecado. Não há dúvida quanto a isso. Porém, a completa ira e julgamento de Deus contra o pecado recaiu sobre Jesus na cruz. Você nunca se perguntou como foi possível Jesus ser punido pelo pecado, uma vez que Ele não cometeu pecado? A Bíblia diz que Aquele que não conheceu pecado se tornou pecado.[1] Jesus não pecou, mas os pecados passados, presentes e futuros da humanidade foram todos punidos coletivamente em Seu corpo! Ele não conheceu pecado, mas foi punido pelos nossos pecados. Então, Deus não foi brando com o nosso pecado. O pecado foi julgado na cruz de Jesus!

Todos os Nossos Pecados Foram Perdoados

"Pastor Prince, como você pode afirmar que até mesmo os nossos pecados futuros foram perdoados?"

Meu amigo, quando Cristo morreu na cruz, você nem sequer tinha nascido ainda. Você não era nem mesmo uma ideia de seus pais! Todos os nossos pecados, portanto, eram "futuros" pecados. Então, **todos** os pecados foram perdoados, e foi algo conquistado através de um sacrifício, por um só Homem. Seu nome é Jesus. A obra consumada de Jesus transcende o tempo. Seu sangue derramado perdoa **todos** os seus pecados — passados, presentes e até mesmo os futuros.

Muitos cristãos têm a crença equivocada de que somente seus pecados passados foram perdoados. Eles acreditam que quando receberam Cristo, somente seus pecados passados foram perdoados. Então, acreditam que precisam tomar muito cuidado daquele ponto em diante. Essa foi a impressão que me foi passada por pregadores e professores enquanto eu estava amadurecendo.

Então, eu li a Bíblia por mim mesmo e vi que ela dizia que Deus "perdoou **todas as transgressões**..."[2] Meu amigo, "todas" significa **todas**. Isso se refere a **todos** os pecados da nossa vida inteira! Deus não retirou um "pedaço" das nossas transgressões. Ele perdoou todas — passadas, presentes e futuras — as nossas transgressões! A definição de Deus para "todas" não está limitada a tempo e espaço como acontece com a definição humana de "tudo". Quando Deus disse "todas", Ele realmente queria dizer todas! Entenda que Jesus não precisa ser crucificado novamente pelos nossos futuros pecados. Eles foram todos perdoados na cruz!

Deixe-me ilustrar isso de outra maneira. Imagine que você e sua família conseguiram abrir caminho até à linha de frente de uma multidão que se aglomera, na Disneylândia, onde o desfile de rua está prestes a começar. Você e seus filhos mal podem esperar para ver o Mickey Mouse e seus amigos desfilando em seus belos carros alegóricos. O Pato Donald vestido de marinheiro passa e seus filhos acenam com empolgação. O próximo a vir é o Pateta, e então o Pluto, e uau... aquele é o Mickey vindo em seguida? É assim que vemos a vida. Temos uma perspectiva linear e vemos os eventos se desenrolarem dia a dia. Porém, a perspectiva de Deus é diferente. Ele tem uma "visão de helicóptero". Ele está acima de tudo, bem mais alto que o desfile, e vê toda a alegoria do começo ao fim. Ele é o "Alfa e o Ômega, o Princípio e o Fim".[3]

De igual modo, quando Deus perdoou os seus pecados na cruz, Ele viu os pecados da sua vida inteira, desde o começo até o fim. Deus tomou todos os seus pecados, mesmo os pecados que você ainda nem tinha cometido, e os colocou sobre Jesus. Todos os seus "futuros" pecados foram inteiramente julgados na cruz!

O fato de saber isso faz você pensar: *Oba! Eu posso fazer qualquer coisa e cometer qualquer pecado que eu quiser, uma vez que já estou perdoado?* Ou será que isso faz você querer viver uma vida de honra que glorifique o Seu Deus, que o ama tão perfeita e completamente?

Quando está debaixo da graça de Deus e do Seu perfeito perdão, você experimenta a vitória sobre o pecado.

Eu não acredito nem por um momento que um crente que verdadeiramente encontrou o completo perdão de Jesus e a perfeição de Sua obra consumada deseje viver uma vida de pecado. É a Sua graça e perdão que dão a você o poder de subjugar o pecado. O apóstolo Paulo disse: "O pecado não terá domínio sobre vós porque vós não estais debaixo da lei, mas da graça."[4] Quando você está debaixo da graça de Deus e do Seu perfeito perdão, você experimenta a vitória sobre o pecado.

Testemunho da Graça de Deus

Recebi este testemunho escrito de um precioso irmão da minha igreja:

Pastor Prince, eu quero apenas compartilhar com você o que a graça de Deus fez na minha vida. Eu nasci em uma família cristã. Durante minha fase de crescimento, eu era forçado a frequentar a igreja. Tudo que aprendi foi que Jesus tinha sido pendurado na cruz, mas o porquê de Ele estar ali, eu não sabia. Eu odiava ir à igreja. Meus pais me forçavam a ir e me reprimiam, mas isso não ajudava em nada.

No colegial, eu me envolvi com gangues e comecei a fumar e a beber muito. Comecei a viver uma vida de crimes, roubo, vandalismo e vivia me metendo em brigas. Tornei-me rude, de temperamento explosivo e extremamente vulgar. Meus pais, professores e conselheiros escolares tentaram me ajudar, mas nada funcionou. Não demorou muito até que eu fosse expulso da escola e me tornasse um inveterado alcoólatra e fumante. A maioria dos meus amigos era viciada em drogas. Eu me envolvi em assaltos à mão armada e vi minha vida descendo para o fundo do poço. Ela ia de mal a pior e havia um clamor dentro de mim para que as coisas mudassem.

Todo esse cativeiro do diabo chegou ao fim há poucos anos quando eu vim a conhecer uma garota chamada Faith*. Embora Faith fosse uma

---

* *Faith* traduz-se por *fé* em língua portuguesa. O nome da jovem citada pelo narrador do testemunho é, por si só, uma feliz alusão a *Fé*. O narrador percebe com sensibilidade especial que até mesmo o nome da pessoa que o conduziu a Jesus alude ao toque da graça de Deus para com ele, ou seja, a fé que conduz à graça (Nota da tradutora).

nova convertida, ela me falava da graça, da misericórdia e do amor de Deus, e por que Jesus morreu por mim. Era surpreendente o seu conhecimento sobre Jesus. Eu nasci numa família cristã, mas essa nova convertida sabia mais sobre Jesus do que eu jamais soubera. Então ela me levou à igreja que frequentava, a Igreja New Creation (Nova Criação), e quando você começou a ministrar, eu senti um calor se derramar sobre mim e comecei a chorar. Eu me senti como se estivesse me apaixonando, mas não sabia por quem. Era um amor muito além do amor humano e eu levantei minhas mãos e fiz a oração de arrependimento ao final do culto.

Daquele dia em diante, minha vida nunca mais foi a mesma. Jesus começou a me libertar de muitos cativeiros. Eu ouvi você compartilhar um testemunho sobre como outro membro da igreja tinha sido liberto do vício do fumo ao confessar a justiça de Deus e eu comecei a fazer o mesmo. Eu fumava e confessava que Jesus tinha tomado sobre Si meu vício de fumar na cruz e que Ele ainda me amava, embora eu ainda estivesse fumando.

Surpreendentemente, duas semanas depois, nove anos ininterruptos de fumo e seis anos de alcoolismo tinham ido embora! E na medida em que o tempo passou, Jesus me libertou da gangue da qual eu fazia parte. Eu ainda fui liberto de muitos outros hábitos maus, como meu vício em pornografia. Eu verdadeiramente me tornei uma nova criatura em Cristo Jesus! Todos que me conheciam ficaram chocados com a minha transformação. Eu também fui curado de um problema urinário que durava dez anos. Eu costumava precisar ir ao banheiro muitas vezes durante a noite, mas agora sou capaz de dormir a noite toda em paz.

Pastor Prince, o que o homem não pode fazer, Jesus faz. Foi a graça de Deus que me mudou. Eu não merecia isso, mas eu agradeço a Deus pelo sangue de Jesus. Ele me pegou do jeito que eu estava e agora eu sou um filho de Deus. Quando eu ouço você pregar a graça de Deus, eu não saio e começo uma nova gangue, ou começo a fumar, beber ou dormir por aí. É uma mentira dizer que quando a graça de Deus é pregada, as pessoas vão sair e pecar mais. De fato, foi a Sua graça que transformou um desgraçado como eu. Eu creio que Deus me abençoou para eu ser uma bênção.

54 | Capítulo 4

Quero espalhar esta boa-nova de que somente Jesus pode fazer a diferença em nossas vidas.

Pastor Prince, seu ministério me abençoa. Eu frequento a Igreja New Creation há cinco anos, e sinto orgulho em dizer que esta é a minha igreja.

VICTOR KING

Cingapura

Aleluia! Não é impressionante ver o que a graça de Deus pode fazer na vida de uma pessoa? Veja, quanto maior a revelação que você tem da graça de Deus e do Seu perdão, mais você tem poder para reinar sobre seus desafios e vícios.

Nós Temos Sido Roubados

Muitos cristãos têm sido roubados da comunhão e da intimidade com Deus porque acreditam na **mentira** de que Deus ainda está zangado com eles por causa de seus pecados. Eles evitam ter contato com Deus, pensando que Ele fica irado com eles toda vez que falham. Então, em lugar de ir a Deus quando falham, eles correm na direção oposta. Em vez de correr para a solução, eles correm para longe dela.

A verdade é esta: Deus não está mais zangado com você. Sua fúria em relação a todos os seus pecados já foi completamente exaurida no corpo do nosso Salvador Jesus Cristo. Todos os nossos pecados foram julgados e punidos no corpo de Outra Pessoa.

O ensinamento esquizofrênico que diz que Deus algumas vezes está zangado e em outras está feliz com você de acordo com o seu desempenho, não é um ensinamento bíblico e fará de você um crente esquizofrênico. É tempo de sair dessa confusão e começar a ver o seu Deus por quem Ele realmente é.

Deus é (tempo verbal no presente) amor. Pare de ser roubado da verdadeira intimidade e relacionamento com seu gracioso e perdoador Salvador Jesus Cristo. Em lugar de evitá-lo quando falha, saiba que Ele é a resposta para todos os seus problemas. Você pode ir a Ele e receber graça para suas falhas. Sua graça é maior que todas as suas falhas. Ele o ama perfeitamente, então vá a Ele com todas as suas imperfeições. Do mesmo modo que Ele restaurou aquele precioso irmão de nossa igreja, Ele amará você por completo!

Quanto mais revelação você tem da graça de Deus e do Seu perdão, mais você tem o poder para reinar sobre todos os seus desafios e vícios.

Capítulo 5

Deus está julgando os Estados Unidos da América?

Logo após os acontecimentos trágicos do 11 de setembro, alguns crentes declararam publicamente que Deus estava julgando os Estados Unidos por causa de seus pecados. Quando eu ouvi isso, só pude imaginar Osama bin Laden em uma caverna, em algum lugar do Afeganistão, concordando com eles e pensando que "deus" realmente o estava usando para julgar a América. Ora, por favor?! Se os cristãos atribuíssem tais eventos ao julgamento de Deus, os terroristas seriam os primeiros a dizer, "Amém! Pregue isso!" Será que você não consegue ver que algo está bem errado quando cristãos e terroristas concordam a respeito de algo assim? Milhares de pessoas morreram e muitas famílias, amigos e pessoas amadas ficaram destruídos pelo luto. Como isso poderia ser obra do nosso amado Pai? Leia a Bíblia por você mesmo. Ela diz que Deus "não tem prazer em que ninguém pereça".[1] Terrorismo é obra do diabo. Não é obra do nosso amado Pai.

Eu também tenho ouvido alguns crentes se pronunciando do seguinte modo: "Se Deus não está julgando os Estados Unidos por todos os seus pecados, então Ele precisa se desculpar com Sodoma e Gomorra." Bem, deixe-me dizer isto com honra e respeito: se Deus julgar a América hoje, Ele precisará se desculpar com Jesus pelo que Ele conquistou na cruz! Meu amigo, Deus não está julgando os Estados Unidos da América (ou qualquer outro país no mundo hoje). Os Estados Unidos e seus pecados já foram julgados! Onde? Na cruz de Jesus! O pecado já foi julgado na cruz!

E Quanto às Evidências Do Juízo Final de Deus?

"Mas, Pastor Prince, Deus não usou Elias para fazer descer o fogo do julgamento sobre aqueles que se opuseram a ele? E Deus não fez chover fogo e enxofre sobre Sodoma e Gomorra?"

Vamos dar uma olhada na história de Elias. Ela aconteceu durante o reinado do rei Acazias, em Israel, a quem a Bíblia descreve como alguém que "fez o que era mau perante o Senhor".[2] Acazias mobilizou um capitão com cinquenta soldados para confrontar Elias, que estava sentado no topo de um monte. O capitão gritou para Elias: "Homem de Deus, o rei manda dizer, 'Desce!'" Então, Elias respondeu e disse ao capitão dos cinquenta, "Se eu sou um homem de Deus, então o fogo vai descer do céu e consumir você e seus cinquenta homens." E desceu fogo do céu e consumiu o capitão e seus cinquenta homens. Acazias, então, enviou outro capitão com cinquenta homens, e novamente caiu fogo do céu e os consumiu. Acazias enviou um terceiro capitão com seus cinquenta soldados, mas dessa vez, o capitão implorou a Elias, e sua vida e de seus homens foram poupadas.[3]

De igual modo aconteceu com Sodoma e Gomorra — a Bíblia registra que o Senhor fez chover enxofre e fogo sobre as duas cidades. Ele "devastou aquelas cidades, toda a planície, todos os habitantes das cidades e a vegetação".[4]

Discernindo Corretamente a Palavra

"Aí está, Pastor Prince... uma evidência bíblica clara de que Deus executa o julgamento para punir o Seu povo!"

Você precisa compreender como **discernir corretamente a Palavra de Deus**. Quando lemos a Bíblia, precisamos seguir o conselho que o apóstolo Paulo deu ao seu jovem aprendiz, Timóteo. Timóteo era um jovem pastor da igreja de Éfeso, e Paulo lhe disse: "Procura apresentar-te a Deus aprovado, como obreiro **que não tem de que se envergonhar, que maneja bem a palavra da verdade.**"[5]

Muitos crentes hoje estão vivendo como se a cruz não fizesse qualquer diferença!

Deus quer que sejamos capazes de "manejar bem", em outras palavras, de discernir a Palavra. Ele quer que sejamos astutos em discernir e claramente separar o que pertence à antiga aliança da lei e o que pertence à nova aliança da graça. Ele quer que sejamos capazes de discernir o que aconteceu antes da cruz do que aconteceu depois dela, e entender a diferença que a cruz fez. Muitos crentes hoje estão vivendo como se a cruz não fizesse qualquer diferença!

Há um fato crucial que você precisa identificar acerca dos dois eventos do julgamento final de Deus — ambos aconteceram no Antigo Testamento e antes da crucificação de Jesus.

Não conclua apenas pelas minhas palavras que Deus **não** fará descer o fogo do julgamento sobre você hoje. Veja por si mesmo o que o próprio Jesus disse sobre o que Elias fez. Você se lembra da ocasião em que Jesus quis entrar em certo vilarejo em Samaria, mas as pessoas do lugar se recusaram a recebê-lo? Quando os discípulos viram que aquelas pessoas rejeitaram a Jesus, disseram: "Senhor, queres que façamos cair fogo do céu para destruí-los, como Elias fez?" E agora, como Jesus respondeu a eles? Ele disse: "Grande ideia! Vocês são os discípulos que têm verdadeiramente o mesmo coração que o Meu"? Não, claro que não! Leia sua Bíblia. Ele se virou para os Seus discípulos e os repreendeu firmemente, dizendo: "**Vocês não sabem de que espécie de espírito vocês são**. Porque o Filho do Homem não veio para destruir a vida dos homens, mas para salvá-los" (NVI).[6]

Meu amigo, o espírito de Jesus na nova aliança da graça não é o espírito da antiga aliança da lei, vigente no tempo de Elias. Jesus quer que você tenha plena certeza no seu coração hoje de que Ele não veio para condenar ou destruir você. Ele veio para salvar você![7] O diabo veio para roubar, matar e destruir, mas Jesus veio para que você tenha vida, e a tenha mais abundantemente.[8] Aleluia!

Tenha em mente também que Deus quase poupou Sodoma por causa do apelo de Abraão. Ele prometeu a Abraão que se houvesse somente dez homens justos em Sodoma, ele não destruiria a cidade por amor a eles.[9] Mais tarde, quando os anjos resgataram Ló, sobrinho de Abraão, vemos que Deus não teria destruído a cidade mesmo se apenas um só homem justo — Ló — sobrasse! Observe o que o anjo disse a Ló: "Apressa-te, refugia-te nela; **pois nada posso fazer**, enquanto não tiveres chegado lá. Por isso, se chamou Zoar o nome da cidade." Eles tiveram de esperar até que Ló estivesse fora, na segurança de outra cidade chamada Zoar, que ele havia escolhido para se refugiar. A Bíblia registra que o Senhor fez chover enxofre e fogo em Sodoma e Gomorra somente após Ló ter entrado em Zoar.[10]

As pessoas que alegam que o 11 de setembro foi o julgamento de Deus sobre os Estados Unidos estão dizendo que não há uma só pessoa justa nesse país hoje? Se Deus tivesse poupado Sodoma por amor a dez homens justos, você não acha que os termos que ele daria hoje, após a obra consumada de Jesus na cruz, seriam bem melhores? Mesmo se Deus ainda exigisse a presença de ao menos dez pessoas justas, você facilmente encontraria milhões de homens e mulheres justos nos Estados Unidos hoje, porque justiça é uma dádiva da graça do Senhor, e os crentes ao redor de todo o país estão vestidos com a justiça perfeita de Jesus! Pessoal, o que aconteceu em 11 de setembro não foi um ato de julgamento de Deus. Ele certamente não é um terrorista e o Filho do Homem não veio para destruir a vida dos homens, mas para salvá-los!

Submeta Todas as Profecias ao Filtro da Cruz

Todas as profecias que você recebe hoje devem ser filtradas através da cruz. Se você recebe uma "palavra" de alguém que traz seus pecados à memória ou introduz gradualmente uma expectativa de punição pelos pecados na sua vida, não tenha medo disso — apenas atire essa palavra pela janela. Não permita que ninguém diga que algo negativo aconteceu ou vai acontecer a você por causa dos seus pecados. Rejeite esse tipo de má notícia, em nome de Jesus. Em lugar disso, comece a receber a boa-nova de Jesus. Se você estiver passando por circunstâncias difíceis, continue crendo no amor Dele por você, esse amor que foi demonstrado na cruz, e não importa qual tenha sido o mal que o diabo intentou contra você, Ele tornará em bem para a Sua glória! Quando o diabo atira limões em você, Deus os transforma em uma limonada para o seu deleite!

Um jovem casal de minha igreja perdeu seu bebê por causa de algumas complicações. E eu fiquei furioso quando soube que um tal de "profeta" tinha dito a eles que perderam seu bebê porque eles tinham pecado em suas vidas. Aquilo realmente foi cruel! O casal estava vivendo um momento de luto, e em lugar de ser fonte de encorajamento e edificação, esse "profeta" tirou vantagem da situação para parecer profético à custa do precioso povo de Deus.

Talvez não tenhamos todas as respostas, mas podemos ter plena certeza de que as circunstâncias negativas que experimentamos algumas vezes não são obras de Deus para nós, nem são punições pelos nossos pecados. Quando temos essa confiança de que **Deus é por nós** e não contra nós, podemos crer na restauração, no progresso e no fato de que coisas boas acontecerão conosco.

Os líderes da nossa igreja disseram àquele jovem casal que aquela circunstância tão difícil não era a ação do Senhor punindo-os por seus pecados. Eles os fizeram lembrar que todos os seus pecados já tinham sido punidos na cruz de Jesus. Aquilo os ajudou a remover toda a culpa e a condenação que eles estavam carregando em seus corações. Depois disso, o Senhor os abençoou com um lindo bebê.

Quando temos essa confiança de que Deus é por nós e não contra nós, podemos crer na restauração, no progresso e no fato de que coisas boas acontecerão.

Também recebo testemunhos de outros casais que recebem a restauração de Deus nesta área. Observo que esses casais têm uma coisa em comum: após ouvirem as boas-novas do Evangelho da graça, eles foram libertos de toda a culpa e condenação. Em lugar de crerem que Deus estava contra eles ou punindo-os, começaram a acreditar que Ele estava a seu favor — começaram a crer intensamente em Sua graça e bondade. Quando isso acontece, sem falha, a restauração vem. Agora, sim! Isso é Deus! Quando Ele restaura, Sua restauração é sempre maior em quantidade e qualidade. Mas pense a respeito disso: se aqueles casais continuassem a acreditar erroneamente que Deus os estava punindo por causa de seus pecados, jamais seriam capazes de reunir coragem e esperança para crer em Deus para a restauração e para esperarem por um novo bebê. Meu amigo, seus pecados já foram punidos na cruz. Deus está do seu lado. E se Deus é por você, quem pode ficar contra você?

Deixe-me compartilhar um testemunho de como acreditar no amor, na graça e na bondade de Deus trouxe cura a uma preciosa jovem:

Pastor Prince, no início do ano passado fui diagnosticada com um tumor na glândula pituitária localizada em meu cérebro. O exame de ressonância magnética mostrou que o tumor estava com um macro crescimento de cerca de 1,5cm. O neurocirurgião do Hospital Geral de Cingapura disse que se eu tivesse demorado mais a procurá-lo e iniciar o tratamento, o tumor teria afetado minha visão porque ele estava pressionando meus nervos óticos.

Foram-me dadas duas opções: cirurgia imediata para remover o tumor (havia um risco de 20% de falha na cirurgia, o que poderia me deixar cega de um olho) ou tratamento com medicação (fui avisada de que a medicação levaria um longo tempo para surtir efeito e a maioria dos pacientes só experimenta uma diminuição do tumor após um ano em média).

O que os médicos tinham descoberto e dito sobre o tumor eram notícias devastadoras para mim e para minha família. Lembro-me de ficar dizendo a mim mesma que se eu perdesse minha visão, não iria querer viver mais.

Foi durante esse período que minha família resolveu entregar tudo nas mãos de Deus, crer e confiar Nele inteiramente, e orar pela cura. Optamos por continuar o tratamento com a medicação. Durante esse período, a despeito de querer crer no amor e na bondade de Deus para comigo, eu era constantemente atormentada por perguntas como: "Deus ainda me ama?" "Ele se importa mesmo?" "Ele está me punindo por algo errado que fiz?" "Será que eu deveria apenas ter cerrado meus dentes e aceitado a situação?"

Somente quando um amigo e colega de trabalho começou a me dar suas pregações em CDs para que eu as ouvisse é que eu fui lembrada mais uma vez do amor do meu Salvador, de Sua graça e bondade para comigo. E eu creio que enquanto ouvia a Palavra pregada através dos CDs, meu corpo começou a ser curado.

Após um mês tomando a medicação, o nível de prolactina em meu sangue diminuiu e o nível de equilíbrio químico em meu corpo se tornou estável. Depois de mais dois meses, uma nova ressonância mostrou que o tumor tinha recuado para metade de seu tamanho original.

Eu estava muito encorajada e, mais importante ainda, eu me sentia confiante e segura de que o meu Deus estava fazendo a Sua obra de cura no meu corpo, de que Ele ama e cuida de mim o suficiente para saber que eu estava sofrendo, e para fazer algo a respeito disso.

A melhor notícia chegou no começo de agosto, quando a última ressonância foi favorável e mostrou que o tumor tinha DESAPARECIDO*! O médico ficou espantado e começou a dizer que na maioria dos casos, mesmo quando um tumor diminuía tanto, ainda restavam células cancerígenas remanescentes. Mas no meu caso, o tumor tinha* IDO EMBORA *completamente, não havia qualquer traço de células cancerígenas!*

Não há palavras para descrever quanta gratidão e reconhecimento eu tenho para com Deus. Eu sei que foi Deus quem me curou. Mas o fato mais importante é que eu me tornei mais madura como filha de Deus; sei que eu sou a justiça de Deus por causa do que Jesus fez na cruz por mim. Esta profunda percepção de saber que sou intensamente amada e cuidada por Deus me torna segura em meu relacionamento com Ele. Quero dar toda a glória e louvor a Deus. Eu sou o que sou hoje — uma pessoa curada, plena e em paz — unicamente por causa da pregação da boa-nova do Evangelho da graça!

Connie Ang

Cingapura

A Definição de Davi de Bem-aventurança

Se Connie tivesse continuado a acreditar que Deus a estava punindo por algum pecado, ela teria apenas abaixado a cabeça, aceitado sua doença como uma punição e jamais teria visto Deus agir para curá-la. Mas, louvado seja Deus, Ele trouxe luz à sua circunstância e mostrou o quanto a amava!

"Mas, Pastor Prince, Deus não puniu o rei Davi pelos pecados dele, e assim ele perdeu seu filho?"

Não esqueça que Davi, assim como Elias, **viveu antes da cruz de Jesus**. Você jamais encontrará um exemplo de Deus punindo um crente por seus pecados na nova aliança. Vamos estudar a Bíblia por nós mesmos, e não apenas nos guiar pelo que as pessoas estão dizendo.

Quando Davi pecou contra Deus ao cometer adultério com Bateseba e tramou a morte de Urias, marido dela, esse pecado lhe foi imputado, e ele então foi punido. Embora essa punição tenha sido temperada com a misericórdia de Deus, mesmo assim Davi foi punido, porque estava sob a aliança da lei, e não sob a aliança da graça.

Você sabe a quem Davi estava descrevendo, quando disse: "Bem-aventurado o homem a quem o Senhor jamais imputará pecado"?[11] Se sabemos que o pecado foi claramente imputado a Davi, ele não podia estar descrevendo a si mesmo, como alguns estudiosos afirmam. Na verdade, ele estava olhando profeticamente para a aliança da graça. Ele estava descrevendo você e eu — uma nova geração de pessoas que estão sob a aliança da graça!

O que significa "não imputar pecado"? Será que significa que você nunca mais vai pecar de novo? Jesus morreu na cruz para nos libertar de cometer ações pecaminosas ou de abrigar pensamentos pecaminosos? Se foi isso que Jesus fez, então me permita concluir com reverência que Ele falhou. Você e eu sabemos muito bem que ainda somos tentados com pensamentos pecaminosos e a cometer ações pecaminosas, e haverá vezes em que falharemos. Você consegue me mostrar um só homem que seja livre de todas as tentações e nunca falhe?

Meu amigo, quando Davi descreveu o homem bem-aventurado como alguém a quem o Senhor não imputará pecado, ele quis dizer que mesmo quando esse homem pecar, Deus não vai considerar seu pecado contra ele, nem puni-lo por sua iniquidade. Bom demais para ser verdade? É por isso que Davi definiu esse homem como um homem bem-aventurado. E esse homem abençoado é você — e eu! Hoje, você é abençoado porque o Senhor não considera de forma alguma seus pecados contra você. Seus pecados foram atribuídos a Jesus — então eles jamais poderiam ser imputados a você. Sob a nova aliança da graça que foi selada com o sangue de Jesus, Deus já julgou o pecado completamente, no corpo de Jesus Cristo. Isso significa que mesmo quando você fica abaixo do padrão santo de Deus, a punição pelo pecado não recairá sobre você. O salário do pecado é a morte, mas Jesus já morreu em seu lugar. Seus pecados já foram imputados na conta Dele!

Hoje, você é abençoado porque o Senhor não considera de forma alguma seus pecados contra você. Por causa de Jesus, você nunca mais será punido por seus pecados novamente.

Dê uma olhada no que João disse: **"Se, todavia, alguém pecar, temos Advogado** junto ao Pai, Jesus Cristo, o Justo."[12] Ele não disse: "Se alguém pecar, será punido por seus pecados!" Não, porque sob a nova aliança da graça, Jesus é hoje o Seu Advogado. Ele o representa diante de Deus, então assim como Ele é, você é também![13]

Jesus é justo diante de Deus? Sim! Então você também é. Ele é aceito diante de Deus? Sim! Então você também é. Ele é agradável a Deus? Sim! Então você é também.

Então, a revelação do que Jesus fez por você o induzirá a sair por aí e pecar? Claro que não! De fato, saber que Ele assumiu sua punição faz com que você se apaixone por Ele. Isso lhe dá a força para ser livre do pecado!

Você Não É Um Grande Pecador?

"Mas, Pastor Prince, eu nunca cometi adultério ou matei alguém. Eu nunca cometi um pecado realmente dos grandes. Acho que eu tenho guardado todas as leis de Moisés."

Bem, você alguma vez já perdeu sua paz de espírito com alguém que cruzou a pista na sua frente sem ligar a seta de indicação do carro? Você alguma vez já perdeu a paciência com seu cônjuge? Se você respondeu "sim" a pelo menos uma dessas perguntas, então você é um assassino. E você alguma vez já imaginou alguma mulher em sua mente? Se já fez isso, então você também é um adúltero.

"Como você ousa me chamar de assassino e adúltero?"

Calma, meu amigo, não sou eu. É o nosso Senhor Jesus. Ele disse: "Vós tendes ouvido o que foi dito aos antigos: 'Não matarás, e qualquer que matar será réu de julgamento.' Mas eu vos digo que qualquer que ficar irado com seu irmão sem motivo será réu de julgamento... Vós tendes ouvido o que foi dito aos antigos: 'Não cometerás adultério.' Mas eu vos digo que qualquer que olhar para uma mulher tendo cobiça por ela, acabou de cometer adultério com ela no seu coração."[14]

Sejamos literais aqui e guiados por nossos próprios padrões ao determinar se temos pecado ou não. Sigamos os padrões de Jesus. O homem rebaixou a lei de Moisés a um nível que pensava que conseguiria cumprir. Mas Jesus veio e elevou esse nível de volta ao seu padrão completo e justo. O homem pode tentar cumprir a lei exteriormente (como os fariseus), mas Jesus demonstrou que ela tinha de ser cumprida interiormente também. Se você falha internamente, falha externamente também. Jesus nos mostrou que era impossível para qualquer pessoa ser justificada pela lei. Somente Ele podia cumprir a lei em nosso lugar e nos justificar por Sua graça!

Deus não estabelece categorias para o pecado. Seja um pecado "menor" ou "maior", ainda é um pecado. Ele não os classifica em uma escala — se você falha em um, falha em todos.[15] Não há uma só pessoa na face deste planeta que não precise depender inteiramente da graça de Deus, porque não existe um só homem que não tenha falhado em seu próprio esforço de guardar a lei! A Bíblia declara que "todos pecaram e carecem da glória de Deus".[16] Pelo padrão de Jesus, todos falhamos! A boa notícia é que, mesmo quando você falha, Deus não o julga por sua falha. Todos os nossos pecados foram julgados na cruz. Aleluia! Não deixe que ninguém lhe diga o contrário!

Capítulo 6

A Conspiração do Diabo

Quando eu era um jovem cristão em crescimento, pensava algumas coisas sobre Deus que me roubavam qualquer desejo de construir um relacionamento mais íntimo com Ele. Disseram-me que quanto mais eu soubesse sobre Deus, mais Ele me responsabilizaria por esse conhecimento, e assim minha punição por não corresponder às Suas expectativas seria mais severa que as de alguém que soubesse menos.

A partir do momento em que recebi esse ensinamento, soube exatamente o que não fazer. Decidi não tocar mais na Bíblia, já que quanto mais eu soubesse, mais seria punido por Deus. Ora, vamos, não sou nenhum bobo! Era melhor ser ignorante do que aprender mais acerca da Palavra e atrair uma punição ainda maior se eu falhasse! Então deixei a Bíblia de lado, e me recusei a aparecer em qualquer classe de estudo bíblico. Simplesmente fiquei longe de qualquer coisa que pudesse "me incriminar" ainda mais.

Também me ensinaram que quanto mais perto de Deus eu chegasse, mais provas e tribulações eu experimentaria. Você já ouviu isso alguma vez? Novamente, quando percebi o que esse ensinamento significava, pensei: *Eu não sou bobo. Não quero nem saber de provas para me sufocar!* Daquele ponto em diante, eu não quis mais chegar perto de Deus.

Você consegue perceber o quanto os ensinamentos errados sobre Deus podem roubar tudo que Ele tem para você?

Na medida em que eu crescia no meu relacionamento com o Senhor, Ele abriu meus olhos e percebi que os ensinamentos que eu tinha recebido não eram verdadeiros. Ao contrário do que eu tinha aprendido, descobri que quanto mais perto eu chegasse de Deus, mais perto ficava da Resposta para todos os meus problemas. Fui chegando mais perto do Fazedor de milagres. Fui me aproximando Daquele que cura. Fui chegando mais perto do Provedor, meu Jeová Jireh!

Enquanto você continuar a ter uma percepção errada de Deus e se afastar Dele, o diabo conseguirá mantê-lo preso em uma vida de derrota.

Quanto mais da verdade de Deus você souber, mais a verdade irá libertá-lo de crenças errôneas que não estão fundamentadas na Sua Palavra. De fato, o diabo adoraria que você tivesse medo de Deus (de um modo doentio) e assim ficasse longe de sua única fonte de ajuda. O diabo adoraria que você ficasse longe da Bíblia porque é o livro que contém a sua herança — ela diz o que pertence a você por intermédio do sangue de Jesus Cristo. O diabo adoraria que você não descobrisse a verdade, assim ele poderia mantê-lo em cativeiro, na doença e na pobreza. Enquanto você continuar a ter uma percepção errada de Deus e se afastar Dele, o diabo conseguirá mantê-lo em uma vida de derrota. Ele adora puxar a lã sobre os olhos das ovelhas de Deus para cegá-las e privá-las de uma vida de vitória e liberdade. Há uma conspiração do mal para mantê-lo derrotado. O diabo está usando ensinamentos errôneos sobre Deus para cegar e confundir o povo de Deus.

Deus Nos Castiga Com Doenças e Enfermidades?

Um dos ensinamentos mais maléficos de que já ouvi falar é que o próprio Deus nos castiga com doenças, enfermidades, acidentes e tragédias. Quando eu era adolescente, um dos líderes da mocidade em minha igreja anterior se envolveu em um horrível acidente que quase o matou. Um dos líderes da igreja reuniu alguns dos nossos jovens para ir ao hospital visitar aquele jovem líder acidentado, e todos fomos juntos no carro do líder que planejou a visita. Enquanto dirigia, ele começou a se lamentar: "Por que isso aconteceu com ele? Eu não entendo. Por que o castigo de Deus para ele está sendo tão severo desta vez? O que será que ele fez para levar Deus a castigá-lo desse jeito?"

Como um jovem cristão, ouvindo meu líder da igreja lamentando o castigo de Deus, você consegue imaginar como me senti quando "percebi" que Deus estava por trás daquele acidente? Honestamente, isso me aterrorizou dia e noite pelo resto da minha vida, ao pensar que Deus castigava um crente usando um método tão severo! Lembro-me de que orei: "Deus, por favor, nunca me castigue desse jeito. Seja o que for, por favor, apenas me diga, tudo bem? Eu vou ouvir. Eu prometo!" Eu me tornei muito receoso de Deus. Não queria me aproximar muito porque tinha medo Dele, receando que se eu cometesse algum erro, Ele não hesitaria em me castigar com acidentes que poderiam me deixar inválido pelo resto da minha vida, ou até mesmo morrer!

Você sabia que esse ensinamento equivocado na verdade está fundamentado na antiga aliança, e não na nova aliança? No livro de Levítico, Deus diz com relação àqueles que falham em obedecer aos Seus mandamentos: "Eu vos castigarei sete vezes mais por causa dos vossos pecados."[1] Mas, imagine só? Você não está mais sob a aliança da lei. Você está sob a aliança da GRAÇA! Jesus já assumiu todos os seus castigos e punições na cruz. Leia você mesmo, em Isaías 53:

Certamente, ele tomou sobre si as nossas enfermidades e as nossas dores levou sobre si; e nós o reputávamos por aflito, ferido de Deus e oprimido. Mas ele foi traspassado pelas nossas transgressões e moído pelas nossas iniquidades; **o castigo que nos traz a paz estava sobre ele**, e pelas suas pisaduras fomos sarados (Isaías 53:4-5).

O profeta Isaías teve uma visão profética do nosso Senhor Jesus na cruz, suportando a punição pelas nossas transgressões. Ele declarou que o "castigo que nos traz a paz estava sobre Ele". Jesus já foi castigado em nosso lugar! Quando o filme de Mel Gibson, *A Paixão de Cristo*, foi lançado, as pessoas reclamaram e o criticaram por ser muito realista e violento. A verdade é que o filme retratou somente a "ponta do iceberg" quando comparado ao que o nosso Senhor realmente sofreu em nosso lugar.

Durante o período do Império Romano, os soldados tinham vários instrumentos de crueldade e tortura à disposição. O abominável "gato de nove caudas" era um chicote com nove correntes. Cada corrente possuía muitos estilhaços e ganchos de metais atados na ponta, e quando um prisioneiro apanhava com esse chicote, os estilhaços e ganchos de metal entravam na pele e a rasgavam quando o chicote era puxado de volta num movimento brusco. Foi assim que o profeta Isaías descreveu Jesus, como alguém que "não tinha aparência nem formosura; olhamo-lo, mas nenhuma beleza havia que nos agradasse."[2]

A carne de Jesus foi rasgada em pedaços e Ele foi violentamente espancado, além do entendimento humano. A punição que merecíamos recaiu sobre Jesus, então você e eu jamais precisaremos sofrer o que Ele suportou em nosso lugar. E por Suas feridas nós somos sarados!

Então, como pode alguém ter a audácia de dizer que Deus ainda nos castiga com doenças, enfermidades e acidentes hoje? Dizer isso é negar a obra consumada de Jesus Cristo! Na nova aliança, Deus jamais castigará o crente por seus pecados! Por suas feridas você é curado! Seja qual for a adversidade que você enfrente hoje, ela não vem do Senhor! Olhe para Jesus na cruz. Contemple-o espancado e torturado, e receba a cura e a plenitude Dele. Ele pagou o preço por sua cura total. Hoje, Ele redime sua vida da destruição![3]

O Castigo Na Nova Aliança

"Pastor Prince, como você pode dizer que não há castigo e punição na nova aliança? No capítulo 12 de Hebreus a Bíblia estabelece isso muito claramente:

> *... Filho meu, **não menosprezes a correção que vem do Senhor**, nem desmaies quando por ele és reprovado; porque o Senhor **corrige** a quem ama e açoita a todo filho a quem recebe (Hebreus 1:5-6).*

Veja, Pastor Prince, aqui temos uma clara evidência de que Deus castiga os crentes na nova aliança!"

Meu amigo, há confusão na igreja porque a palavra original em grego aqui para "corrige", que muitos entendem como "castiga", é traduzida deficientemente. A palavra grega aqui é *paideuo*,[4] que significa "treinamento da criança". Isso **não** significa "punir". *Pai* é a raiz da palavra "pediatra" (médico especialista em tratar crianças), ao passo que *deuo* significa "ensinar a criança". Você vai descobrir que a tradução da palavra *paideuo* como "treinamento da criança" é mais consistente com o contexto da passagem. Continue a ler adiante. O próximo versículo diz: "Se suportais a correção, Deus vos trata como filhos; porque, que filho há a quem o pai não corrija?" Mesmo que você não saiba que a palavra grega aqui significa, na verdade, "treinamento da criança", você poderia deduzi-la a partir desse versículo, que nos conta o porquê de Deus nos tratar como filhos — Ele nos disciplina como os pais terrenos fazem com seus filhos.

72 | Capítulo 6

Você castigaria seu filho com uma doença terminal para lhe ensinar uma lição? Então, por que imagina que seu Pai celestial faria isso?

Pense sobre isto por um instante: você castigaria seu filho com uma doença terminal para ensinar-lhe uma lição?

De jeito nenhum!

Então, por que imagina que seu Pai celestial faria isso?

Deixe-me dar a você uma dica de estudo bíblico: quando estiver lendo a Bíblia, assegure-se de ler cada passagem dentro de seu contexto, porque quando você pega o "texto" fora de seu "contexto", você fica com um "pretexto"! Muitos crentes são ludibriados a acreditar em "pretextos" e ensinamentos errôneos quando algo é destacado e ensinado fora de seu contexto.

Eu nunca entendi como as pessoas podem considerar uma doença terminal como uma lição da parte de Deus. Elas dizem coisas do tipo: "Deus deu a essa pessoa uma doença terminal para ensinar-lhe a ter paciência." Meu amigo, que lição há para aprender depois que a pessoa morre por causa da doença terminal? Você precisa estar vivo para a lição ser útil. Não há utilidade para a paciência se alguém está morto!

Deixe-me dizer isto novamente para deixar bem claro: doenças, enfermidades e acidentes **não** são lições de Deus! Quando você treina uma criança, transmite a ela lições que ensinam coisas que a beneficiarão no futuro. **Não** há futuro se a criança estiver morta. Deus jamais usaria doenças e acidentes para ensinar a você e a mim — Seus filhos — lições!

A sede de justiça de Deus contra o pecado foi satisfeita, e hoje podemos esperar somente amor da parte Dele, não julgamento. Podemos esperar graça, não punição. Jamais seremos punidos à maneira da antiga aliança novamente! Na nova aliança, embora não haja mais qualquer punição, há o **treinamento da criança**, mas Deus não treina Seus filhos com doenças, enfermidades e acidentes, assim como você e eu jamais faríamos isso!

Como Você Disciplinaria Seus Filhos?

Se você perguntar se há correção na caminhada cristã, eu direi: "Sim, absolutamente." Mas é importante que compreendamos que Deus nos corrige da maneira que um pai corrige seu filho. Você torturaria seu próprio filho com doenças, enfermidades e dores para ensinar a ele uma lição?

Você forçaria seu filho a colocar sua mão no fogo até que o cheiro de carne queimada impregnasse a cozinha, para ensinar-lhe dessa maneira a não brincar com fogo ou a não tocar no fogão? Você consegue se imaginar fazendo isso e dizendo: "Você sabe por que o papai está fazendo isso? É porque o papai ama você. Agora que você sabe que o fogo pode queimá-lo, não brinque com fósforos nunca mais"?

Você passaria com seu carro sobre as pernas de sua filha para ensinar a ela o perigo de brincar do outro lado da rua? Você consegue se imaginar dizendo: "Vamos lá, garota, seja forte! O papai ama você, então ele está fazendo isso para o seu bem. Você vai entender isso um dia"? Claro que não! Pais que fazem tais coisas deveriam ser presos! Há uma "casa especial" para pais assim.

Tristemente, ainda há cristãos que acusam nosso Pai celestial de afligi-los com doenças e acidentes para ensinar lições a eles. Com ensinamentos como esse, não é de admirar que os crentes estejam perambulando no deserto, pensando que Deus está zangado com eles e buscando oportunidades para destruí-los. Que tipo de Deus você pensa que temos? Ele é o nosso *Abba*! *Abba* é o termo mais afetuoso que você consegue imaginar para se dirigir a um pai na língua hebraica. Significa "Paizinho"! Você realmente acha que seu Papai, Deus, o puniria você dessa maneira?

Se você que é um pai terreno sabe como dar bons presentes a seus filhos, quanto mais seu Papai celestial, que ama você! Eu não preciso lhe dizer que doenças, enfermidades e acidente não são bons presentes! Esses males vêm do diabo, e por causa da obra consumada de Jesus, fomos redimidos de cada obra e maldição do mal. Nós podemos receber proteção contra cada ocorrência maligna, doença e enfermidade. Pelos açoites nas costas de Jesus, nós somos curados!

Leia o Salmo 103 e observe todos os benefícios que Jesus comprou para você com Seu próprio corpo:

> Bendize, ó minha alma, ao SENHOR, e tudo o que há em mim bendiga ao seu santo nome. Bendize, ó minha alma, ao SENHOR, e não te esqueças de nem um só de seus benefícios. Ele é quem perdoa todas as tuas iniquidades; quem sara todas as tuas enfermidades; quem da cova redime a tua vida e te coroa de graça e misericórdia; quem farta de bens a tua velhice, de sorte que a tua mocidade se renova como a da águia (Salmos 103:1-5).

Ora, vamos, crente! Leia este Salmo todos os dias e não se esqueça de nenhum dos benefícios da obra consumada de Jesus! Ele o perdoa de todos os seus pecados, cura você de todas as suas enfermidades, redime a sua vida da destruição, coroa-o com graça e misericórdia e farta de bens a sua velhice, de maneira que a sua mocidade é renovada como a da águia. Não o acuse de dar, a quem quer que seja, doenças ou acidentes!

A propósito, se as pessoas que insistem em afirmar que Deus usa a doença para punir os crentes realmente acreditam nisso, por que então elas vão de médico em médico tentando ser curadas? Essa atitude é incoerente! Sob certo ponto de vista, elas dizem que suas doenças vêm do Senhor, mas, sob outro ponto de vista, estão tentando se livrar delas.

Pare de acreditar na MENTIRA de que Deus dá a você doenças, enfermidades e acidentes para puni-lo ou ensinar-lhe alguma lição.

Eu sempre digo à minha congregação para não deixar seus cérebros pensantes em casa quando vem à igreja. Pare de acreditar na MENTIRA que Deus dá a você doenças, enfermidades e acidades para puni-lo ou ensinar-lhe alguma lição. Eu sinceramente encontro dificuldade em entender por que há crentes hoje que lutam veementemente pelo direito de ficar doentes, sem dinheiro e derrotados, quando Deus é cheio de graça e misericórdia e quer nos ver saudáveis, prósperos e protegidos de todas as ocorrências do mal! Vamos começar a esperar bons presentes do Senhor. Rejeite qualquer coisa que sugira, ainda que remotamente, que Deus está zangado com você e que vai discipliná-lo com doenças e acidentes quando você falhar!

E Quanto ao "Espinho Na Carne" de Paulo?

"Pastor Prince, e quanto ao 'espinho na carne' que Paulo suportou? Não era uma doença?"

Bem, vejamos o que Paulo disse sobre este "espinho na carne": "Para impedir que eu me exaltasse por causa da grandeza dessas revelações, foi-me dado um **espinho na carne**, um **mensageiro de Satanás**, para me atormentar."[5] Em ponto algum o versículo diz que o "espinho na carne" era uma doença ou enfermidade.

A Bíblia, e não as conjeturas humanas, deve ser usada para interpretar a Bíblia. Espinhos na Bíblia se referem a personalidades que atormentam você. Em nossos idiomas modernos também temos expressões semelhantes. Em português, por exemplo, usa-se a frase "um soco no estômago" para descrever alguém que nos perturba ou irrita. É apenas uma expressão, e não se refere a uma dor real ou enfermidade em nossos estômagos.

De igual modo, o "espinho na carne" que Paulo tinha não era uma enfermidade. No livro de Números você descobre que os inimigos de Israel eram descritos como "espinhos": "Se, contudo, vocês não expulsarem os habitantes da terra, aqueles que vocês permitirem ficar se tornarão farpas em seus olhos e **espinhos em suas costas. Eles lhes causarão problemas** na terra em que vocês irão morar."[6] Deixe a Bíblia interpretar a Bíblia!

O próprio Paulo nos relata o que era o espinho na carne. Ele o chamava de "um mensageiro de Satanás". Portanto, era claramente uma referência a uma má personalidade que instigava as pessoas em atacarem a Paulo, fofocarem e o caluniarem onde quer que ele estivesse pregando o Evangelho. E o que Deus diz a Paulo sobre esse espinho na carne? Ele disse: "Apenas fique calmo, Paulo, Minha graça é suficiente para você."[7] Portanto, Paulo não sofria de qualquer doença ou enfermidade. Ele era tão ungido com a vida de ressurreição de nosso Senhor Jesus que mesmo quando seu lenço tocava os enfermos, eles eram curados.

Você Está Ouvindo as Boas Notícias?

Recentemente, uma senhora em nossa igreja frequentou um seminário profético e um chamado "profeta" lhe disse que a razão pela qual o filho dela tinha uma deficiência era que havia "pecado na vida dela".

Você já caiu nessa mentira alguma vez? Já lhe disseram que as coisas negativas que você possa ter experimentado são um resultado da disciplina de Deus sobre a sua vida, por causa dos seus pecados? Meu amigo, isso é uma total falta de noção e uma absoluta crueldade. Deus não pune pecados na nova aliança com doenças e enfermidades porque o pecado **já foi punido** no corpo de Jesus. Seu sangue já foi derramado para o perdão de todos os nossos pecados. Quando você recebeu a Jesus Cristo em sua vida, todos os seus pecados foram apagados. É uma obra consumada.

Felizmente, aquela senhora se aproximou dos líderes de nossa igreja para receber ajuda e eles compartilharam com ela que Deus já tinha punido os seus pecados no corpo de Jesus. Então ela voltou a procurar aquele tal "profeta" para perguntar o que ele quisera dizer. Quando ele a viu, tentou evitá-la. Quando ela finalmente conseguiu falar com ele e lhe perguntou o que ele quisera dizer, ele apenas disse: "Ah, aquilo foi o que o Senhor me mandou dizer a você." (Meu amigo, não fique intimidado quando alguém de forma petulante ou conveniente usar o nome do Senhor como desculpa para apontar coisas em sua vida que não são bíblicas.) Aquele homem, então, apresentou um cartão de visitas e explicou que fazia aquelas reuniões proféticas em tempo parcial — ele tinha um trabalho diário, e era profeta somente em "meio período".

Isso é absolutamente cruel, não? O povo de Deus é precioso. Eles estão buscando soluções, respostas e ajuda, enquanto esses chamados "profetas" ficam transitando nos círculos cristãos, condenando crentes, convencendo-os de que Deus está zangado com eles e que por isso os pune com doenças, enfermidades e acidentes!

As boas-novas de Jesus sempre libertam, e o
Seu perfeito amor remove todo o medo.

Vamos lá, meu amigo, é tempo de se posicionar acima de todos esses ensinamentos que não têm base bíblica e não estão embasados na nova aliança de Jesus Cristo, nosso Senhor. O Senhor quer que os crentes sejam "prudentes como as serpentes e símplices como as pombas".[8] Abra seus olhos e veja a conspiração maligna do diabo para manter os crentes em cativeiro com ensinamentos errôneos acerca de Deus, ensinamentos esses que não são fundamentados na nova aliança da graça. Sempre que ouvir um ensinamento que provocar medo em seu coração, verifique se que aquilo que você está ouvindo é mesmo o Evangelho, ou a boa-nova de Jesus. A boa-nova de Jesus sempre liberta, e Seu perfeito amor remove todos os medos. A boa-nova sempre transmite fé e exalta a obra consumada de Jesus Cristo na cruz!

Capítulo 7

O Evangelho que Paulo Pregou

Amado, você deve erradicar de sua mente esta ideia de que o perdão dos pecados é um ensinamento simples. Pense sobre isto: se ele é realmente simples, por que tantos crentes o evitam e são derrotados por sua falta de entendimento?

O poder do Evangelho consiste em viver cada momento abundantemente, tendo confiança de que todos os seus pecados foram perdoados. Compare esse modo de vida com viver tendo um perpétuo sentimento de culpa e condenação associado ao pensamento de que quando você peca, a comunhão com Deus é quebrada, e que Ele não responde às suas orações, fica afastado de você, e até que você se arrependa e confesse todos os seus pecados, o Espírito Santo não vai retornar. Muitos cristãos ainda têm essa impressão, de que a responsabilidade de manter o perdão de Deus cabe a eles por intermédio do que fazem. Então, como pode o perdão pelos pecados ser um ensinamento **simples**? Há muitos crentes e até mesmo pastores, pregadores e líderes, com títulos maravilhosos e credenciais de escolas de Bíblia, que ainda estão confusos acerca do ensinamento do perdão.

O melhor jeito de entender o Evangelho, portanto, não é baseá-lo no que você tem ouvido de várias fontes, mas voltar ao que os apóstolos pregaram na igreja primitiva. Vamos examinar o que Paulo, o apóstolo da nova aliança, pregou. Além de tudo, ele era o apóstolo a quem Deus enviou para pregar o Evangelho da graça. Ele recebeu mais revelações da nova aliança da graça do que os outros apóstolos todos juntos, e foi responsável por escrever mais de dois terços do Novo Testamento.

A Pregação de Paulo Era Cheia de Poder

> Em Listra havia um homem paralítico dos pés, aleijado desde o nascimento, que vivia ali sentado e nunca tinha andado. Ele ouvira Paulo falar. Quando Paulo olhou diretamente para ele e viu que o homem tinha fé para ser curado, disse em alta voz: "Levante-se! Fique em pé!" Com isso, o homem deu um salto e começou a andar (Atos 14:8-10).

Observe como o Espírito Santo descreve este homem: número um, ele estava sem força em seus pés. Dois, ele era deficiente desde o ventre de sua mãe, e três, ele jamais tinha andado. O Espírito Santo usou três diferentes descrições para enfatizar que o homem **não podia andar** e estava enfrentando uma situação impossível (aparentemente). No entanto, quando ele ouviu Paulo falando, ficou cheio de fé para ser curado!

Como esse homem ficou cheio de fé?

A Bíblia diz que a fé vem pelo ouvir, e ouvir a palavra de Cristo.[1] O homem de Listra ficou cheio de fé porque ouviu a palavra de **Cristo**! Eu sei que na maioria das traduções da Bíblia consta que a fé vem pelo ouvir "a palavra de **Deus**". Mas se você estudar a palavra original em grego para "Deus" aqui, verá que não está sendo utilizada a palavra *Theos* para "Deus", e sim *Christos*, para "Cristo".[2]

Observe que a fé não vem pelo simples ouvir a palavra de Deus, porque a palavra de Deus abrange tudo na Bíblia, incluindo a lei de Moisés. Não há liberação de fé quando você ouve os Dez Mandamentos sendo pregados. A fé vem somente pelo ouvir a palavra de Cristo. Isso não significa que você deve ouvir somente pregações de trechos da Bíblia que estão grafados em vermelho, os quais indicam que aquelas são as frases que Jesus falou (colocar o que Jesus disse em letras vermelhas grafadas na Bíblia é, em todo caso, uma convenção humana). Ouvir a palavra de Cristo é ouvir a pregação e o ensino filtrados através da nova aliança da graça e da obra consumada de Jesus.

Somente quando Cristo é pregado a fé é transmitida.

Você **pode** pregar de Gênesis a Apocalipse sob a perspectiva de Jesus e de Sua graça. Em minha igreja, sou conhecido por pregar e ensinar extensamente tanto o Antigo quanto o Novo Testamento. Afinal de contas, Cristo está **oculto** no Antigo Testamento e **revelado** no Novo Testamento. No Antigo Testamento você encontra sombras de Cristo nas cinco ofertas em Levítico, no tabernáculo de Moisés, e até mesmo nas figuras dos sacerdotes, permitindo ao ministro da nova aliança esboçar a Cristo e extraí-lo dessas passagens. Somente quando Cristo é pregado, a fé é transmitida. Aleluia! Eu amo falar sobre Jesus!

O que Paulo Pregou?

Voltemos ao homem de Listra. O que será que Paulo estava pregando que era tão poderoso a ponto de conceder tal fé àquele homem que o levou a crer na cura, mesmo em sua situação impossível?

"Bem, Pastor Prince, penso que Paulo estava ensinando a cura divina." Vamos olhar a passagem bíblica. A Bíblia diz somente que Paulo estava "pregando o Evangelho" em Listra.[3] Ela não diz que ele estava ensinando cura divina. Não me entenda errado. **Há** espaço para ensinar cura divina. Eu tenho uma série de ensinamentos sobre cura divina. Mas a fé para cura não vem apenas quando você ouve ensinamento sobre cura. Fé para cura também pode vir quando você simplesmente ouve o Evangelho! Em todo caso, eu queria saber o que Paulo pregou em Listra, porque então poderia pregar a mesma mensagem e conceder fé às pessoas. Por isso, perguntei ao Senhor o que Paulo pregou. Quero dizer, como o Espírito Santo poderia deixar de mencionar algo tão importante? Ah, se Ele ao menos tivesse registrado isso na Bíblia!

Então o Senhor me disse que Ele **registrou** um dos sermões de Paulo na Bíblia. Ele me disse para ir ao capítulo anterior e me mostrou que estava bem ali, em Atos capítulo 13 — o Espírito Santo tinha preservado um exemplo do Evangelho que Paulo pregava aonde quer que fosse. Então ali estava, o sermão de Paulo registrado para nós pelo Espírito Santo, palavra por palavra! Paulo falou sobre muitas coisas, mas você tem de perceber por si mesmo qual era o principal motivo de sua mensagem e onde ela culminava:

> Portanto, meus irmãos, quero que saibam que mediante Jesus lhes é proclamado o perdão dos pecados. Por meio dele, todo aquele que crê é justificado de todas as coisas das quais não podiam ser justificados pela Lei de Moisés (Atos 13:38-39, NVI).

O poder do Evangelho que Paulo pregou é encontrado no perdão de todos os pecados para "todo aquele que crê". Não há outra qualificação para ser perdoado de seus pecados. A antiga aliança estava fundamentada na justificação pelas obras (obediência aos Dez Mandamentos). Você precisava ter um bom desempenho para ser perdoado. Mas a nova aliança da graça é fundamentada inteiramente na justificação pela fé (crer em Jesus Cristo). Você consegue perceber a diferença radical? A exigência não está mais sobre você, e sim em Cristo. Esta é a boa-nova: todos aqueles que **creem** em Jesus recebem o perdão de todos os seus pecados e são justificados de todas as coisas! É ou não é uma boa notícia? Aleluia! Não há nada melhor que isso!

Todos aqueles que creem em Jesus recebem o perdão de todos os seus pecados e são justificados de todas as coisas!

Eu posso imaginar como o homem em Listra respondeu quando ouviu Paulo anunciando que ele poderia ser justificado de todas as coisas se apenas cresse em Jesus. Quando ele ouviu Paulo pregando sobre a boa-nova de Cristo, a fé veio e encheu o seu coração. Com lágrimas em seus olhos, ele deve ter ignorado suas pernas defeituosas e rejeitado cada pensamento de que ele tinha pernas assim desde o nascimento por estar sendo punido por seus pecados ou pelo pecado de seus pais. Em lugar disso, ele deve ter acreditado com todo seu coração que se cresse em Jesus Cristo, seria perdoado de todos os seus pecados. Provavelmente chocado e sufocado pelas lágrimas, ele murmurou: "Eu creio." E naquele momento, ouviu uma voz forte dizendo: "Levante-se! Fique em pé!" Era Paulo dando uma ordem a ele, e antes que tivesse tempo de hesitar, ele se viu saltando sobre seus pés com alegria e, pela primeira vez em sua vida, ele andou!

O Evangelho Transmite Fé

Observe que Paulo não precisou colocar as mãos sobre o homem para curá-lo. Não houve apelo, ninguém foi convidado para ir ao altar e receber cura. A fé para ser curado veio sobre aquele homem simplesmente ao ouvir o evangelho de Jesus Cristo. Temos vivido isso constantemente em nossos cultos. Quando as pessoas estão sentadas e ouvem o evangelho da graça de Jesus e a pregação de Sua obra concluída, milagres de cura acontecem!

Quanto mais revelação você tem da obra consumada de Jesus, mais recebe uma liberação de fé para qualquer situação, mesmo as aparentemente impossíveis!

Um dos meus queridos amigos, Marcel Gaasenbeek, compartilhou comigo um milagre maravilhoso de cura que aconteceu em seu carro enquanto ele estava dirigindo para a Romênia com alguns amigos. Marcel é pastor de uma dinâmica igreja da graça na Holanda, e naquele dia em particular estava a caminho da Romênia para um compromisso de pregar ali. Ele estava ouvindo um de meus sermões no rádio do carro, algo que fazia frequentemente.

Embalado pela monotonia da longa estrada, um dos amigos de Marcel cochilou no banco de trás. Este amigo tinha se envolvido em um acidente de *jet ski* alguns anos antes, e desde então frequentemente sofria de fortes dores nas costas. De algum modo, em meio ao sono que o embalava, ele me ouviu pregar isto: "Jesus já curou você e o diabo é quem está colocando sintomas mentirosos em seu corpo." Ele disse "Amém!" em seu coração, concordando que Jesus **já o tinha** curado ao tomar seu pecado e sofrer sua maldição. Naquele momento, ele sentiu o poder de Deus invadi-lo, e hoje ele está completamente curado! Toda a dor em suas costas sumiu!

Esse é o poder do ouvir, e ouvir o Evangelho de Jesus. É desse modo que a fé surge! Quanto mais de Jesus você ouve, mais de Sua graça você recebe. E quanto mais revelação você tem de Sua obra consumada, mais você recebe uma liberação de fé para qualquer situação, mesmo as aparentemente impossíveis!

Um Encontro Sobrenatural Com o Carrilhão

No ano de 2000, preguei um sermão intitulado *Alef-Tav — A assinatura de Jesus na Bíblia*, durante um de nossos encontros regulares no meio da semana para estudo bíblico. *Alef* é a primeira letra do alfabeto hebraico, e *tav* é a última. A mensagem era sobre a pessoa de Jesus e como Ele se revelava a si mesmo como sendo o Alfa e o Ômega, o Princípio e o Fim. Enquanto eu pregava, cheguei aos dois versículos do sermão de Paulo que acabamos de abordar, e o li em voz alta para eles:

> Portanto, meus irmãos, quero que saibam que mediante Jesus lhes é proclamado **o perdão dos pecados**. Por meio dele, todo aquele que crê é justificado de todas as coisas das quais não podiam ser justificados pela Lei de Moisés (Atos 13:38-39, NVI).

No momento em que terminei de ler os versículos, um instrumento musical — o carrilhão — que ficava no púlpito, atrás de mim, começou a badalar sozinho! Não havia ninguém perto dele. Meus músicos não sentam no púlpito, atrás de mim, enquanto prego. Todos estavam sentados à minha frente, como sempre. Não foi um badalar leve. Os sinos do carrilhão badalaram lindamente sozinhos, para frente e para trás, para frente e para trás, para frente e para trás, do primeiro ao último sino. Isso foi testemunhado por mais de mil pessoas que estavam no culto. Todos no culto puderam ouvir o som alto e claro das notas vindas dos sinos. A unção de Deus se derramou no auditório. Algumas pessoas começaram a chorar, enquanto outras glorificaram ao Senhor e começaram a aplaudir. Foi lindo.

Era o Senhor.

Exatamente no ponto em que terminei de ler os dois versículos sobre o perdão de pecados, o Espírito Santo desceu sobre nossa congregação e nos abraçou. Era como se o Espírito Santo estivesse dizendo um ressoante "Amém" para os dois versículos.

Qualquer pessoa que ouviu os sons pode atestar que não havia jeito de aquelas ondas de música produzidas pelos sinos terem sido causadas por uma rajada de vento ou outra causa natural. Foi um evento sobrenatural. Deus estava confirmando Sua Palavra com um sinal. Os sinos foram tocados deliberadamente. Eu consigo imaginar um anjo de Deus correndo seus dedos e tocando a extensão dos sinos suavemente, antes de correr de novo os dedos na fileira dos sinos... e de novo. É impossível descrever completamente neste livro o que aconteceu naquele momento. Você tem de ouvi-lo por si mesmo!

A propósito, este culto, como todos os nossos cultos regulares, foi gravado tanto em áudio quanto em vídeo. Se você tiver acesso às gravações, poderá ouvir os sinos ressoando distintamente. Infelizmente, você não conseguirá ver os sinos na gravação no vídeo, embora me veja apontando para eles e pedindo à congregação para olhar para eles. O operador de câmera foi pego desprevenido. Ele estava completamente estarrecido diante daquela ocorrência sobrenatural e manteve a câmera focada somente em mim.

Agora, deixe-me compartilhar com você porque aquela noite foi particularmente significativa para mim. Naquele tempo, havia alguns emails venenosos sendo divulgados sobre mim e sobre nossa igreja. Havia algumas falsas acusações feitas por pessoas que me chamavam de todo tipo de coisas desagradáveis. Sem que eu tivesse conhecimento disso, muitos membros de nossa igreja que tinham lido aqueles emails ficaram muito afetados por eles. Naquela noite, após o culto, muitos deles vieram até mim e disseram: "Sabe, Pastor Prince, eu vim aqui esta noite orando e pedindo a Deus para me mostrar se as acusações sobre você nos emails eram verdade. Eu não queria ouvir isso das pessoas que escreveram os emails ou mesmo de você. Eu queria que Deus falasse comigo."

Muitos deles vieram até mim e compartilharam que tinham orado a respeito, e suas descrições eram quase idênticas. Eles tinham lido os emails e queriam ouvir de Deus a respeito. Eu fiquei impressionado! Tantos membros da minha igreja estavam pedindo a Deus para falar com eles, e quando os sinos tocaram tão sobrenaturalmente, aquilo foi uma confirmação do Senhor sobre a exatidão do que eu estava pregando, e eles decidiram ignorar aqueles emails venenosos.

Sem que eu sequer soubesse a respeito das coisas negativas que estava circulando sobre mim, o Senhor tinha me vingado. Ele é a minha defesa. Aleluia! Ao longo dos anos, muitas pessoas têm escrito e dito todo tipo de coisas horríveis sobre mim. Sou chamado de todo tipo de nomes, mas jamais revidei de modo algum. Minha confiança e segurança estão no Senhor. Jamais peguei em uma caneta ou falei uma só palavra negativa contra meus acusadores. Eu não me levanto contra aqueles que se opõem a mim. Em cada situação, apenas oro para que isso redunde em toda glória a Jesus e para o bem maior do Corpo de Cristo.

Perseguição Contra o Evangelho da Graça

Em todo caso, eu não estava despreparado para a perseguição. O Senhor tinha me alertado há muito tempo de que havia um preço a ser pago por pregar o Evangelho que Paulo pregou. O Senhor me disse que as pessoas me insultariam e me perseguiriam. E a perseguição de fato veio. Mas a perseguição vem, principalmente, de pessoas que acreditam na justificação por meio da lei e pelos esforços humanos próprios.

Isso é consistente com o que o próprio Jesus experimentou. Quando Ele viveu nesta terra, o único povo que não conseguiu recebê-lo foram os fariseus, os especialistas da lei. Eles conheciam a lei pelo avesso, mas não o Autor da lei, que estava ali, bem diante deles. Isso não é impressionante? Esse fato nos mostra que o legalismo cega as pessoas — as pessoas legalistas têm olhos que não veem e ouvidos que não ouvem! Por outro lado, aqueles que reconheceram que eram pecadores perdidos (as prostitutas, os coletores de impostos corruptos, os rudes pescadores e os párias sociais) não conheciam a lei como os fariseus, mas receberam e recepcionaram a Jesus com alegria!

"Mas, Pastor Prince, se o que você está pregando realmente vem do Senhor, então não causa divisão."

Vejamos o que aconteceu em Atos 13. Após Paulo terminar de pregar, os gentios suplicaram que o mesmo sermão fosse pregado a eles no sábado seguinte. E a Bíblia registra que, assim, no sábado seguinte, "quase a toda a cidade"[4] de Antioquia se reuniu para ouvir Paulo pregar sobre o perdão de pecados, justificação pela fé por meio da cruz de Jesus e a graça de Deus. Para que a cidade inteira aparecesse para ouvir a Paulo, a boa-nova que ele estava pregando deve ter se espalhado rapidamente por toda a cidade!

No entanto, repare que havia um grupo de pessoas que estava muito infeliz com o que Paulo estava pregando — os fariseus ou o que eu chamo de "máfia religiosa". A Bíblia diz que quando eles viram a multidão, "**ficaram cheios de inveja e, blasfemando, contradiziam o que Paulo estava dizendo.**"[5] Aqueles legalistas guardadores da lei ainda estão por aí hoje. A lei os cega. Há um véu sobre seus olhos e eles não conseguem ver que a antiga aliança da lei não vale mais hoje. Quando eles veem crentes impactados pela graça, ficam "cheios de inveja" porque trabalham tanto e dependem de seus esforços próprios para alcançar sua própria sensação de autojustiça.

Jesus não veio nos trazer leis e mais leis. Ele veio para nos trazer vida abundante por meio da Sua graça!

Assim, quando os fariseus viram crentes sob a graça recebendo milagres, bênçãos e transformações pelo poder de Jesus Cristo, e sendo vestidos com a Sua perfeita justiça sem obras e sem qualquer esforço próprio, eles ficaram cheios de inveja. Em sua inveja, eles negaram, blasfemaram e se opuseram a Paulo. A divisão foi causada não porque Paulo não estava pregando o Evangelho de Jesus Cristo, mas precisamente porque ele estava pregando o Evangelho da graça, que vinha do Senhor. A graça se opõe à tradição do homem. Ela faz dos esforços próprios do homem um nada, e faz de Jesus Cristo um tudo. Isso irritava a máfia religiosa dos dias de Jesus.

O sermão de Paulo terminou com um firme alerta para aqueles que se recusaram a crer na graça e no perdão de Deus, na nova aliança:

Vede, ó desprezadores, maravilhai-vos e desvanecei, porque eu realizo, em vossos dias, obra tal que não crereis se alguém vo-la contar (Atos 13:41).

Essa advertência dada por Paulo não era para a toda a congregação. Era somente para aqueles que rejeitaram o Evangelho da graça. Repare, aqueles que cegamente insistiram em ater-se à justificação pela lei de Moisés não vão "acreditar de jeito nenhum" ao ouvir acerca da justificação pela fé, e dirão em seus corações que isso é bom demais para ser verdade. A lei é um véu sobre seus olhos, e eles não conseguem ver a graça de Deus. Mas, louvado seja Deus, quando Jesus morreu na cruz, o véu que separava o homem injusto do Deus justo foi removido para sempre. A Bíblia diz que quando Jesus entregou o Seu espírito, o véu do templo foi "rasgado em duas partes, de alto a baixo".[6] O véu é uma figura da lei de Moisés. Uma vez que a lei foi removida, o homem foi justificado pela fé no sangue de Jesus, e o caminho para o Santo dos Santos foi aberto! Bom demais para ser verdade? É verdade, meu amigo, e é por isso que o Evangelho de Jesus Cristo é a boa-nova para nós hoje. Jesus não veio para nos trazer leis e mais leis. Ele veio para nos trazer vida abundante por meio da Sua graça![7]

Voltemos à questão do Evangelho da graça causando divisão.

É possível pregar o Evangelho da graça e provocar divisão ao ponto de as pessoas quererem expulsá-lo de suas cidades? Sim! Isso aconteceu na igreja primitiva. Paulo estava "pregando ousadamente no Senhor" e pregando "a palavra da Sua graça" quando, bem no próximo versículo, você descobre que "**o povo da cidade ficou dividido**: alguns estavam a favor dos judeus, outros a favor dos apóstolos."[8] Houve mesmo uma "conspiração de gentios e judeus, com os seus líderes, para maltratá-los e apedrejá-los."[9]

Assim, fica claro que quando você prega a mesma boa-nova que Paulo pregou, isso não significa que todos se unirão e dirão, "Aleluia!" Haverá aqueles que vão querer expulsá-lo de suas cidades e dizer todo tipo de coisas sobre você para denegrir o seu caráter. Mas só porque houve divisão, isso não significa que o que Paulo pregou não era verdade. É precisamente por isso que Paulo advertiu que mesmo quando Deus declara algo tão bom, há aqueles que se recusam a acreditar — "vós não crereis se alguém vo-la contar".

Se você estiver crendo no Senhor para viver uma virada miraculosa, então esteja seguro de que você está ouvindo "a palavra da Sua graça", e não a palavra da Sua lei.

É por isso que o Evangelho que Paulo pregou não é um Evangelho para agradar ao homem. Paulo não pregou para ser bem-vindo em todos os lugares aonde ia. Ele pregou a verdade do Evangelho mesmo quando isso significou ser apedrejado por seus oponentes e ser expulso das cidades. Ele fez isso porque o Evangelho é o PODER DE DEUS para salvação!

Certifique-se de que você está ouvindo o Evangelho que Paulo pregou. A Bíblia declara que o Senhor testemunhou pela **"palavra da Sua graça**, concedendo que, por mão deles, se fizessem sinais e prodígios."[10] Veja, o Senhor testemunha somente pela "palavra da Sua graça". Se você está crendo no Senhor para uma virada miraculosa, ou quer ver mais poder em sua vida, corpo, finanças, carreira e ministério, então esteja seguro de que você está ouvindo "a palavra da Sua graça" e não a palavra da Sua lei.

A propósito, observe como Paulo teve de pregar primeiro, antes que o Senhor testemunhasse pela palavra da Sua graça com sinais e maravilhas. Pregar as boas-novas primeiro é algo coerente com o estilo de Jesus. Por onde quer que fosse, Ele pregava intensamente para multidões **antes** de curá-los. Há muitas pessoas que vem a mim para orar por suas condições antes do culto, e é claro que elas não estão interessadas em ouvir o Evangelho ou qualquer ensinamento ou pregação. Elas querem apenas orar. Mas o modo de Deus é sempre ensinar e pregar primeiro, seguindo-se a cura. Ele confirma a palavra da Sua graça com sinais e maravilhas.

Você está enfrentando uma situação impossível hoje? Você está crendo no Senhor para um avanço? Se for isso, eu o encorajo a apropriar-se dos bons ensinamentos que são cheios da boa-nova de Jesus. A fé será concedida a você na medida em que você ouvir mais e mais de Jesus. Você vai parar de se preocupar consigo mesmo, suas perdas e suas fraquezas, e você começará a ser plenamente ocupado com Jesus, Sua beleza, Sua perfeição e Sua graça!

O Evangelho que Paulo Pregou

Meu único desafio é pregar o mesmo Evangelho que Paulo pregou, e não outro evangelho. Pregar qualquer outro evangelho era um assunto sério para Paulo. Na verdade, ele pronunciou uma maldição dupla para aqueles que pregassem um evangelho diferente. Paulo disse: "Mas ainda que nós ou um anjo dos céus pregue um evangelho diferente daquele que lhes pregamos, que seja amaldiçoado!"[11] E como se a primeira maldição não fosse suficiente, ele reiterou: "Como já dissemos, agora repito: Se alguém lhes anuncia um evangelho diferente daquele que já receberam, que seja amaldiçoado!"[12] Mas veja, eu não sou bobo — eu decidi anos atrás que as pessoas podem dizer o que quiserem sobre mim, mas eu não vou ficar debaixo de nenhuma maldição por pregar outro evangelho qualquer!

O Evangelho de Jesus Cristo é o poder de Deus para salvação

a. Para todo que guarda a lei de Moisés?
b. Para todo aquele que confessa todos os seus pecados?
c. Para todo aquele que jejua e faz longas orações?

Nenhuma das alternativas acima. A alternativa correta é a "d" — para todo aquele que crê! Essa é a "justificação pela fé" que Paulo pregou e isso é o que eu vou pregar! Sob a nova aliança da graça, somos justificados não por nosso comportamento correto, mas por nossa correta crença em Jesus Cristo. Por meio desse Homem é pregado a você o perdão de todos os seus pecados. Você crê em

Jesus? Se a sua resposta for "sim", não deixe ninguém adicionar mais condições ao seu perdão — você já está perdoado de todos os seus pecados simplesmente porque crê em Jesus! Nada mais, nada menos. Este é o Evangelho que Paulo pregou. E quando você se apropria desta verdade e simplesmente acredita nela, percebe o poder de Deus entrar em sua situação para revertê-la em bem!

Capítulo 8

A Principal Cláusula da Nova Aliança

Quando eu era adolescente, fui influenciado pelo ensinamento de um livro que dizia que o cristão pode cometer o "pecado imperdoável". Você já ouviu esse ensinamento de "pecado imperdoável" antes? Esse ensinamento errôneo diz que todos os pecados podem ser perdoados, mas se você cometer o pecado da blasfêmia contra o Espírito Santo,[1] não há perdão. Foi assim que esse pecado se tornou conhecido como o "pecado imperdoável".

Como um jovem cristão, eu não entendia por que outros crentes não pareciam estar afetados pelo pensamento de que podiam, na verdade, cometer o pecado imperdoável. No meu caso, eu realmente me apavorei. Minha consciência era muito sensível e quanto mais eu pensava sobre a possibilidade de cometer o pecado imperdoável, mais ficava convencido de que já o tinha cometido! Meus pensamentos se tornaram incrivelmente negativos e até comecei a duvidar de Deus. Isso me deu ainda mais motivo para acreditar que de fato eu havia blasfemado contra o Espírito Santo.

Procurei os líderes da minha igreja naquele tempo para buscar aconselhamento, mas em lugar de me conduzirem à nova aliança da graça, eles me disseram que, de fato, era possível para um cristão cometer o pecado imperdoável. Dali em diante, fui ficando cada vez mais depressivo. O diabo me oprimia com pensamentos de culpa e condenação. Atormentado por tais pensamentos, fui para Orchard Road, a região do principal shopping de Cingapura, onde testemunhei para as pessoas nas ruas a respeito de Jesus, mas o tempo todo acreditando que eu tinha cometido o pecado imperdoável. Eu pensava que se conseguisse que aquelas pessoas fossem salvas, Deus as notaria indo para o céu e talvez se lembrasse de quem tinha feito isso, eu, o Príncipe Joseph, que agora estaria no inferno. Eu realmente acreditava naquilo! O mais incrível era que a unção evangelística estava realmente fluindo em mim naquele período, e muitos realmente aceitaram a Jesus, embora pensasse que eu mesmo não iria para o céu.

Descobrindo O Evangelho da Graça

Quanto mais eu acreditava que ainda tinha pecados não perdoados, mais acreditava que estava esgotando toda a graça de Deus em minha vida. Ninguém me ensinava sobre o sangue de Jesus, ou me mostrava que meu comportamento, na verdade, estava desonrando o sangue Dele e também negando a obra de Jesus na cruz por mim. Ninguém pregava a boa-nova para mim desse modo naquele tempo, e eu realmente pensava que meus pecados eram maiores que a graça de Deus. Eu sentia como se estivesse ficando louco e à beira de um ataque de nervos. Minha mente literalmente parecia que ia estourar e eu comecei a ficar com tanto medo que teria concordado em ir para uma instituição de recuperação mental.

Foi por meio dessa tumultuada jornada que comecei a entender a graça do nosso Senhor Jesus. Agora sei, sem qualquer sombra de dúvida, que um cristão **não pode** cometer o pecado imperdoável.

Tome cuidado quando você ouvir qualquer ensinamento que dê a impressão de que é possível que crentes cometam o pecado imperdoável da blasfêmia contra o Espírito Santo. Há vezes em que o diabo coloca pensamentos negativos sobre o Espírito Santo na sua mente, ou quando você mesmo diz algo negativo sobre o Espírito Santo. Isso pode levá-lo a se questionar e se preocupar se você cometeu o pecado imperdoável. Bem, deixe-me declarar de uma vez por todas que **não há pecado do qual o cristão não seja perdoado**. Quando entende por que Deus enviou o Espírito Santo, você nota que o pecado imperdoável simplesmente é rejeitar Jesus!

A Bíblia nos relata que o Espírito Santo veio para testificar e testemunhar de Jesus Cristo. Jesus disse: "... o Espírito da verdade que provém do Pai, ele testemunhará a meu respeito."[2] Blasfemar contra o Espírito Santo, portanto, é **continuamente rejeitar a pessoa de Cristo**, do qual o Espírito Santo testifica. Estude a Palavra de Deus cuidadosamente. Com quem Jesus estava falando quando disse acerca do pecado imperdoável? Ele estava falando com os fariseus, os quais continuamente o rejeitaram como seu Salvador e conspiraram para matá-lo em várias ocasiões. Eles até mesmo o acusaram de ter um espírito imundo, dizendo: "Ele está possesso de Belzebu. E: É pelo maioral dos demônios que expele os demônios."[3] A resposta de Jesus foi: "Em verdade vos digo que tudo será perdoado aos filhos dos homens... Mas aquele que blasfemar contra o Espírito Santo não tem perdão para sempre, visto que é réu de pecado eterno."[4] Por que Ele disse isso? O versículo seguinte nos relata que foi "**porque diziam: Está possesso de um espírito imundo**."

O Espírito Santo está presente ainda hoje para testemunhar acerca de Jesus. Portanto, blasfemar contra o Espírito Santo é manter-se em rejeição ao Evangelho de Jesus e depender dos próprios esforços para ser salvo. Jesus estava advertindo os fariseus a não cometerem esse pecado e pararem de rejeitá-lo. Isso claramente não se aplica ao crente. Veja, ao ler a Bíblia, é importante notar para quem as palavras foram faladas e analisar se são palavras relevantes para o crente. Neste caso, Jesus estava falando com os fariseus que o tinham rejeitado e os quais ainda declaravam que Ele tinha um espírito imundo. Imagine a audácia deles! Quanto a você, meu amigo, tenha plena certeza em seu coração de que é impossível para um crente cometer o pecado imperdoável. Um crente já aceitou o dom da vida eterna e jamais será "sujeito à condenação eterna".

Discernindo Corretamente a Palavra

Há grande confusão e crenças erradas na igreja hoje porque muitos cristãos leem a Bíblia sem discernir corretamente a antiga e a nova aliança. Eles não percebem que mesmo algumas das palavras que Jesus falou nos quatro Evangelhos (Mateus, Marcos, Lucas e João) fazem parte da antiga aliança. Elas foram faladas **antes** da cruz, quando Ele ainda não tinha sido morto. A nova aliança só começa **depois** da cruz, quando o Espírito Santo foi dado no dia de Pentecostes.

Há grande confusão e crenças erradas na igreja hoje porque muitos cristãos leem a Bíblia sem discernir corretamente a antiga e a nova aliança.

Eu sei que nossas Bíblias são divididas em Antigo Testamento e Novo Testamento, este último tendo início com os quatro Evangelhos. Todavia, é importante perceber que **a cruz fez a diferença!** Algumas das coisas que Jesus disse **antes** da cruz e as que Ele disse **depois** da cruz foram ditas debaixo de alianças completamente diferentes. Você também precisa observar para quem Jesus estava falando aquilo. Às vezes, Ele estava se dirigindo aos fariseus, os quais se gabavam de guardar a lei com perfeição. Com eles, Jesus trouxe a lei ao seu padrão elementar, o qual era de tal envergadura, que era impossível para qualquer homem guardar.

"Mas, Pastor Prince, eu creio que devemos fazer aquilo que Jesus disse!"

Meu amigo, Jesus disse: "Se o teu olho direito te faz tropeçar, arranca-o e lança-o de ti; pois te convém que se perca um dos teus membros, e não seja todo o teu corpo lançado no inferno. E, se a tua mão direita te faz tropeçar, corta-a e lança-a de ti; pois te convém que se perca um dos teus membros, e não vá todo o teu corpo para o inferno."[5] Você já fez isso?

Você acha que Jesus espera que nós façamos tudo isso, ou Ele quer que nós discirnamos corretamente a Palavra e compreendamos com quem Ele estava falando naquela passagem, e o que Ele quis dizer? Se a igreja fosse obedecer a tudo que Jesus diz nessa passagem, então ela seria como um imenso departamento de amputação (eu espero não ouvir você dizendo "Pastor Prince, você devia ter escrito este livro mais cedo — eu já arranquei um dos meus olhos e decepei um braço!").

Ora, Jesus disse tudo aquilo para trazer a lei ao seu rigoroso padrão inicial, um padrão que assegurava que nenhum homem podia guardar a lei. Ele disse tudo aquilo para que o homem parasse de depender de si mesmo e começasse a perceber que precisava desesperadamente de um salvador. Então, quando lemos as palavras de Jesus nos quatro Evangelhos, é necessário que discirnamos corretamente a Palavra e compreendamos **com quem** Jesus estava falando.

Deixe-me dar a você outro exemplo. Você já deve ter ouvido alguns pregadores berrando com os crentes e usando o termo "raça de víboras". Mas Jesus **nunca** chamou os pecadores — nem mesmo as prostitutas e os corruptos coletores de impostos — de "raça de víboras". Nunca! Essas duras palavras de Jesus foram reservadas somente para os fariseus,[6] cuja fixação pela lei os cegava e os impedia de ver o Deus encarnado — Jesus, aquele que deu a lei pela primeira vez e aquele que veio cumpri-la em lugar do homem. Assim, aprenda a discernir corretamente a Palavra de Deus sempre que ler a Bíblia. Nem tudo que Jesus disse foi falado para a Igreja.

A Principal Cláusula da Nova Aliança | 97

Alimente-se das Cartas do Apóstolo Paulo

As cartas de Paulo foram escritas para a igreja e, portanto, para nosso benefício hoje. Deus o levantou para escrever as palavras do Jesus que ascendeu aos céus, o qual está assentado hoje à direita do Pai. É por isso que, ao ler a Bíblia, sempre encorajo os crentes novos convertidos em nossa igreja a começarem com as cartas de Paulo (muitos novos convertidos gostam de começar com o livro de Apocalipse ou Gênesis, sem antes obter um fundamento no Evangelho da graça por meio da leitura das cartas de Paulo).

Você já notou que Paulo nunca mencionou o pecado imperdoável? Nem sequer uma vez, em todas as suas cartas para as igrejas, ele advertiu os cristãos acerca do pecado imperdoável. Se os cristãos pudessem cometer o pecado imperdoável, Paulo teria mencionado isso em cada epístola que escreveu. Contudo, seguindo outra perspectiva, Paulo enfatizou que Jesus, por meio de Sua morte na cruz, nos "vivificou juntamente com ele, perdoando-vos **todas** as ofensas."[7] Eu pesquisei a palavra original em grego para "todas"[8] neste versículo e sabe o que descobri? "Todas" significa TODAS! Jesus, com Seu próprio sangue, perdoou a você de TODOS os seus pecados, então **não** há pecado que seja imperdoável! Por intermédio de um perfeito sacrifício, Jesus o limpou dos pecados de sua vida inteira e você agora é selado com a promessa da vida eterna! Essa, sim, é uma boa-nova que vai consolidar seu coração com graça e confiança.

Deus não deixa você se perguntando se está salvo ou não. Ele diz diretamente que você é Dele e que nada poderá jamais separá-lo do amor de Cristo. Nem mesmo o pecado, porque o sangue de Jesus é maior que o seu pecado! Saber que todos os seus pecados são perdoados é algo crucial para a sua saúde, paz mental, plenitude e bem-estar. Minha luta com o pecado imperdoável durante meus anos de adolescente é um exemplo disso. Quanto mais você acredita que todos os seus pecados são perdoados pelo sangue de Jesus, mais você se torna pleno — em corpo, alma e espírito!

Saber que todos os seus pecados são perdoados é algo crucial para sua saúde, paz mental, plenitude e bem-estar.

Espero que agora você possa perceber o perigo de interpretar a Palavra de Deus fora de seu contexto. Temos de ser cuidadosos para não retirar um versículo de seu contexto e construir um ensinamento ou doutrina em torno dele. Os ensinamentos bíblicos devem ser confirmados por vários versículos de apoio e esses, por sua vez, precisam ser estudados dentro de seus próprios contextos. Quando você ouvir ensinamentos que incutem medo em seu coração e o colocam debaixo de cativeiro, não engula tudo de uma vez — o peixe com o anzol e a linha. Olhe para o contexto do versículo e repare se é uma verdade da nova aliança ou um ensinamento da antiga aliança. Para quem o versículo foi falado ou escrito, e como ele se aplica a você hoje? Lembre-se apenas de que todas as verdades da nova aliança exaltam a Jesus e Sua obra consumada. Aleluia!

A Principal Cláusula da Nova Aliança

É lamentável que dificilmente se ouça a principal cláusula da nova aliança sendo pregada hoje:

> Estão chegando os dias, declara o Senhor, quando farei uma nova aliança… Não será como a aliança que fiz com os seus antepassados, quando os tomei pela mão para tirá-los do Egito… Esta é a aliança que farei… Porei minhas leis em sua mente e as escreverei em seu coração. Serei o seu Deus, e eles serão o meu povo… **Porque eu lhes perdoarei a maldade e não me lembrarei mais dos seus pecados** (Hebreus 8:8-12).

"Porque eu lhes perdoarei a maldade e não me lembrarei mais dos seus pecados". Memorize isso, amado, porque essa é a principal e decisiva cláusula da nova aliança!

Infelizmente, parece que o que o cristão comum crê hoje é totalmente o contrário. Eles acreditam que Deus **não é** misericordioso com os pecados deles. Quando algo dá errado, secretamente eles pensam, *Bem, agora a casa caiu. Meus pecados antigos me alcançaram. Todas essas coisas terríveis estão acontecendo com a minha família e com minhas finanças por causa dos pecados que cometi.* Quando fura um pneu do carro deles, começam a pensar com os próprios botões, *Por qual pecado Deus está me punindo agora?* Esse tipo de pensamento é muito predominante na igreja porque os cristãos não creem realmente que estão em uma nova aliança.

O problema com a igreja hoje é a **crença errônea**. Sinto muito em dizer isso, mas se você se recusar a crer no que Deus já disse acerca do perdão de pecados na nova aliança, você na verdade está em desobediência. O próprio Jesus definiu a nova aliança para nós na última ceia, quando disse: "Este é o Meu sangue da **nova aliança**, o qual é derramado por muitos para a **remissão dos pecados**."[9] A principal cláusula da nova aliança é o perdão de todos os seus pecados por causa do sangue derramado de Jesus Cristo. Não me interessa quantas boas obras você faz, quanto dinheiro você tem dado para a caridade ou que posição de liderança você ocupa. Se não acredita na principal cláusula da nova aliança, você está em desobediência.

Deus não mantém uma lista numerada de todas as suas falhas.

Deus estabelece a principal cláusula da nova aliança como última cláusula, a fim de nos mostrar que ela é a cláusula definitiva que faz tudo funcionar. Se não crê na principal e última cláusula, você está rejeitando a nova aliança e negando a obra consumada de Jesus. A nova aliança diz que Deus é misericordioso para com **todas** as injustiças, e que Ele perdoou os seus pecados e também suas obras de iniquidade. Se Deus diz que Ele as perdoou, então verdadeiramente Ele o fez. Quem somos nós para contradizê-lo? Deus não pode mentir!

"Mas como Deus pode esquecer os meus pecados?"

Ele pode porque Ele é Deus! Se Ele disse isso, então Ele cumpre. Você sabe qual pecado cometeu há muitos anos? **Deus perdoou isso**. Ao contrário do que você deve estar pensando, Deus não mantém uma lista numerada de todas as suas falhas. Não há uma grande tela de projetor no céu para mostrar todos os seus pecados do dia em que você nasceu até o dia de seu retorno ao céu. Todas as gravações de seus pecados foram incineradas pelo sangue de Jesus quando Ele gritou, "Está consumado!"[10] O Seu sangue removeu os pecados de sua vida inteira. Quando olha para você hoje, Deus o vê coberto com o sangue de Jesus e completamente justificado.

Somente o diabo, você mesmo e as pessoas à sua volta trarão seus pecados à memória. Então, quando estiver oprimido pelos erros do seu passado, corra para Deus e descanse na Sua graça! Por quê? Porque Ele será misericordioso, e de suas injustiças, pecados e obras de iniquidade não se lembrará mais. Essa é a principal cláusula da nova aliança da graça!

Capítulo 9

Uma Cachoeira de Perdão

No capítulo anterior, estabelecemos que a principal e definitiva cláusula da nova aliança está registrada em Hebreus 8:12 — "Eu serei misericordioso com a injustiça deles e de seus pecados e iniquidades não me lembrarei mais."

"Pastor Prince, se as pessoas souberem que todos os pecados delas já estão perdoados, elas não vão sair por aí pecando?"

Bem, eu ainda não encontrei uma criatura assim. Eu ainda não encontrei alguém que, depois de receber a graça do nosso Senhor Jesus, diz a si mesmo: "Agora eu posso sair pecando!" No entanto, já encontrei pessoas que desistiram e se afastaram de Deus, não porque foram tentadas e desejaram pecar, mas porque eram sinceras e tinham sistematicamente falhado em suas tentativas de guardar as leis da antiga aliança, e terminaram se sentindo como hipócritas. Em contrapartida, por causa do ensinamento das verdades da nova aliança, tenho recebido inúmeros testemunhos de restauração e também testemunhado pessoalmente a transformação de vidas preciosas, casamentos e famílias pela graça do nosso Senhor Jesus.

Um casal me procurou certa vez, relatando que gostariam de se casar em nossa igreja. Eu vi que eles estavam acompanhados de algumas crianças e perguntei se já tinham sido casados antes (eu deduzi que as crianças eram fruto de seus casamentos anteriores). Com amplos sorrisos, eles me contaram que, na verdade, tinham sido casados um com o outro, mas que tinham se separado há muitos anos.

De algum modo, separadamente eles começaram a frequentar a Igreja New Creation, e depois de ouvir o ensinamento sobre o perdão e a graça de Deus, começaram a ter seu relacionamento restaurado por Ele, e desejavam renovar seu matrimônio. Isso não é maravilhoso? Eu também pensei comigo que devia ser maravilhoso para seus filhos testemunharem na prática a cerimônia de casamento de seus pais (quantas crianças têm esse privilégio?). Meu amigo, isso é o poder do Evangelho de Cristo. Ele tem a ver com casamentos restaurados e conserto de vidas quebradas!

A Revelação do Perdão

Meu amigo, saber que você está completamente perdoado destrói o poder do pecado na sua vida. Eu sei como essa revelação tem me mudado e transformado a minha vida. O próprio Jesus disse que aqueles a quem muito é perdoado, o amam muito. Aqueles a quem pouco é perdoado (na verdade, essas pessoas não existem, porque todos nós fomos muito perdoados!) ou, eu diria, aqueles que **pensam** que foram pouco perdoados, o amam somente um pouco.

*Saber que você é completamente perdoado destrói
o poder do pecado em sua vida.*

Você se lembra da mulher que trouxe um vaso de alabastro de óleo aromático e ungiu os pés de Jesus? Na ocasião, Jesus disse a Simão, um fariseu: "Entrei em tua casa, e não me deste água para os pés; esta, porém, regou os meus pés com lágrimas e os enxugou com os seus cabelos... Por isso, te digo: perdoados lhe são os seus muitos pecados, porque ela muito amou; **mas aquele a quem pouco se perdoa, pouco ama**."[1]

Quanto mais você percebe que foi muito perdoado, na verdade, de **todos** os seus pecados, mais você ama o Senhor Jesus. O perdão não leva você a um estilo de vida de pecado. Ele o conduz a uma vida de glorificação do Senhor Jesus. Qual você acha que deve ter sido a resposta dessa mulher após sair da presença de Jesus? Teria ela desejado continuar a viver um estilo de vida de pecado ou, sabendo que fora muito perdoada pela graça de Deus, teria ela sido fortalecida para viver uma vida que honrasse e glorificasse a Jesus?

Ora, vamos, pessoal! Todos nós, incluindo o autor deste livro, fomos muito perdoados. Todos nós quebramos os Dez Mandamentos muitas e muitas vezes. Se não o fizemos em ação, nós o fizemos em nossos corações e mentes. Jesus disse que se você ficar zangado com seu irmão sem motivo, cometeu assassinato, e se você olhar para uma mulher com cobiça, cometeu adultério com ela em seu coração.[2] Então todos nós fomos muito perdoados, e não há razão para não o amarmos muito. A única razão pela qual as pessoas não amam muito a Deus é porque **não compreendem o quanto já foram perdoadas**. Elas são como Simão, o fariseu, que estava confiante em sua justiça própria.

O Segredo Para a Santidade

Muitos pregadores estão dizendo aos crentes que eles têm de exibir mais do caráter de Cristo, mais autocontrole, mais santidade e mais amor fraternal. Meu amigo, eu concordo totalmente com o fato de que todas essas qualidades são boas e necessárias, mas a questão é: como desenvolvê-las? Como podemos nós, pregadores, ajudar os crentes a exibirem mais do caráter de Cristo? Quando questionadas sobre uma solução para isso, muitas pessoas diriam: "Disciplina! Nós precisamos focar mais nos Dez Mandamentos e desenvolver disciplina, e então o autocontrole, a santidade e o amor fraternal virão." Apesar de tudo isso soar muito bom (para a carne), **não é** o que a Palavra de Deus diz, e eu, pelo menos, quero me guiar pelo que ela diz:

> … empenhem-se para acrescentar à sua fé a virtude; à virtude o conhecimento; ao conhecimento o domínio próprio; ao domínio próprio a perseverança; à perseverança a piedade; à piedade a fraternidade; e à fraternidade o amor. Porque, se essas qualidades existirem e estiverem crescendo em sua vida, elas impedirão que vocês, no pleno conhecimento de nosso Senhor Jesus Cristo, sejam inoperantes e improdutivos. Todavia, **se alguém não as tem, está cego**, só vê o que está perto, **esquecendo-se da purificação dos seus antigos pecados** (2 Pedro 1:5-9).

Fica claro que se uma pessoa tem falta das boas qualidades cristãs, como domínio próprio, santidade e fraternidade, não é porque tem falta de disciplina, mas porque esqueceu a principal cláusula da nova aliança. Essa pessoa esqueceu que o sangue de Jesus comprou o seu perdão de todos os pecados. Meu amado, se você lembrar a si mesmo diariamente que foi limpo de todos os seus pecados, exibirá mais e mais dessas qualidades cristãs. Seu coração transbordará domínio próprio, santidade, perseverança, fraternidade e amor.

Ore assim todos os dias e desfrute o perdão que você recebeu:

> Querido Pai, agradeço-te pela cruz de Jesus. Agradeço-te por ela hoje, porque pelo sangue de Jesus fui perdoado de todos os meus pecados, passados, presentes e futuros. Hoje, Tu és misericordioso para com minha injustiça, e de todos os meus pecados e obras de iniquidade, Tu não Te lembras mais. Tu me vês como alguém completamente justificado, não por causa do que eu faço, mas por causa de Jesus. Eu sou grandemente abençoado, altamente favorecido e profundamente apaixonado por Ti. Amém.

> *O segredo por detrás de cada homem e mulher santo é*
> *sua crença na verdade de que foram perdoados.*

Meu amigo, o segredo por detrás de cada homem e mulher santo é sua crença na verdade de que foram perdoados. A santidade deles está fundamentada na revelação de seu perdão. Eles são crentes que creem e honram a Palavra de Deus. Quando Deus diz que Ele é misericordioso e que esqueceu todos os seus pecados, eles se apegam à Sua Palavra. Ao longo de todo o dia, eles estão conscientes de seu perdão. Mesmo quando falam algo errado, fazem algo errado ou têm um pensamento errado, continuam a ser conscientes de seu perdão. Eles visualizam o sangue de Jesus continuamente lavando-os e veem a Deus em Sua misericórdia e graça. Por causa de sua consciência do perdão, eles experimentam a vitória sobre o pecado.

Como Você é Perdoado dos Seus Pecados?

"Pastor Prince, você está dizendo que não precisamos confessar os nossos pecados?"

Observe cuidadosamente: não temos de confessar nossos pecados **a fim** de sermos perdoados. Confessamos nossos pecados porque **já fomos perdoados**. Quando digo "confessar nossos pecados" me refiro a se abrir com Deus. Eu não vou à Sua presença implorando por perdão. Na verdade, eu falo com Ele porque sei que já fui perdoado. Sei que posso ir até a presença de Deus livremente — Ele é o meu Deus, o meu Papai Celestial. O perdão não depende do que eu faço, mas do que Jesus fez. Então, a confissão na nova aliança é apenas ser sincero acerca das próprias falhas e humanidade. É o resultado de ser perdoado, e não algo que você faz a fim de ser perdoado.

Deixe-me fazer uma ilustração que irá ajudá-lo a compreender esse princípio. Quando minha pequena filha Jessica comete um erro, eu a perdoo apenas quando ela vem até mim e diz: "Desculpe, papai"?

Não, é claro que não! Como um pai amoroso, eu já a perdoei. Mas quando ela diz, "Desculpe, papai", posso dizer a ela que a amo e que já a perdoei. Do mesmo modo, nosso amado Pai Celestial não nos perdoa somente após confessarmos nossos pecados. A comunhão com Ele não é quebrada porque nosso perdão não está associado ao que fazemos, mas está ligado à obra consumada de Jesus. Não confessamos nossos pecados para sermos perdoados. Nós o confessamos ou falamos abertamente ao nosso gracioso Pai porque **já fomos** perdoados.

Meu amigo, entenda que essa diferença determina se você experimenta o "céu na terra" ou um "inferno na terra"!

Permita-me explicar o que quero dizer. Quando eu era um jovem crente em processo de amadurecimento, fui ensinado que a menos que confessasse todos os meus pecados, eu não seria perdoado. Também me ensinaram que se alguém morresse sem ter confessado todos os seus pecados, terminaria no inferno. Tais ensinamentos tornaram o perdão de pecados uma responsabilidade do homem, em lugar de algo que depende daquilo que o sangue de Jesus já conquistou. Meu amigo, esses ensinamentos estão fundamentados nas tradições humanas, não nas Escrituras.

Esses ensinamentos me colocaram em um terrível cativeiro quando eu era adolescente. Novamente, eu não entendia por que isso parecia não incomodar outros cristãos. Mas realmente me incomodava. Eu era realmente sincero e queria fazer sempre "a coisa certa para Deus" e não carregar nenhum pecado não perdoado. Não queria que a minha comunhão com Deus fosse quebrada. Então, aonde quer que eu fosse, confessava meus pecados, e eu quero dizer aonde quer que fosse MESMO!

Eu poderia estar jogando futebol com meus amigos como goleiro e gritar para a defesa: "Ei, vocês, o que estão fazendo? Prestem atenção no ataque... Vamos lá!" E algumas vezes, no meio do jogo, eu ficava zangado e me via dando bronca em um dos jogadores, então me pegava pensando: *Eu sou um crente. Como posso ter tais pensamentos?* Então, bem ali, eu fechava meus olhos e começava a confessar meus pecados, sussurrando baixinho minha confissão. A próxima coisa de que lembro é que a bola passava voando por mim e ia direto para a rede. Eu ficava pensando: *Deus, o que aconteceu? Eu aqui, me acertando contigo, e Tu permites que o time adversário faça um gol?*

Esses "pequenos acertos de contas com Deus" continuaram mesmo quando fui convocado para o serviço militar, que também é obrigatório para todos os cidadãos do sexo masculino em Cingapura. Certo dia, ouvi casualmente meus companheiros de beliche fazendo comentários entre si: "Ele é realmente estranho...", disse um deles. Outro acrescentou: "É, por que ele faz essas coisas? Vocês já o viram sussurrando baixinho, como se estivesse correndo ou fazendo algo?" Naquele ponto, percebi que eu não estava dando um bom testemunho de Jesus. Todos os meus amigos militares devem ter pensado que os cristãos eram — para dizer isso do modo mais suave possível — um povo estranho. Mas eu estava comprometido seriamente. Realmente acreditava que tinha de confessar cada coisa ruim que pensava ter feito, o tempo todo. Como todas essas coisas aconteceram durante o período em que eu acreditava que era possível para os cristãos cometerem o pecado imperdoável, eu me confessava tanto quanto possível, só para estar "salvo". Segui ao pé da letra o texto de 1 João 1:9, e isso quase me deixou louco. Mas o que 1 João 1:9 realmente diz, e para quem ele realmente foi escrito?

> Se confessarmos os nossos pecados, ele é fiel e justo para
> nos perdoar os pecados e nos purificar de toda injustiça
> (1 João 1:9).

As pessoas têm tomado esse versículo e construído toda uma doutrina ao redor dele, quando na verdade o capítulo 1 de 1 João foi escrito para os gnósticos,* que eram incrédulos. João estava dizendo para esses incrédulos que se eles confessassem seus pecados, Deus era fiel e justo para purificá-los de toda a injustiça.

Não vivemos de confissão em confissão, mas de fé em fé em Jesus Cristo e na Sua obra consumada.

Para nós, crentes, no momento em que recebemos a Jesus, todos os nossos pecados foram perdoados. Não vivemos de confissão em confissão, mas de fé em fé em Jesus Cristo e na Sua obra consumada. Note que não há duas maneiras de fazer isso. Se você crê que precisa confessar seus pecados para ser perdoado, então se assegure de que você confessa tudo! Esteja certo de que você não confessou apenas os "grandes pecados" ("grandes" de acordo com a sua perspectiva). Certifique-se também de confessar seus pecados cada vez que estiver preocupado, amedrontado ou em dúvida. A Bíblia diz que "tudo o que não é da fé, é pecado."[3] Então, não confesse apenas o que é conveniente para você. Certifique-se de confessar **tudo**.

Se você realmente acredita que precisa confessar todos os pecados para ser perdoado, sabe o que deveria estar fazendo? Você deveria ficar confessando seus pecados O TEMPO TODO! Como então poderia desfrutar da liberdade como filho de Deus? Eu tentei isso, e é impossível!

Não podemos construir uma doutrina sobre um versículo isolado. Se a confissão de pecados é vital para o seu perdão, então o apóstolo Paulo, que escreveu dois terços do Novo Testamento, fez uma grande injustiça conosco, porque ele não mencionou isso nem sequer uma

---

* Os gnósticos eram adeptos do Gnosticismo, sistema religioso cujo início deu-se antes da Era Cristã. Tem suas raízes na ciência sagrado do Egito e na filosofia grega e designava o conhecimento dos mistérios divinos revelados a poucos escolhidos. Incluía nesses ensinamentos matemática, filosofia, teosofia e astrologia. O gnosticismo infiltrou-se na Igreja gerando uma terrível heresia que foi severamente combatida pelos apóstolos. Fonte: Wikipédia, adaptação nossa (Nota da tradutora).

vez — nenhuma vez — em qualquer de suas cartas à igreja. Se havia pessoas na igreja de Corinto vivendo em pecado, ele não disse: "Vão e confessem seus pecados." Em lugar disso, ele os exortou acerca de sua justiça, dizendo:"Não sabeis vós que o vosso corpo **é** o templo do Espírito Santo que habita em vós?"[4] Repare que a despeito dos pecados deles, Paulo ainda os considera templos do Espírito Santo e os exorta sobre esta verdade.

A Cachoeira de Perdão

Meu amigo, esta é a certeza que você pode ter hoje: no dia em que recebeu a Cristo, você confessou todos os seus pecados de uma vez por todas. Você reconheceu que era um pecador necessitado de um Salvador, e Ele é fiel e justo para purificá-lo de toda injustiça. Toda a injustiça de sua vida inteira foi purificada naquele momento!

Doutrinas inteiras têm sido edificadas ao redor de 1 João 1:9, mas o apóstolo João, na verdade, deixou claro no mesmo capítulo que se isso acontecer aos crentes, que é o povo que "anda na luz", o sangue de Jesus Cristo os purifica de todos os pecados:

> Se, porém, andarmos na luz, como ele está na luz, mantemos comunhão uns com os outros, **e o sangue de Jesus, seu Filho, nos purifica de todo pecado** (1 João 1:7).

Observe que para nós, crentes, que "andamos na luz", **não são as nossas confissões** que nos purificam de todos os pecados, mas o **sangue de Jesus**! Repare também que esse versículo diz "andarmos **na** luz" e não "andarmos **de acordo com** a luz". Caminhar na luz significa caminhar nos limites da luz para a qual a morte de Cristo já nos transportou. Os cristãos frequentemente interpretam erroneamente essa passagem e entendem seu significado como andar "de acordo com a luz", pensando que as trevas diminuirão e a luz aumentará se tentarem permanecer na luz. Mas não é a isso que o versículo está se referindo! Ele está falando sobre nós **já termos sido** transportados para fora dos limites das trevas, para os limites da luz. Uma pequena palavra faz toda a diferença! Quando compreendemos esse versículo, percebemos que mesmo quando pecamos, nós o fazemos nos limites da luz! Então, se pecamos na luz, somos purificados na luz, e somos mantidos na luz. Esta ideia de ir para as trevas quando pecamos não vem da Bíblia.

A Bíblia é tão rica e cheia de tesouros! Você sabia que a palavra "purifica" em 1 João 1:7 é realmente linda? No grego, a palavra "purifica" está em tempo verbal que denota uma ação ocorrida no presente, mas com duração contínua, o que significa que no momento em que você recebe a Cristo, o sangue de Jesus **permanece limpando** você.[5] É como se você estivesse debaixo de uma cachoeira de perdão de Deus. Mesmo quando você falha, essa cachoeira nunca deixa de fluir. Ela permanece jorrando, limpando você de TODOS os seus pecados e suas injustiças.

Saber que está perdoado de todos os seus pecados dá a você o poder de reinar sobre cada hábito destrutivo e viver uma vida de vitória!

Amado, confessar seus pecados o tempo todo somente o tornará mais consciente do pecado. Mas saber que você está debaixo da cachoeira de perdão de Jesus o manterá consciente do perdão. E saber que você está perdoado de todos os seus pecados dará a você o poder de reinar sobre cada hábito destrutivo e viver uma vida de vitória!

Em 1 João 2:1, João se dirigiu aos crentes como "filhinhos meus" (ele nunca se dirigiu aos incrédulos para os quais estava escrevendo no capítulo 1 como "filhinhos meus") e prosseguiu dizendo: "Estas coisas vos escrevo para que não pequeis. Se, todavia, alguém pecar, temos Advogado junto ao Pai, Jesus Cristo, o Justo." Repare que João não diz aos crentes, "Se alguém pecar, certifique-se de confessar seus pecados." Não, a solução de João para o crente que peca é apontar a ele a obra consumada de Jesus. Cristo é o nosso Advogado diante de Deus e é por causa do Seu sangue que fomos perdoados de todos os nossos pecados. É tempo de pararmos de ser roubados por causa dos ensinamentos tradicionais e começar a desfrutar da cachoeira de perdão de Deus, a qual incessantemente nos purifica. Ela nunca para. Ela permanece nos limpando. Sabe esse pensamento negativo que você teve a meu respeito alguns minutos atrás? Bem, isso também foi limpo!

Deixe-me contar a você uma história sobre um menininho que costumava brincar nas florestas a uma pequena distância do barraco arruinado em que vivia. Seus pais eram muito pobres para comprar brinquedos, então ele tinha de inventá-los com qualquer coisa que encontrasse. Um dia, ele encontrou por casualidade uma pedra, diferente de qualquer outra pedra que ele já tinha visto. A superfície polida da pedra cintilava em suas mãos e ofuscava seus olhos cada vez que ele a girava à luz do sol. Era o seu verdadeiro tesouro pessoal e ele a amava. O menino não ousou trazê-la para sua casa quando voltou, pois não havia lugar algum no barraco em que ele pudesse escondê-la. Ele decidiu cavar um buraco profundo debaixo de alguns arbustos e esconder ali aquele seu bem precioso.

No dia seguinte, o menino mal podia esperar para resgatar sua pedra e correu para o esconderijo assim que o sol nasceu. Mas, quando seus dedos finalmente a encontraram em seu esconderijo lamacento, ela estava toda encardida e manchada, sem nada do resplendor que ele tanto amara. O menino levou a pedra até um riacho e cuidadosamente a imergiu nele, deixando a sujeira ser removida. Finalmente, ela ficou limpa de novo e o coração do menino se encheu de orgulho pelo encontro tão desejado. Logo chegou a hora de o menino retornar para casa, e ele tinha de devolver a pedra ao seu esconderijo.

Todo dia, aquele menino corria para o lugar no qual havia escondido a pedra. E todo dia ele encontrava sua superfície manchada com lama, e fazia uma longa caminhada até o riacho, que ficava um pouco distante, para lavá-la. Isso aconteceu por algum período, antes que ele decidisse resolver o problema. Um dia, quando já estava quase na hora de retornar para casa, o menininho levou sua pedra até uma pequena cachoeira e ali a encaixou cuidadosamente entre duas pedras, bem no meio do fluxo constante da água. Naquela noite, a pedra experimentou uma lavagem ininterrupta. E aquele menininho nunca mais precisou lavar a pedra novamente. Toda vez que ele a retirava dali, ela reluzia em suas mãos, completamente limpa.

O que o menininho fez com a pedra inicialmente pode ser comparado com o que acontece sob a antiga aliança. Toda vez que você pecava, tinha de ser limpo de novo. Mas antes de perceber, você pecaria de novo, e teria de trazer sua oferta pelo pecado (um novilho ou cordeiro) aos sacerdotes, para ser limpo novamente. Alguns crentes ainda pensam que essa é sua aliança hoje, mas deixe-me declarar a você que o sangue de Jesus é bem maior que o sangue de touros e bodes. O sangue de Jesus Cristo, o Filho de Deus, comprou para nós o perdão eterno.[6] O sangue de touros e bodes na antiga aliança só podia oferecer um perdão temporário, e é por isso que os filhos de Israel tinham de ficar trazendo para os sacerdotes animais para sacrifício, repetidas vezes, cada vez que falhavam.

Jesus, no entanto, morreu na cruz de uma vez por todas.[7] Quando nasceu de novo, você se tornou uma pedra viva e Deus o colocou bem debaixo da cachoeira do sangue do Seu Filho. Desse dia em diante, todo pensamento indevido que você tem, todo sentimento que não é certo, toda ação que não é correta, está lavada! Você está sempre limpo e perdoado por causa da limpeza contínua do sangue de Jesus!

Entendendo a Santa Ceia

"Pastor Prince, e quanto àquelas vezes que tomamos parte da Santa Ceia? Não é esperado de nós que confessemos todos os nossos pecados para que não participemos dela indignamente?"

Vamos ler o que Paulo realmente disse sobre participar da Santa Ceia:

> Portanto, todo aquele que comer o pão ou beber o cálice do Senhor **indignamente** será culpado de pecar contra o corpo e o sangue do Senhor. Examine-se cada um a si mesmo, e então coma do pão e beba do cálice. Pois quem come e bebe **sem discernir o corpo do Senhor**, come e bebe para sua própria condenação. Por isso há entre vocês muitos fracos e doentes, e vários já dormiram (1 Coríntios 11:27-30).

Ao longo dos anos, o Corpo de Cristo tem erradamente acreditado que tomar parte da Santa Ceia "indignamente" é participar dela tendo pecado em sua vida. Então, é dito a nós para não participar da Ceia do Senhor quando julgarmos a nós mesmos "não corretos para com Deus", e obedecemos temendo nos tornar fracos, adoecidos e até morrer antes do tempo. Quando eu recebi esse ensinamento errôneo quando era adolescente, sempre deixei passar os elementos que eram servidos na Ceia, pensando: *Não sou bobo!* Eu sempre estava preocupado de que não estivesse participando indignamente. Mas veja, ao fazer isso e ficar "a salvo", eu não percebia que estava roubando a mim mesmo das bênçãos e dos benefícios do corpo partido de Jesus e do Seu sangue derramado.

Eu agora sei que **não** é isso que a Bíblia ensina. Participar indignamente não se refere a você participando com uma pessoa indigna por causa dos seus pecados. Ora, vamos, Jesus morreu por pessoas indignas! A que versículo realmente se refere é ao **modo** pelo qual você participa. Participar indignamente é falhar em discernir que o pão que você segura em suas mãos representa o corpo de Jesus Cristo que foi partido por você — e, portanto, seu corpo pode ser curado e pleno. Isso era o que estava acontecendo na igreja primitiva.

Havia crentes que estavam comendo o pão só porque estavam famintos, ou se serviam do pão como um ritual, sem discernir o corpo do Senhor, e assim não liberando fé.

Portanto, participar de modo indigno não tem a ver com você falhar em examinar-se a si mesmo e confessar todos os seus pecados, para estar certo de que você é digno de participar. Não tem a ver com a participação de alguém. Tem a ver com o ato ou modo pelo qual essa pessoa participa. Tem a ver com discernir o corpo do Senhor e liberar fé para perceber que o pão representa o Seu corpo, marcado por açoites, para a sua cura. Tem a ver com perceber que o vinho representa o sangue que foi derramado pelo perdão de todos os seus pecados. Aqui está o segredo para a saúde divina e a plenitude em Deus. Muitos falham em discernir o corpo de Jesus e perceber por eles mesmos como Ele sofreu em Seu corpo no lugar deles. Essa é a razão pela qual "muitos estão fracos e doentes". Portanto, não tem a ver com olhar para você mesmo e confessar seus pecados. Tem a ver com olhar para Jesus e perceber o que Ele conquistou na cruz por você!

Em nossa igreja, nós participamos da Santa Ceia todas as semanas. E ao ensinar as pessoas a discernirem o corpo do Senhor, temos experimentado maravilhosos milagres de cura, um após o outro. Havia uma senhora em nossa igreja que sofreu uma profunda trombose venal enquanto estava a caminho de Israel com um dos grupos de nossa igreja (organizamos caravanas regulares para Israel para os membros da nossa igreja). Ela dormiu no voo após tomar alguns medicamentos e não se movimentou o suficiente para permitir que seu sangue circulasse livre e adequadamente durante o longo trajeto. Como resultado, ela entrou em coma assim que chegou a Israel e teve de ser imediatamente hospitalizada.

Coincidentemente eu estava em Israel naquela ocasião com minha equipe pastoral. Nós a visitamos no hospital e ministramos a Santa Ceia para ela na cama, proclamando a obra consumada de Jesus sobre ela. Miraculosamente, após alguns poucos dias, ela acordou do coma e do que os médicos consideravam uma condição potencialmente fatal! Louvado seja Deus — ela foi completamente curada. Ela ficou tão cheia da vida ressurreta de Jesus que se uniu ao grupo seguinte que já tinha chegado a Israel. Aleluia! Louvado seja o Senhor!

Se você estiver interessado em aprender mais sobre a Santa Ceia, adquira meu livro *Saúde e Plenitude através da Santa Comunhão.** Há mais testemunhos neste livro, e ele vai liberar você para participar da Santa Ceia do Senhor. Lembre-se, isso não tem a ver com examinar-se a si mesmo procurando por pecados e tornando a si mesmo digno de participar. Tem tudo a ver com discernir o corpo do Senhor! Tem tudo a ver com Jesus e nada a ver com os esforços próprios dos homens.

A Consciência do Sangue de Jesus Traz Vitória

Talvez você esteja atravessando alguns desafios exatamente agora, e esteja pensando: *Como pode o sangue de Jesus me trazer cura, prosperidade e vitória em meu casamento?*

Meu amigo, tudo que você precisa saber é que está sendo constantemente limpo de todos os seus pecados. Quando você acreditar que todos os seus pecados são de fato perdoados e que Deus não guarda nada contra você, a fé vai entrar em ação. A fé para cura existirá. A fé para a prosperidade existirá. A fé para a restauração do seu casamento e família existirá. O lavar contínuo do sangue de Jesus qualifica você para **qualquer** milagre que você precise em sua vida agora mesmo. Jesus disse ao homem paralítico, "Filho, teus pecados são perdoados", antes de dizer, "Levanta, toma tua cama, e vai para casa."[8] Por quê? Porque Jesus sabia que a menos que aquele homem tivesse a certeza de que todos os seus pecados tinham sido perdoados, ele não teria fé para ser curado. Isso é o que as pessoas precisam ouvir. Isso é o que nós precisamos ensinar na igreja!

---

* Tradução livre do título original em inglês *Health and Wholeness Through the Holy Communion*, ainda não publicado em português (Nota da tradutora).

116 | Capítulo 9

A estratégia do diabo é fazer você se sentir como se não fosse qualificado para entrar na presença de Deus. Ele irá bombardeá-lo com pensamentos de condenação, acusando você de ser indigno por ter pensamentos errados ou dizer palavras impróprias contra alguém. Ele dará a você mil e uma razões pelas quais você não se qualifica para as bênçãos de Deus. Mas a verdade é que sejam quais forem os sentimentos errados que você teve ou os maus hábitos aos quais sucumbiu, o sangue de Jesus o mantém limpo. O sangue de Jesus qualifica você a ter constante acesso ao Deus Altíssimo. Por estar sob esta cachoeira de perdão, toda oração que você faz é de muito proveito.

O sangue de Jesus qualifica você a ter constante
acesso ao Deus Altíssimo.

Nós sujeitamos o diabo pelo sangue do Cordeiro. Quando a segunda-feira chega e a terça-feira passa, e seu pastor não está mais ali para pregar para você, sabe o que é preciso lembrar a si mesmo? 1 João 1:7 — "o sangue de Jesus Cristo, Seu Filho, nos purifica de todo pecado". Seu sangue continua a manter você limpo de cada pecado. Vinte e quatro horas por dia, sete dias por semana, Seu sangue está limpando você. E seja no momento que for, toda vez que você ora, sua oração atinge o alvo.

Meu amigo, pare de depender de seus esforços próprios para manter o seu perdão, e comece a desfrutar a extravagante cachoeira de perdão de Deus a cada momento do dia. Você encontrará paz para sua alma e a fé para reinar em vida jorrará de dentro de você. Você verá milagres começarem a acontecer em sua vida!

Capítulo 10

O Ministério da Morte

Não escrevi este livro para contar o que está errado com você ou apontar onde você deixou a desejar. Ao contrário disso, escrevi este livro para declarar a você o que é bem certo a seu respeito (apesar de toda a sua fraqueza) por causa de Jesus Cristo. Este livro tem a ver com a boa-nova de Jesus Cristo. Ele não veio para condená-lo, mas para levar sua condenação sobre Si mesmo, para que você nunca mais seja condenado novamente.

Jesus morreu na cruz por nós?

Seu sangue foi derramado para o nosso perdão?

Então, por que tantos crentes ainda estão vivendo em condenação embora Jesus já tenha sido punido pelos pecados deles?

A cruz fez diferença ou não?

Jesus Cristo já livrou a todos os crentes da aliança da lei que os condenava. Mas há crentes que escolhem continuar a viver sob a condenação dela, em lugar de receber a graça que foi comprada pelo sangue de Jesus Cristo. Em vez de depositarem sua confiança na bondade imerecida vinda da parte de Deus por meio de Jesus

Cristo, eles escolheram depositá-la em sua capacidade de cumprir os Dez Mandamentos. Ao fazê-lo, eles simplesmente escolheram o ministério da morte.

"Que sacrilégio! Eu gostaria que você soubesse que os Dez Mandamentos são leis santas de Deus. Como ousa chamá-los de ministério da morte?!"

Calma, meu amigo. Não fui eu quem inventou isso. A Bíblia estabelece muito claramente:

> E, se o **ministério da morte, gravado com letras em pedras**, se revestiu de glória, a ponto de os filhos de Israel não poderem fitar a face de Moisés, por causa da glória do seu rosto, ainda que desvanecente, como não será de maior glória o ministério do Espírito! Porque, se o **ministério da condenação** foi glória, em muito maior proporção será glorioso o ministério da justiça (2 Coríntios 3:7-9).

É a Bíblia que descreve os Dez Mandamentos, os quais foram escritos e gravados em pedras, como o "ministério da morte"! Alguns argumentam que o "ministério da morte" se refere exclusivamente às "leis cerimoniais" de Moisés, tais como as leis pertinentes a sacrifícios de animais. Portanto, eles dizem que embora não estejamos mais sob as leis cerimoniais, ainda estamos sob as "leis morais", ou Dez Mandamentos. No entanto, isso não pode ser verdade, pois as leis cerimoniais nunca foram "escritas e gravadas em pedras". Elas foram escritas em pergaminho. Somente os Dez Mandamentos foram escritos e gravados em pedras, e a Bíblia os chama de "ministério da morte". É por isso que a Bíblia também diz no versículo anterior que "a letra mata, mas o Espírito vivifica."[1] A aliança da lei mata, mas a aliança da graça dá vida!

A Aliança da Graça É Muito Mais Gloriosa

Eu costumava pensar que Moisés colocava um véu sobre seu rosto, pois sua face resplandecia tão brilhantemente que ele não queria assustar as pessoas. Na verdade, a Bíblia diz que Moisés colocava o véu porque ele não queria que as pessoas soubessem que a glória estava se afastando ou chegando ao "fim".[2]

Moisés representa a lei, os Dez Mandamentos. Ele representa o ministério da morte e da condenação. Se a lei, o ministério da condenação, tinha glória, a Bíblia declara que o ministério da justiça "em **muito maior** proporção será glorioso". Louvado seja Deus porque você e eu estamos sob a nova aliança, a aliança da graça e da justiça!

Como a aliança da graça é mais gloriosa que a aliança da lei?

A lei **exige** justiça do homem pecador, enquanto a graça **concede** justiça ao homem pecador. Deixe-me ilustrar o que quero dizer. A lei diz a um homem que está ficando calvo: "O senhor não deve ficar calvo!" O pobre indivíduo segura o pouco cabelo que ainda restou em seu couro cabeludo e diz: "Não posso evitar! Meu cabelo está caindo!" A graça, porém, diz: "Receba o cabelo!", e o indivíduo consegue uma nova cabeleira!

Observe, a lei **exige perfeição, mas não move um só dedo para ajudar**. Então, como ilustrado no caso do camarada ficando calvo, o homem não tem capacidade por si mesmo, não importa o quanto arduamente tente satisfazer a exigência da lei, e assim é amaldiçoado por quebrá-la. A graça, em oposição a isso, **concede a perfeição e faz tudo pelo homem** por intermédio de Jesus Cristo, e tudo que o homem precisa para fazer isso é crer. Qual dos ministérios você acha que é mais glorioso? O ministério da morte, que exige, ou o ministério da graça, que concede?

Os Dez Mandamentos Matam

Quando Deus deu a lei no Monte Sinai, esse foi o primeiro Pentecostes, exatamente cinquenta dias após a Páscoa judaica, que ocorreu quando o Senhor libertou os filhos de Israel da escravidão no Egito. Sabe o que aconteceu quando os Dez Mandamentos foram proclamados? Ao pé do Monte Sinai, 3 mil pessoas morreram.[3] Agora vamos comparar isso com o Novo Testamento. Quando o dia de Pentecoste veio, Deus derramou Seu Espírito Santo sobre toda carne, e qual foi o resultado? Pedro se colocou em pé para pregar o Evangelho e 3 mil pessoas foram salvas naquele dia.[4]

> *O poder para a igreja subjugar o pecado está, na verdade, no fato de ela estar sob a graça, e não quando ela reforça a lei.*

Ainda hoje, quando você vai a Israel, o povo judeu celebra o Dia de Pentecostes como o dia em que Deus deu os Dez Mandamentos. Quanto a nós, celebramos o Dia de Pentecostes como o dia do nascimento da Igreja e o dia em que Deus nos deu o Espírito Santo. Infelizmente, há muitos crentes que ainda estão celebrando os Dez Mandamentos, em lugar de rejubilarem no Espírito na nova aliança, não percebendo que a lei mata, enquanto o Espírito dá vida!

Agora que você sabe que os Dez Mandamentos são o ministério da morte, pense comigo: o que você acha que acontece quando a igreja se mantém prisioneira da lei? O que acontece quando pregamos uma série de sermões a respeito dos Dez Mandamentos? Você consegue perceber o porquê de o Corpo de Cristo estar doente e deprimido hoje, ou o porquê de os crentes não terem poder para subjugar o pecado?

Por gerações, a Igreja tem acreditado que ao pregar os Dez Mandamentos, ela produz santidade. Quando vemos o pecado em alta, começamos a pregar mais a lei. Mas, na verdade, a Palavra de Deus diz que "a força do pecado é a lei".[5] Ela também afirma que "o pecado não terá domínio sobre vós, pois não estais sob a lei, mas sob a graça".[6] Então o poder para a Igreja subjugar o pecado consiste, na verdade, em ela estar sob a **graça**, e não em ela reforçar a lei. Pregar mais da lei para neutralizar o pecado é como adicionar madeira ao fogo!

Então, quem tem nos ludibriado todo esse tempo e nos vendido uma mentira? Por que o Corpo de Cristo desconfia tanto de pregadores da graça, se a graça é o antídoto para o pecado? Vamos lá, Igreja, é tempo de perceber que é o diabo quem se beneficia de tudo isso. Ele é quem está usando a lei para trazer morte e condenação, e para oprimir os crentes!

Eu sou um Antinomiano?

Sei que vou pisar em alguns calos por causa do que tenho dito. Mas, por favor, entenda que não é Joseph Prince quem está encontrando erro na antiga aliança da lei. A Palavra de Deus diz: "Porque, se aquela primeira aliança tivesse sido sem defeito, de maneira alguma estaria sendo buscado lugar para uma segunda."[7] O próprio Deus encontrou falha na antiga aliança da lei e nos Dez Mandamentos. Ele enviou Jesus Cristo como nosso Mediador de "superior aliança instituída com base em superiores promessas".[8] E, de fato, a nova aliança da graça está estabelecida em melhores promessas e é mais gloriosa que o ministério da morte, pois não é mais dependente de nós, mas é completamente dependente de Jesus, que NÃO FALHA! Ao inserir uma nova aliança da graça, Deus tornou a primeira "antiquada".[9] Em outras palavras, com o advento da nova aliança da graça, **os Dez Mandamentos se tornaram obsoletos**. Não estamos mais sob o ministério da morte, mas sob o ministério de Jesus, que traz vida!

Ao longo dos anos, tenho desenvolvido uma melhor compreensão da razão que levou o apóstolo Paulo a declarar: "Porque não me envergonho do evangelho de Cristo, pois é o poder de Deus para salvação de todo aquele que crê; primeiro do judeu, e também do grego."[10] Eu costumava me perguntar por que Paulo precisava anunciar que não se envergonhava da boa-nova? Mas agora percebo que nem todo mundo concorda em aceitar quão boa é a verdadeira boa-nova. Por pregar o Evangelho de Jesus e ensinar que não estamos mais sob a lei, meu nome tem sido arrastado na lama. Hoje as pessoas não atiram pedras, elas atiram emails venenosos.

Uma das coisas pelas quais eu tenho sido acusado é de ser um antinomiano (alguém que é contra a lei de Moisés).* A verdade é que eu tenho **o maior respeito pela lei**. E é precisamente porque tenho esse elevado respeito pela lei que eu sei que nenhum homem é capaz de cumpri-la. Temos de depender totalmente da graça de Deus! Aqueles que me acusam e a outros pregadores de sermos antinomianos são os mesmos que separam e escolhem as leis que são convenientes para guardarem. Eles alegam ter um elevado respeito pela lei, mas, na verdade, rebaixam o padrão da lei de Deus a um patamar no qual pensam que podem guardá-la. Eles, então, escolhem as leis que são convenientes para sua personalidade ou as quais se alinham com suas denominações. Ora, vamos, somos nós, os pregadores da graça, que temos o maior respeito pela lei! Reconhecemos que é impossível para o homem guardar a lei perfeitamente.

Você não pode selecionar e escolher quais leis quer guardar. A Bíblia diz que se você quer guardar a lei, deve guardar toda ela, e se você quebra uma, quebra todas.[11] A lei é composta de um todo. Deus não a hierarquiza nem a divide em escalas. E você tampouco pode guardar a lei apenas aparentemente — precisa guardá-la interiormente também. Você conhece alguém (além do próprio Deus) que consegue guardar as leis de Deus perfeitamente todo o tempo?

Deixe-me dizer isso explicitamente para que não haja mal entendidos: **eu sou a favor da lei, para o propósito pelo qual Deus a deu** (e você pode me cobrar nisso). Observe, Deus não deu a lei para nós para que a cumpríssemos. Ele a deu para que o homem se voltasse para seu próprio fim, para que percebesse sua necessidade de um Salvador. Não há nada essencialmente errado com a lei. Ela é santa, justa e boa. Mas é tempo de perceber que mesmo sendo santa, justa e boa, ela não tem poder de torná-lo santo. Ela não tem

---

* *Antinomiano*, seguidor do Antinomianismo, doutrina luterana que, em nome da supremacia da fé e da graça divina, prega a indiferença para com a lei. Fonte: Dicionário Houaiss (Nota da tradutora).

o poder de torná-lo justo e, definitivamente, ela não tem poder de torná-lo bom.

Deus deu a lei para que o homem se voltasse para seu próprio fim, para que percebesse sua necessidade de um Salvador.

Você se lembra da analogia que usei no capítulo 2 sobre a lei ser como um espelho que expõe suas falhas? Meu amigo, se você olhar no espelho e vir alguém feio, não culpe o espelho. Não fique louco e esmurre o espelho! Não é culpa do espelho. O propósito do espelho é simplesmente expor suas falhas. Do mesmo modo, a lei não tem culpa. Seu propósito legítimo é expor seus pecados. Ela não foi concebida para tirar seus pecados! De fato, a Bíblia estabelece que a lei foi dada para "dar um *zoom*" nos seus pecados — "A Lei foi introduzida para que a transgressão fosse ressaltada".[12]

Sem um espelho, você não teria conhecimento de suas falhas. Do mesmo modo, a Palavra de Deus diz que "pela lei vem o pleno conhecimento do pecado".[13] Ela também nos diz que a regra da lei é: "De maneira que a lei nos serviu de tutor para nos conduzir a Cristo, a fim de que fôssemos justificados por fé."[14] O que todos esses versículos lhe comunicam, meu amigo? Eles dizem a você que a lei foi destinada a conduzi-lo para o fim de si mesmo, e o induzem a se desesperar em seus próprios esforços de alcançar os padrões de Deus, e assim você perceberá por si mesmo que precisa de um Salvador!

A lei não justificou ninguém; ela condenou o melhor de nós. A graça, porém, salva até mesmo o pior dos homens. No entanto, ainda há pessoas hoje tentando usar os Dez Mandamentos para remover seus pecados. Isso é como esfregar o espelho em seus rostos para remover as espinhas. O sangue de Jesus foi derramado no Calvário e por isso seus pecados podem ser perdoados. Comece a crer na boa-nova hoje!

O Conhecimento do Bem e do Mal

Há duas árvores no jardim do Éden com as quais você precisa se familiarizar. A primeira é a árvore do conhecimento do bem e do mal. Essa é a árvore da qual Adão e Eva estavam proibidos de comer. Você percebeu que essa árvore não se chamava árvore do conhecimento do **mal**? Ela se chamava árvore do conhecimento do **bem e do mal**. Isso porque a árvore é uma figura da lei de Deus, ou dos Dez Mandamentos. A lei é o conhecimento do **bem** e do **mal**. Deus não queria que o homem compartilhasse da lei. Ele queria que o homem compartilhasse da árvore da vida, a qual é a figura do nosso Salvador Jesus Cristo. Quem quer que compartilhe desta árvore terá vida eterna.[15]

"Mas, Pastor Prince, o que há de tão errado com o conhecimento do bem e do mal? O que há de errado em conhecer a lei?"

O perigo é este: você pode conhecer cada vírgula da lei, e ainda assim estar milhas e milhas distante de Deus. Se estiver debaixo da lei, tudo que você terá será **religião**, não um **relacionamento** com Deus. Mas Deus está procurando ter um relacionamento conosco — um relacionamento que seja dependente da Sua bondade, e somente dela. Quando o homem compartilha da árvore do conhecimento do bem e do mal, começa a depender de seus esforços próprios para fazer o bem e manter-se longe do mal. E quando o homem é dependente de seus esforços próprios, ele está fadado a falhar. Sob outro aspecto, quando o homem compartilha da árvore da vida, ele é completamente dependente de Jesus, e somente Dele.

Deus está interessado em ter um relacionamento conosco — um relacionamento que seja dependente da Sua bondade, e somente dela.

Agora, quem plantou a árvore do conhecimento do bem e do mal no jardim? A serpente? Não, foi Deus. De fato, quando Deus tinha criado tudo no jardim do Éden, Ele olhou para tudo que tinha feito e disse que era bom. Isso inclui a árvore do conhecimento do bem e do mal. A árvore do conhecimento do bem e do mal veio do Senhor. Porém, embora a árvore em si fosse boa, não foi bom para o homem compartilhar dela.

De igual modo, embora a lei de Deus seja santa, justa e boa, ela não foi concebida para que o homem a guardasse. O homem não tem capacidade de guardá-la. E o homem tampouco pode escolher quais leis guardar — se falhar em uma, ele falha em todas. Deus não dá ponto sem nó. A Bíblia diz que o salário do pecado é a morte. Então, quando o homem falha em uma faceta da lei, está condenado a morrer e não pode mais compartilhar da árvore da vida, a qual lhe daria vida eterna. É por isso que quando Adão e Eva pecaram, Deus teve de expulsá-los do jardim e colocar um querubim "e o refulgir de uma espada que se revolvia, para guardar o caminho da árvore da vida".[16]

Qual a importância de todas essas coisas? Bem, há um princípio na interpretação da Bíblia conhecido como a "lei da primeira citação", que diz que toda vez que uma palavra é mencionada pela primeira vez na Bíblia, o significado da palavra naquela instância tem uma relevância especial para o modo como vamos entendê-la ao longo da Bíblia. Nessa instância, é a primeira vez que a palavra "espada" é mencionada na Bíblia. No contexto deste versículo, vemos a espada como um julgamento de Deus. É uma espada incansável rondando cada caminho para que de jeito nenhum o pecador, tendo desobedecido a Deus, consiga retornar para Ele.

Agora, vamos dar uma olhada na última menção da palavra "espada" no Antigo Testamento. Ela é encontrada em Zacarias, capítulo 13:

> Desperta, ó espada, contra o Meu Pastor, e contra o Homem que é o Meu Companheiro... Fere o pastor, e as ovelhas ficarão dispersas... (Zacarias 13:7).

O Pastor mencionado no versículo é Jesus, nosso bom Pastor, e as ovelhas dispersas se referem a como todos os Seus discípulos falharam quando Ele foi pregado na cruz. Isso nos mostra que a incansável espada do julgamento, a qual por tantas gerações barrou o pecador de aproximar-se do Deus santo, foi finalmente cravada no peito do nosso Senhor Jesus quando o pleno julgamento e vingança de Deus por todos os nossos pecados recaíram sobre Ele na cruz. Jesus foi castigado na cruz pelos nossos pecados.

Ao sacrificar a Si mesmo e absorver o total peso do julgamento que se destinava a você e a mim, Jesus parou a espada de julgamento que nos impedia de compartilhar da árvore da vida. Ele sacrificou Seu próprio corpo para abrir o caminho para a árvore da vida. Deus jamais nos condenará, porque Seu unigênito Filho já foi condenado em nosso lugar. A cruz do Calvário se tornou a árvore da vida para nós na nova aliança. Podemos livremente compartilhar da Sua justiça e viver cada dia sem culpa, condenação e vergonha. Aleluia!

Não há mais julgamento para você quando Deus olha para você.

O que isso significa, meu amigo? Significa que não há mais julgamento para você quando Deus olha para você. Pare de depender da árvore do conhecimento do bem e do mal para sua justificação. Jesus já o redimiu do ministério da morte ao morrer na cruz. Desfrute do que Ele comprou para você hoje e compartilhe da obra consumada de Jesus, nossa árvore da vida.

Você não está mais sob o ministério da morte.

Jesus veio para que você tenha vida, e a tenha em abundância![17]

Capítulo 11

Desenterrando a Raiz Mais Profunda

Certa vez, quando eu estava me preparando para pregar, o Senhor me mostrou em uma visão interior uma planta doente com cada uma de suas folhas representando uma situação específica. Eu realmente me sentei e comecei a anotar quando Ele me mostrou as raízes da planta. Algumas das raízes estavam abaixo da superfície do solo e podiam ser desenterradas facilmente. A raiz principal, porém, estava enterrada mais profundamente.

Quando lidamos com qualquer problema na vida, queremos atingir sua raiz.

O que o Senhor compartilhou comigo em seguida foi mais poderoso. Ele me mostrou que a raiz mais profunda representava a tática básica que o diabo usa contra mim. Ele me revelou essa verdade porque queria que eu expusesse a estratégia do diabo contra o Seu povo, e por isso Ele os equiparia para se opor aos ataques do diabo. Veja bem, quando lidamos com qualquer problema na vida, queremos atingir sua raiz. Se você estivesse cultivando uma planta e ela estivesse ficando fraca e doente, seria tolice tentar nutri-la e restaurá-la cuidando das partes superficiais, como as folhas dela. Para resolver o problema, você teria de procurar a raiz da planta.

Do mesmo modo, as doenças crônicas, a depressão, a ansiedade contínua, a perda financeira ou a desarmonia conjugal são como as folhas secas da planta doente. Você pode arrancar uma folha, mas é só uma questão de tempo antes que outra se torne doente. Então, o que queremos examinar neste capítulo é a raiz de alguns desses problemas que os crentes enfrentam. Quando você é capaz de identificar e cuidar da raiz, os frutos e as folhas — ou seja, as manifestações visíveis — cuidarão de si mesmas. Em outras palavras, se a raiz estiver saudável, o resto da planta será naturalmente saudável também.

O Estresse É Uma das Raízes

O mundo tem descoberto que muitas doenças e enfermidades estão vinculadas a uma raiz chamada estresse. Um artigo no site da organização de serviços médicos Mayo Clinic adverte que o estresse pode comprometer quase todos os processos do seu corpo e tornar você mais vulnerável a problemas de saúde com risco de vida.[1] Tenho certeza de que você já leu artigos nos jornais sobre como o estresse pode desgastar a saúde e causar debilidades humanas.[2] Pesquisas científicas têm vinculado o estresse excessivo a diversas condições, incluindo doenças cardiovasculares, hipertensão, níveis elevados de colesterol, derrames, erupções de pele, enxaqueca, impotência sexual e infertilidade.[3]

O Medo É Uma Raiz Mais Profunda Que o Estresse

O mundo também tem identificado o medo como uma raiz causadora de estresse. Eles descobriram que em muitos casos o estresse é precedido pelo medo. O medo pode se manifestar por si só, na

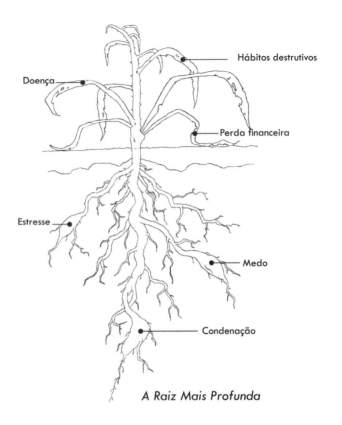

A Raiz Mais Profunda

forma de ataques de pânico ou um estado contínuo de ansiedade. Ele também pode resultar em uma insônia prolongada, intranquilidade constante e um estado mental perturbado. Contudo, embora o medo pareça ser uma raiz crítica que precisa ser destacada, ele ainda não é a raiz mais profunda. O Senhor me mostrou uma raiz ainda mais profunda que o estresse e o medo. Ele me mostrou que a maior e mais profunda raiz existe no âmbito espiritual, e que ela só pode ser destruída pelo poder da obra consumada de Jesus.

Você está interessado em descobrir que raiz é essa?

Você está interessado em ir além para descobrir o que é mais profundo e mais traiçoeiro do que o estresse e o medo?

A Condenação é a Raiz Mais Profunda

O Senhor me mostrou que a raiz mais profunda é a **condenação**. Isso tudo começou no jardim do Éden, quando o primeiro homem, Adão, compartilhou da árvore do conhecimento do bem e do mal. Daquele ponto em diante, o homem desenvolveu uma consciência. Sua consciência é aquilo que está dentro de você e que conhece o bem e o mal. Sua consciência entende a justiça. Ela compreende que quando há pecado, ele deve ser punido. Isso também tem levado o homem a punir-se por seus pecados.

Uma consciência que tipicamente espera punição é uma consciência que está sob condenação.

Há crentes que são derrotados pela culpa e pela condenação, tanto quanto os incrédulos. Mas a diferença é que um crente, que tem Jesus Cristo e o poder de Sua obra consumada, pode rejeitar qualquer acusação, culpa e condenação atirada contra ele pelo diabo e por seu próprio coração. A Bíblia diz: "Aproximemo-nos, com sincero coração, em plena certeza de fé, **tendo o coração purificado de má consciência** e lavado o corpo com água pura."[4] Amados, nossos corações foram purificados com o sangue de Jesus contra uma má consciência. Uma má consciência é aquilo que perpetuamente é consciente do pecado e falha, e tipicamente espera punição. É uma consciência que está sob condenação.

No entanto, pela graça de Deus, nós podemos ter uma consciência boa que é purificada com o sangue de Jesus, e em lugar de sermos conscientes do pecado, somos conscientes do perdão. Podemos estar sempre cônscios da nossa justiça em Cristo Jesus, mesmo quando falhamos. Uma boa consciência purificada pelo sangue de Jesus se nutre da vida de Cristo e recebe a confiança para se aproximar de Deus com um "verdadeiro coração pleno de certeza de fé", convicto de que Deus não está zangado com ele.

A condenação rouba você da intimidade com Deus. Mas a Palavra de Deus diz: "Pois os adoradores, tendo sido purificados uma vez por todas, não mais se sentiriam culpados de seus pecados."[5] Infelizmente, muitos crentes não se valem do poder da cruz para erradicar a condenação de suas vidas. Eles dependem dos esforços próprios — fazer certo e fazer mais — para serem livres da culpa e da condenação.

O Acusador Dos Irmãos

É por isso que a condenação é a raiz mais profunda. É uma raiz que o homem não pode superar por meio do esforço próprio. A condenação exige um pagamento por todas as suas falhas e pecados, mas sem Jesus, não há pagamento. Já há algum tempo se fala em culpa e como ela pode causar o aparecimento de diversos sintomas adversos no corpo humano, mas isso é apenas a ponta do iceberg do assunto. Embora especialistas sejam capazes de identificar a culpa e a condenação como a origem do problema, eles não têm solução para destruí-las. Não conseguem perceber que as pessoas estão, na verdade, enfrentando um problema espiritual, pois o diabo ardilosamente usa a condenação para afligir as pessoas hoje. Em Hebreus, o nome do diabo é *ha-satan*, que literalmente significa "o acusador".[6] Ele é um promotor público da lei e um especialista em condenar você, sempre apontando suas falhas e deficiências. É por isso que a Bíblia o chama de "o acusador dos irmãos".[7]

Mesmo quando você faz algo certo, o acusador dirá "Não está bom o bastante." Como o constante som de uma goteira, ele ficará acusando e lançando condenação contra você. A coroação da conquista dele seria provocar acusações em sua vida e deixá-las imperceptíveis. Em muitas ocasiões, os crentes que estão debaixo da condenação chegam a pensar que é o Espírito Santo que está falando, convencendo-os de seus pecados e apontando suas falhas. Eles começam a se entreter com pensamentos negativos sobre si mesmos. Começam a **acreditar** que são obrigados a ter sentimentos negativos sobre si mesmos por causa de todos os seus pecados e indignidade. Então, a coroação da conquista do diabo é trazer condenação sobre a sua vida, escondendo-a sob uma névoa de decepção, para que você seja a última pessoa a pensar que está sob condenação.

Algumas pessoas que aconselhei, e que estavam sob condenação, disseram-me: "Pastor Prince, eu não tenho um problema de condenação. Estou apenas estressado." Eu não nego que o estresse é um problema genuíno. De fato tenho um bom número de sermões sobre superação do estresse, um dos quais é uma série campeã de vendas chamada *Viva uma Vida Desembaraçada.** Mas o que estou dizendo é que em muitos casos, há uma raiz mais profunda do que o estresse ou o medo, e essa raiz é a condenação. As táticas mais efetivas do acusador são sempre muito sutis. O mundo não tem solução para as táticas dele, mas como crentes, nós temos. Temos o poder da obra consumada de Jesus. Seu sangue foi derramado e Ele foi condenado em nosso lugar, por isso jamais precisaremos viver em condenação.

O Espírito Santo Convence Você do Pecado?

"Mas, Pastor Prince, como posso diferenciar entre o Espírito Santo me convencendo do pecado e o acusador atirando condenação contra mim?"

Essa é uma pergunta muito boa, e a resposta é realmente simples. Preste atenção, porque é algo que vai libertar você. A linha de distinção é que **o Espírito Santo nunca convence você de seus pecados**. Ele NUNCA vem para apontar suas falhas. Eu desafio você a encontrar um só texto na Bíblia que diga que o Espírito Santo veio para convencer você dos seus pecados. Você não vai encontrar nenhum! O Corpo de Cristo está vivendo em derrota porque muitos crentes não compreendem que o Espírito Santo está neles, na verdade, para convencê-los de sua **justiça em Cristo**. Mesmo quando você falha, Ele está sempre presente em você para lembrá-lo de que você está continuamente purificado pelo sangue de Jesus. Esse é o Espírito Santo.

---

* Tradução livre do original em inglês *Live the Let-Go Life*, não disponível em língua portuguesa (Nota da tradutora).

Você não concorda que, na verdade, não precisa do Espírito Santo para apontar suas falhas e dizer se você pecou? Ora, vamos — sua esposa já faz isso bem demais! Mesmo os não crentes, que claramente não têm o Espírito Santo neles, são plenamente conscientes de quando falham, porque eles também têm uma consciência. Você não precisa que ninguém o ajude a apontar os seus pecados. Você já é ciente deles — porque tem uma consciência.

Se você falhou, o Espírito Santo o convence da justiça,
não do seu pecado.

Não é preciso uma revelação do Espírito Santo para você perceber que falhou. No entanto, quando sabe que falhou, o que você **realmente** precisa é que o Espírito Santo o convença da sua justiça. Você precisa Dele para mostrar que, embora tenha falhado, você ainda é a justiça de Deus em Cristo. Conhecer e crer que Deus ainda vê você como um justo mesmo quando você pecou requer, certamente, uma revelação do Espírito Santo. Você pode dizer "Amém" por isso? Na verdade, a inesgotável graça de Deus em nossas vidas e o poder da cruz só podem ser compreendidos por revelação. É por isso que um não crente jamais pode ser convencido da justiça. Esse privilégio é reservado para você e para mim, crentes nascidos de novo, que são gloriosamente lavados pelo sangue de Jesus!

Entendendo O Trabalho do Espírito Santo

"Pastor Prince, e quanto a João 16:8? Esse versículo não diz que o Espírito Santo veio para convencer o mundo do pecado?"

Estou contente que você tenha citado esse versículo. Vamos examiná-lo juntos:

Quando ele [o Espírito Santo] vier, convencerá o mundo
do pecado, da justiça e do juízo: do pecado, porque não

creem em mim; da justiça, porque vou para o Pai, e não me vereis mais; do juízo, porque o príncipe deste mundo já está julgado (João 16:8-11).

É importante sempre ler os versículos da Bíblia em seu contexto. Muitas pessoas acabam errando na interpretação dos versículos bíblicos porque falham em fazer isso. Uma maneira de ler os versículos da Bíblia em seu contexto (e este é um princípio-chave de interpretação da Bíblia) é identificar sobre quem os versículos estão falando. Então, sobre quem Jesus estava falando em João 16:8? Ele estava falando a respeito de crentes ou incrédulos?

Quando Jesus disse que o Espírito Santo viria para "convencer o mundo do pecado" porque eles não acreditavam Nele, é claro que Ele estava se referindo aos incrédulos, porque eles eram "do mundo". E repare que o Espírito Santo não convence o mundo dos "pecados" (plural). É somente de um "pecado" (singular) que o Espírito Santo convence o mundo — e esse pecado é o da descrença, o pecado de rejeitar a Jesus e não crer em Sua obra consumada.

Jesus morreu pelo mundo inteiro, mas isso não significa que o mundo inteiro esteja automaticamente salvo. Cada indivíduo deve tomar uma decisão pessoal de receber Jesus como seu Salvador. Nascer numa família cristã não faz de você automaticamente um crente nascido de novo, do mesmo modo que entrar num McDonald's não faz de você um Big Mac, ou estar em uma garagem não faz de você um carro! Não, cada pessoa deve tomar uma decisão pessoal de receber Jesus como seu Salvador. Então, o Espírito Santo está presente para convencer os incrédulos desse pecado único da descrença. Mas quando as pessoas aplicam João 16:8 fora de seu próprio contexto, elas começam a acreditar erroneamente que o Espírito Santo está aqui para convencer os crentes dos pecados deles. Como eu disse antes, nenhum de nós precisa de ajuda nesse departamento. Nós todos sabemos quando falhamos.

Se o Espírito Santo jamais convence você, crente, dos seus pecados, então, do que Ele o convence? Jesus diz que o Espírito Santo convence você da "justiça, porque eu vou para o Meu Pai e [**vós**] não me **vereis** mais". Agora, a quem Jesus estava se referindo aqui? Claramente, com o uso do verbo "vereis", Jesus estava se referindo aos Seus crentes, ali representados por Seus discípulos, com os quais Ele estava falando. Isso nos diz que o Espírito Santo foi enviado para convencer os crentes da justiça.

Agora, você é justificado por suas obras ou pela fé em Jesus? Neste ponto, você precisa saber que é justificado pela fé, pois a justiça não é **fazer o correto**, mas **permanecer correto** diante de Deus, por causa da sua crença correta! Então, quando você esquece isso, o Espírito Santo vem para convencê-lo e lembrá-lo de que você é a justiça de Deus por causa de Jesus Cristo. Ele está presente para lembrar a você da principal cláusula da nova aliança — que Deus será misericordioso para com suas injustiças, e de seus pecados e iniquidades Ele não se lembrará mais.[8]

O Espírito Santo é o seu Ajudador.[9] Ele foi enviado para viver em você a fim de ajudá-lo, não para importuná-lo e apontar todas as suas falhas. Ninguém aguenta viver com um implicante. O Espírito Santo não é alguém inoportuno. Na verdade, Ele foi enviado para ajudar, convencendo-o de sua justiça eterna.

Acordar Para a Justiça e Não Pecar

Eu tenho encontrado ministros do evangelho que se omitem de ensinar aos crentes que eles são justos em Cristo, por recearem que esses crentes saiam e pequem ao perceber essa verdade. Certa vez, encontrei um ministro que me disse que depois de ouvir meus sermões conferiu nas Escrituras e confirmou que, de fato, éramos justificados independentemente de nossas obras, por causa de Jesus. Mas ele me disse que não pregava isso porque receava que se os crentes soubessem que estavam justificados para sempre, sairiam e pecariam.

Isso é triste, porque o poder de sujeitar o pecado reside no conhecimento de que você é justo. Quando um crente está lutando contra o pecado, isso é um caso de identidade confusa — ele pensa que ainda é um pecador sujo e corrompido, e como resultado disso, continuará a viver como um pecador sujo e corrompido. Porém, quanto mais ele percebe que foi justificado independentemente de suas obras, mais ele será revestido de poder para viver corretamente.

Sua resposta repousa na crença correta.

Crentes lutam contra o pecado hoje precisamente porque não percebem que são justificados. A Bíblia diz: "Acordai para a justiça, e não pequeis mais."[10] Isso significa que quanto mais um crente percebe que é de fato justificado, mais começa a se comportar como uma pessoa justa. É hora de acordar para a justiça!

Agora, grave isto na memória: **a crença correta conduz ao viver correto**. Diga isso em voz alta comigo, porque é uma revelação poderosa que você não pode se permitir esquecer:

"A crença correta sempre conduz ao viver correto!"

Para entender essa verdade, você precisa perceber que tudo que se vê na criação surgiu a partir do âmbito espiritual. Deus, que é um Espírito, pronunciou todas as coisas que criou, trazendo-as à existência. Do mesmo modo, muito antes de sua bênção se manifestar fisicamente, ela existe primeiramente em seu espírito. A Bíblia diz: "O homem bom tira boas coisas do bom tesouro do seu coração."[11] Em outras palavras, sua vida hoje é um reflexo do que tem sido oculto e carregado em seu coração todo este tempo. **Então, se você não quer que sua vida continue a mesma, a solução não é mudar suas circunstâncias, a solução é mudar o seu coração, mudar o que você crê**. Meu amigo, para cada área de fraqueza, falha e derrota que você talvez esteja experimentando agora mesmo, eu asseguro que tem havido alguma crença errada nessa área em sua vida. Procure nas Escrituras por Jesus e a verdade. Sua resposta repousa na crença correta.

Ao longo de gerações, o Corpo de Cristo tem sido derrotado e colocado sob um constante cerco de condenação do acusador, por acreditar erradamente que o Espírito Santo convence os crentes de seus pecados. Comece a acreditar corretamente hoje. Leia este capítulo de novo, e de novo. Medite nos versículos que destaquei para você. Deixe que a verdade penetre em seu interior e seja liberto pelo conhecimento de que o Espírito Santo é o seu Ajudador, dado por Deus para convencê-lo da justiça. Você é a justiça de Deus em Cristo!

A Crença Correta Conduz Ao Viver Correto — Um Testemunho

Há um precioso irmão em minha igreja cuja vida começou a dar uma reviravolta quando ele recebeu Jesus como seu Senhor e Salvador. Todavia, ele ainda estava lutando com o hábito de fumar. Ele fumara por muitos anos e nem um dia se passava sem que fumasse ao menos um maço de cigarros. Ele compartilhou comigo que se sentia realmente enojado cada vez que fumava. Sentia-se condenado e constantemente ouvia a voz do acusador bombardeá-lo com acusações:

"Como você tem coragem de chamar a si mesmo de cristão? Olhe para você — você ainda é um fumante!"

"Desista! Você não é digno de ser um cristão."

"Você é um hipócrita."

Ele continuou ouvindo essas acusações, e quanto mais as ouvia, mais fumava. Ele contou que realmente tentava reunir toda a sua força de vontade para superar este hábito destrutivo, mas simplesmente não conseguia. Ele sabia que seu corpo era o templo de Deus, e sinceramente queria glorificar ao Senhor, mas não tinha forças para fazê-lo. Ele começou a se autocondenar e estava pronto para desistir de vez.

Foi quando ele me ouviu pregar que o Espírito Santo estava presente nele para convencê-lo da **justiça**, de maneira que, quanto mais ele cresse que era justificado por causa de Jesus Cristo, mais seu comportamento começaria a se alinhar com aquilo em que acreditava. Então, ele começou a confessar diariamente: "Eu sou a justiça de Deus por meio de Jesus Cristo." Todo dia, ele acordava, parava diante do espelho e dizia: "Eu vejo um homem justo neste espelho." Mesmo quando sucumbia à tentação e acendia um cigarro, ele ainda confessava: "Eu sou a justiça de Deus por meio de Jesus Cristo. Neste exato momento, o Senhor me vê como justo."

Este irmão realmente creu que era justificado, não por causa do que fazia, mas por causa do que Jesus fez. E quanto mais cria que era a justiça de Deus, mais o poder de seu vício em nicotina definhava. Ele começou a ter uma força sobrenatural para reduzir o consumo diário de tabaco em um curto espaço de tempo. Começou a substituir a voz do acusador que dizia "Você é um hipócrita. Como tem coragem de se considerar um cristão?" pela voz do Espírito Santo que declarava, "Você é justo aos olhos de Deus. Ele o vê tão justo quanto a Jesus Cristo hoje." A voz do Espírito Santo se tornou mais e mais alta, até que suprimiu completamente a voz do acusador.

Este precioso irmão finalmente parou de dar ouvidos à voz da condenação e passou a ouvir somente a voz da justiça — e um dia ele acordou e percebeu que seu desejo por cigarros não estava mais lá! Aleluia! Ele foi liberto de seu hábito destrutivo simplesmente ao crer na voz do Espírito Santo e se ver como a justiça de Deus, todos os dias. O simples fato de ser fiel em crer e confessar "Eu sou a justiça de Deus em Cristo" liberou um poder em sua vida que extinguiu gradualmente a força daquela dependência de cigarros. Isso é poderoso, meu amigo!

Sua Graça é Maior Que os Seus Vícios

Você está sendo devastado por um vício atualmente? Seja cigarro, pornografia, álcool, drogas ou jogatina, seja ele qual for, meu amigo, a graça de Deus é maior que qualquer vício em sua vida. A graça de Deus sobrepuja seu vício. Hoje é seu dia de liberdade e libertação.

Hoje é o dia em que o Senhor irá libertá-lo de toda mentira, culpa e condenação usados pelo acusador para bombardeá-lo. Neste momento, eu quero fazer esta oração com você:

> "Senhor Jesus, eu Te agradeço pela cruz. Eu Te agradeço por teres morrido por mim — o Teu sangue me limpou de toda a minha injustiça e dos pecados de minha vida inteira. Tu és o meu Senhor e o meu Salvador. Eu entrego a Ti todos os meus vícios hoje. Eu estou doente e cansado de ser um fracassado e de ser condenado pelo acusador. Hoje, confesso que por causa do sangue de Jesus Cristo sou agora mesmo a justiça de Deus. Pela força sobrenatural e poder do Espírito Santo que está presente para me convencer da minha justiça, eu serei lembrado a cada dia de que sou a justiça de Deus por meio de Jesus Cristo. Amém!"

Aleluia! Quando você começa a crer que é justo independentemente de suas obras, a voz do acusador que vem para condená-lo não tem mais domínio sobre a sua vida. Espero genuinamente ouvir seu testemunho sobre como o Senhor o libertou de seu vício. A informação sobre como fazer contato com meu ministério está no fim deste livro. Escreva para nós!

Ora, meu amigo, é hora de acordar para a justiça e não pecar. A crença correta conduz ao viver correto. Creia que você é justificado — e você começará a viver como um homem justificado ou mulher justificada de Deus. A condenação pode até ser a raiz mais profunda, mas hoje você encontrou a solução — simplesmente crer que você é a justiça de Deus, por causa de Jesus Cristo.

Há Julgamento Para o Crente?

Extraí de João 16 que o Espírito Santo veio para convencer o mundo (incrédulos) do pecado da descrença em Jesus. Mas, para o crente, o Espírito Santo veio para convencê-lo de sua justiça em Cristo. Há hoje alguns crentes que creem que o Espírito Santo está neles para convencê-los não apenas de seus pecados, mas também da ira e do julgamento de Deus para com eles. Isso não é verdade de modo algum.

Discorri em capítulos anteriores que a ira e o julgamento de Deus por todos os nossos pecados já foram exauridos no corpo de Jesus quando Ele foi pregado na cruz. Então, que julgamento há para o crente hoje? Quando Jesus disse: "... do juízo, porque o príncipe deste mundo já está julgado", a quem ele se referia? Crentes ou incrédulos? A resposta é: Ele não se referia a nenhum deles. Ele estava se referindo ao "príncipe deste mundo", como está claramente citado no versículo.

"Então quem é o 'príncipe deste mundo'?"

O "príncipe deste mundo" é o diabo, o próprio acusador. Quando Deus criou Adão e Eva, deu-lhes domínio sobre o mundo. Mas quando Adão pecou, ele abriu mão desse domínio para o diabo. É por isso que vivemos em um mundo decaído hoje, no qual há doenças, enfermidades, guerras, terremotos e inundações à nossa volta. Estes **não são** "atos de Deus". São os atos do diabo! Jesus não veio para matar vidas, mas para salvá-las.[12] Portanto, qualquer coisa que você vê no mundo que é destrutivo é a obra do "príncipe deste mundo". Mas sabe de uma coisa? O tempo de ocupação dele neste mundo está se esgotando, e estamos avançando lentamente, mais e mais perto do dia em que Jesus retornará para nós. Aleluia!

Meu amigo, nós vimos neste capítulo que o Espírito Santo veio para: número um, convencer os incrédulos do pecado da descrença; dois, convencer os crentes da justiça independentemente das obras; e três, nos lembrar de que o diabo já foi julgado na cruz. Isso, sim, é o que se chama discernir corretamente a Palavra! A confusão ocorre quando os crentes leem a Bíblia e não discernem corretamente com quem o narrador está falando. Toda a Palavra de Deus é escrita para nosso benefício, mas nem tudo dela foi escrito **para** nós. O Espírito

Santo jamais o chamará de hipócrita, ou dirá, "Que tipo de cristão é você afinal?" Essas são as palavras do acusador, cuja estratégia é lançar condenação sobre você para desqualificá-lo e fazê-lo sentir-se indigno de entrar na presença de Deus. O Espírito Santo é chamado de "**Consolador**".[13] Ele está aqui para confortá-lo e direcioná-lo de volta à cruz de Jesus cada vez que você falhar. A única coisa de que Ele convencerá você é da sua justiça em Jesus Cristo!

Creia que você é a justiça de Deus em Cristo e desfrute as bênçãos que coroam a cabeça do justo!

Hoje mesmo, meu amado, creia que você é a justiça de Deus em Cristo. Comece a andar na liberdade de não ser mais condenado, liberdade essa que Cristo comprou para você, e desfrute as bênçãos que coroam a cabeça do justo![14]

Capítulo 12

A Condenação Mata

O acusador é um astuto promotor que não hesitará em usar os Dez Mandamentos para condenar você. É por isso que a Palavra de Deus declara que os Dez Mandamentos não são apenas o "ministério da morte", mas são também o "ministério da condenação".[1] Lembre-se, não há nada profano nos Dez Mandamentos. Eles são santos, justos e bons, mas não têm o poder de torná-lo santo, justo e bom. A lei é um padrão firme e inflexível. Ela não pode ser negociada. Quando você falha, ela não pode mostrar graça a você. Se isso acontecesse, então ela não seria mais a lei!

É por isso que o apóstolo Paulo disse que "o mandamento, que era para vida, esse achei que me era para morte. Porque o pecado, tomando ocasião pelo mandamento, me enganou, e por ele me matou".[2] Observe que o pecado "pelo mandamento" o enganou e o matou. Isso significa que uma vez que Paulo estava sob a aliança da lei, ele também se encontrava sob o ministério da morte e da condenação.

A lei sempre ministra condenação. Se você está sob a lei, toda vez que falhar e ficar aquém dos padrões de Deus, será condenado. A graça, porém, sempre ministra justiça. É por isso que ela é chamada de ministério da justiça, a qual excede em muito maior glória o ministério da condenação.

> Porque se o **ministério da condenação** tinha glória, muito mais excede em glória o **ministério da justiça** (2 Coríntios 3:9, AA).

Quando você está sob a graça, mesmo que falhe e fique aquém dos padrões de Deus, Ele ainda o vê como justo, por causa de Jesus Cristo. Deus não deu a lei ao homem para torná-lo correto por meio da obediência própria. Ele a deu para que o homem tivesse conhecimento do pecado. Sem a lei, o pecado estava morto. Paulo descreveu esse aspecto da lei de maneira pertinente quando disse: "Que diremos, pois? É a lei pecado? De modo nenhum! Mas eu não teria conhecido o pecado, senão por intermédio da lei; pois não teria eu conhecido a cobiça, se a lei não dissera: Não cobiçarás. Mas o pecado, tomando ocasião pelo mandamento, despertou em mim toda sorte de concupiscência; porque, sem lei, está morto o pecado."[3]

A lei sempre ministra a condenação. A graça,
por sua vez, sempre ministra a justiça.

A Lei Instiga Os Desejos Pecaminosos No Homem

Não há nada de errado com a lei. O problema é com a carne do homem. É como um grupo de meninos adolescentes caminhando por uma longa rua, apenas curtindo o dia e se divertindo. Eles passam por um prédio abandonado e nenhum deles se importa com ele — é só mais um prédio. Eles, então, caminham até o fim da rua, onde há outro prédio parecido com aquele primeiro que viram antes. Mas, desta vez, tudo em volta é cercado de avisos e há um letreiro enorme, com letras vermelhas, no qual está escrito: "Não atire pedras, ou você será denunciado à polícia."

Repare, o primeiro edifício não tinha sinal algum, e os garotos nem ligaram para ele. O segundo tinha avisos de alerta ao redor, e desta vez os meninos pararam seu trajeto, porque algo dentro deles foi instigado. Eles olharam em volta para ver se alguém estava observando, e imagine o que fizeram?

A próxima coisa que você ouve é o som de vidro quebrando, seguido do som de passos correndo em fuga.

Quando os meninos estavam passeando na rua, o desejo de cometer alguma travessura estava neles? Sim, estava ali o tempo todo. Mas porque não havia leis, o desejo de pecar que estava neles não era instigado. É isso que a lei faz. Ela instiga o pecado em nós.

Vou lhe dar outro cenário. Se você fosse a única pessoa em uma sala e houvesse uma porta com um aviso que diz, "Restrito: Não Entre", o que aconteceria? Muito provavelmente, você olharia em volta da sala para certificar-se de que não havia câmeras escondidas, e devagarzinho seria instigado a espreitar por detrás daquela porta!

É esse o efeito que a lei tem sobre todos nós. Não há nada de errado com a lei. Não há nada de errado com os Dez Mandamentos. Ouça cuidadosamente o que estou dizendo. Quando você está comprometido com a lei de Deus, precisa ser muito exato — então vamos ficar com a linguagem da Bíblia a esse respeito. Paulo disse que a lei foi projetada para conceber a ofensa — "Sobreveio, porém, a lei para que a ofensa abundasse."[4]

A lei instiga os desejos pecaminosos na carne do homem. Quero lhe dizer que enquanto você estiver em seu corpo atual, terá propensão para pecar. Não sou eu quem está sugerindo isso. Foi Paulo quem disse: "Porque nem mesmo compreendo o meu próprio modo de agir, pois não faço o que prefiro, e sim o que detesto."[5]

O que significa isso? Significa que enquanto estiver neste corpo, embora você deteste perder o controle e ficar zangado, acredite em mim — você ficará zangado. Não importa o quão arduamente se esforce para não ficar, você falha. E quando você falha, o diabo está pronto para usar a lei de Deus como uma arma para condená-lo. Ele sabe que se for capaz de colocá-lo sob condenação, você começará a ter medo. Esse medo traz estresse — e, por tabela, todo tipo de doença psicossomática e opressão pode começar a entrar em sua vida. Isso não é brincadeira — a condenação mata!

O Segredo Para Subjugar a Condenação

Qual é, então, a solução contra a artilharia de condenação do acusador?

Paulo enfrentou as mesmas lutas que você e eu enfrentamos hoje. Seu grito está registrado em Romanos 7: "Porque não faço o bem que prefiro, mas o mal que não quero, esse faço. Desventurado homem que sou! Quem me livrará do corpo desta morte?"[6]

Mas Paulo não para por aí. Ele segue nos mostrando no primeiro versículo de Romanos 8 como podemos nos opor aos ataques do acusador:

> **Agora**, pois, já **nenhuma condenação há** para os que estão **em Cristo Jesus** (Romanos 8:1).

Agora NENHUMA CONDENAÇÃO há para os que estão em CRISTO JESUS! Esse é um versículo poderoso. Eu o encorajo a gravá-lo em sua memória, pois com ele você pode rebater todos os ataques do acusador! Você está em Cristo Jesus hoje? Sim! Então, não há condenação sobre a sua vida!

Se você está em Cristo Jesus hoje, não há condenação sobre a sua vida!

---

146 | Capítulo 12

> "Mas, Pastor Prince, você sempre fala sobre interpretar as Escrituras em seu contexto adequado, e minha Bíblia diz que há uma condição para não ter condenação — precisamos andar segundo o Espírito, não segundo a carne. Então, isso significa que só estaremos livres da condenação se não pecarmos."

Estou muito contente que você tenha levantado essa questão. Vamos dar uma olhada no versículo de Romanos 8:1 completo, na versão João Ferreira de Almeida Revista e Corrigida:*

> Portanto, agora nenhuma condenação há para os que estão em Cristo Jesus, que não andam segundo a carne, mas segundo o Espírito (Romanos 8:1, RC).

É assim que aparece em sua Bíblia, certo? Mas você sabia que o último trecho, "que não andam segundo a carne, mas segundo o Espírito" foi adicionado pelos tradutores da Bíblia e não aparece nos manuscritos gregos originais?[7] É quase como se os tradutores não acreditassem que a declaração de não condenação viesse sem qualquer condição. Não fique só com a minha palavra, verifique por si mesmo. Para uma tradução mais exata, olhe a versão João Ferreira de Almeida Atualizada (ou ainda a Revista e Atualizada):

> Portanto, **agora nenhuma condenação há** para os que estão em **Cristo Jesus** (Romanos 8:1, AA).

É isso mesmo, meu amigo — não há condenação para os que estão em Cristo Jesus, **ponto final**. Não há condição alguma, nem pré-requisitos. Tem tudo a ver com a obra consumada, e nada a ver com esforços humanos. Aleluia!

Mesmo assim, há pessoas que argumentarão que só não há condenação quando não pecamos. Meu amigo, se não há pecado,

---

*No texto original, o autor utiliza a NKJV – New King James Version.

A Condenação Mata | 147

por que haveria alguma condenação, para começo de conversa? A declaração de Paulo seria supérflua se não houvesse pecado. Então, a boa nova que ele estava declarando é que mesmo quando há pecado, AGORA não há condenação para aqueles que estão em Cristo Jesus. Por quê? Porque Jesus já foi condenado por todos os nossos pecados. Amém!

Quando a palavra "portanto" aparece em um escrito, sempre explica o motivo conclusivo de algo. Quando Paulo disse, "**Portanto**, agora nenhuma condenação há..." ele se referia a como "o pecado, tomando ocasião pelo mandamento" o tinha ludibriado e matado. Quando Paulo estava lutando segundo a lei, foi condenado repetidas vezes (você vai encontrar Paulo relatando suas lutas em Romanos 7). Na verdade, ele disse: "Desventurado homem que sou! Quem me livrará do corpo desta morte?" Aquela era uma questão retórica. Olhe para a resposta do próprio Paulo: "Graças a Deus, por Jesus Cristo, nosso Senhor!"[8] Era por causa de Jesus Cristo que Paulo podia declarar que agora não havia nenhuma condenação para os que estão em Cristo Jesus!

Deixe-me dar uma dica prática sobre como você pode crescer nesta revelação de "nenhuma condenação": aprenda a perceber que os Dez Mandamentos (a lei de Deus) e a condenação são a mesma coisa. Toda vez que você ler ou pensar sobre a lei, pense em "condenação".

Eu estava falando com um irmão na igreja, recentemente, e ele me contou que seu entendimento de "obediência à lei" era que tinha de "fazer certo". Embora seja verdade que a lei diz a você qual o certo a fazer, você será, todavia, sempre condenado por ela. A lei é chamada de "ministério da condenação" porque não foi concebida para conduzi-lo a fazer o certo, mas para condená-lo. E sabe de uma coisa? Quanto mais você se guia pela lei e tenta ser justificado por ela, mais falha e é condenado por ela. Este não é o caminho de Deus. Ele não quer ver você vivendo em culpa e condenação, pois como eu disse antes, a condenação é a raiz mais profunda, que gera medo, estresse e todo tipo de doença. A condenação literalmente mata você!

Quando o acusador vem para condená-lo por todas as suas falhas, e diz coisas do tipo, "Como você consegue chamar a si mesmo de cristão?" ou "Você é o maior hipócrita do mundo!", **essa** é a hora de começar a se ver livre de qualquer condenação. O oposto do ministério da condenação é o ministério da justiça, o qual o excede muito mais em glória. Comece a se ver justificado não por causa do que você fez ou tem feito, mas por causa do que Jesus fez, e porque Seu sangue o purifica continuamente. Lembre a si mesmo que o Santo Espírito foi enviado para convencê-lo de sua **justiça** independentemente de obras. O diabo usará a lei como uma arma para condená-lo. Mas, louvado seja Deus, agora NÃO há mais condenação para aqueles que estão em Cristo. Quando não há condenação? A Palavra de Deus diz agora!

Ousadia Para Ir ao Trono Da Graça de Deus

"Mas, Pastor Prince, o que acontece quando eu peco?"

Bem, "AGORA" inclui o momento em que você peca? Claro que inclui. "Portanto, AGORA nenhuma condenação há..." é um versículo para "agora". A declaração é verdadeira para todo momento, todos os dias. É verdade pela manhã. É verdade à noite. E quando o amanhã chegar, ainda será verdade. Não há condenação no presente, continuamente, para você, porque você está em Cristo!

O que lhe dá a ousadia para ir a Deus é o conhecimento de que Ele o vê completamente justo.

"Nós não deveríamos ser condenados ao menos um pouquinho, e então nós voltaríamos para Deus?"

Quando Adão foi condenado, ele se escondeu de Deus. Amado, quando você falha, a condenação e a culpa o levam a **fugir** da presença de Deus. É uma mentira afirmar que a condenação e a culpa levam você de volta para Deus. O que lhe dá a ousadia para ir a Ele é o conhecimento de que hoje mesmo Ele é cheio de graça, e vê você completamente justo. O que lhe dá a ousadia para ir diante do trono de graça de Deus é o conhecimento de que Ele jamais o condenará, porque você está **em** Jesus Cristo!

O Coração Cheio de Graça do Pai

Você quer ver como seu Pai Celestial reage quando você falha? Olhe para a parábola do filho pródigo, que Jesus contou:

> Certo homem tinha dois filhos; o mais moço deles disse ao pai: "Pai, dá-me a parte dos bens que me cabe". E o pai repartiu entre eles sua herança. Passados não muitos dias, o filho mais moço, ajuntando tudo o que era seu, partiu para uma terra distante, e lá dissipou todos os seus bens, vivendo dissolutamente. Depois de ter consumido tudo, sobreveio àquele país uma grande fome, e ele começou a passar necessidade. Então, ele foi e se agregou a um dos cidadãos daquela terra, e este o mandou para os seus campos a guardar porcos. Ali, desejava ele fartar-se das alfarrobas que os porcos comiam; mas ninguém lhe dava nada. Então, caindo em si, disse: Quantos trabalhadores de meu pai tem pão com fartura, e eu aqui morro de fome! Levantar-me-ei, e irei ter com o meu pai, e lhe direi: "Pai, pequei contra o céu e diante de ti; já não sou digno de ser chamado teu filho; trata-me como um dos teus trabalhadores". E, levantando-se, foi para seu pai. Vinha ele ainda longe, quando seu pai o avistou, e, compadecido dele, correndo, o abraçou, e beijou. E o filho lhe disse: "Pai, pequei contra o céu e diante de ti; já não sou digno de ser chamado teu filho." O pai, porém, disse aos seus servos: Trazei depressa a melhor roupa, vesti-o, ponde-lhe um anel no dedo e sandálias nos pés; trazei também e matai

o novilho cevado. Comamos e regozijemo-nos, porque este meu filho estava morto e reviveu, estava perdido e foi achado. E começaram a regozijar-se (Lucas 15:11-24).

Vemos um pai que corre ao encontro de seu filho pródigo para abraçá-lo no momento em que o vê de longe. Você sabia que o comportamento desse pai é, na verdade, contrário à lei de Moisés? Eu estava estudando isso há algum tempo e descobri que, de acordo com a lei, se um homem tivesse um filho teimoso e rebelde que se recusasse a prestar atenção a seus pais, o esperado é que esse homem trouxesse seu filho aos anciãos da cidade, e todos os homens da cidade apedrejariam este filho até à morte, e dessa maneira eles retirariam o mal dentre eles, e todo o Israel devia ouvir e temer.[9] Essa é a lei de Moisés.

Quando Jesus contou a história do filho pródigo, todo o povo judeu que o ouvia deve ter se lembrado dessa lei. No entanto, em lugar da condenação e punição que o filho rebelde merecia, segundo a lei, Jesus revelou o coração de graça do Pai e o perdão da nova aliança. Naquele ponto, Jesus ainda não tinha morrido para estabelecer a nova aliança da graça, e as pessoas que o ouviam estavam ainda sob a lei de Moisés. Jesus estava dando a eles um gostinho do que estava por vir. Estava mostrando a eles a realidade que desfrutamos hoje. Aleluia!

O filho pecou contra seu pai? Sim, total e definitivamente. Mas o pai atribuiu culpa e condenação a seu filho antes de recebê-lo? Não, ele não fez isso. Na verdade, o pai nem sequer deu àquele filho a chance de concluir o discurso que tinha ensaiado. Ele interrompeu seu filho antes que ele chegasse a pedir para ser tratado como um de seus servos. O pai o interrompeu não para condená-lo pelo pecado que cometera contra ele, mas para instruir seus servos a trazer para ele a melhor túnica, colocar um anel no dedo de seu filho e vestir sandálias em seus pés!

Importou àquele pai que as intenções de seu filho não tivessem sido de todo boas? Todos nós sabemos que o filho estava retornando à casa do pai porque tinha percebido o erro que cometera. Ele estava retornando porque estava com fome! Quando estava cuidando de porcos, ele se lembrou de que até mesmo os empregados da casa do pai tinham comida mais que suficiente para comer. **Foi só então** que ele decidiu pegar o caminho de volta para a casa do pai. Mas o pai não estava interessado em quais eram as intenções do filho. Quando o filho pródigo "vinha ainda longe" (e o pai não tinha como determinar por que seu filho estava retornando), aquele pai o viu e teve compaixão, correu e jogou os braços em volta do pescoço de seu filho, e o beijou. Que imagem maravilhosa do coração amoroso de Deus!

Quem estava contando a parábola do filho pródigo? Jesus. Eu penso que Jesus conhece Seu Pai realmente bem, você não concorda? Estamos ouvindo a narrativa de uma testemunha ocular sobre como Deus, o Pai, é — e Jesus certamente o conhecia! Observe como Ele descreveu a reação de Deus àqueles que pecam. Como aquele pai viu seu filho quando ele ainda vinha longe? Isso aconteceu porque o pai tinha esperado e ansiado pelo retorno de seu filho. Ele deve ter mantido os olhos no horizonte diariamente, esperando que cada dia fosse o dia de seu filho amado voltar para casa.

Você consegue ver o coração de amor de Deus por você, mesmo quando você falha com Ele? Você só precisa dar um passo na direção de Deus, e Ele, seu amoroso Papai do céu, vai correr em sua direção, sem condenação alguma. Ele quer jogar os braços ao seu redor, beijar você e enchê-lo com Seu amor e bênçãos! Ele o está esperando para vesti-lo com a túnica da justiça, colocar de volta em você o anel do selo de autoridade e calçar seus pés com as sandálias corretas da firmeza no andar. Ele quer restabelecer você, lavá-lo e promover uma festa em celebração à sua chegada em casa! Nosso Deus é um Deus que corre em sua direção SEM CONDENAÇÃO.

Deixemos de lado nossas ideias religiosas acerca de Deus. Dê um passo na direção do seu Papai mesmo quando você falhar, e Ele

152 | Capítulo 12

correrá para você e o abraçará. Ele o ama e aceita você do jeito que você é. Ele tem todo o poder para ajudá-lo quando você falha e se sente derrotado.

Rejubile-se, meu amigo — agora não há nenhuma condenação para você, porque você está em Cristo Jesus!

Seu Papai o ama e o aceita do jeito que você é, e Ele tem todo o poder para ajudá-lo quando você falha e se sente derrotado.

Capítulo 13

A Dádiva da Não Condenação

Quando eu já tinha concluído meus estudos, decidi arranjar um trabalho de período parcial ensinando em uma escola primária, enquanto esperava que os resultados dos exames acadêmicos fossem divulgados. Tornei-me, então, professor de uma classe de cerca de 30 alunos na faixa dos dez anos de idade.

Certa manhã, uma das garotas de minha classe não apareceu. Eu não liguei muito para isso, pois era comum que os alunos faltassem à escola por um dia ou dois, por diversas razões. Mas enquanto eu orava em casa naquele dia, o Senhor trouxe essa menina em particular à minha mente. Eu orava regularmente por meus alunos, mas costumava fazer uma oração geral por todos eles. Por ter sido tão específico daquela vez, eu sabia que era o Senhor me guiando a orar por ela, então orei para que o sangue de Jesus a cobrisse. Embora minha compreensão do sangue de Jesus fosse bem limitada naquela época, eu conhecia o suficiente para saber que o sangue Dele protege, portanto foi por aquilo que orei.

Vários dias após esse acontecimento, a menina ainda não tinha retornado à escola. Então o nome dela e sua foto apareceram nos jornais. Sua história foi televisionada em rede nacional e em todos os jornais de maior circulação. Esta minha aluna tinha sido, na verdade, sequestrada por um famoso assassino em série chamado Adrian Lim. Por ser um assassino que estava envolvido com o ocultismo, Adrian Lim sequestrava crianças e as oferecia como sacrifício humano aos ídolos que adorava.

Entretanto, para surpresa de muitos, a menina foi solta pelo assassino em série! Quando entrevistada pela imprensa, ela contou que tinha sido carregada para uma pequena sala que cheirava a fumaça de incenso. A sala era parcialmente iluminada, mas ela conseguiu ver Adrian Lim executando algum tipo de rito cerimonial e oferecendo orações diante de seus ídolos. Subitamente, ele a fitou nos olhos e disse com desgosto que seus deuses não a queriam. Então, ela foi solta, tornando-se a única menina a ser solta por Adrian Lim. As outras crianças que foram sequestradas tinham sido brutalmente assassinadas. Quando ouvi isso, eu sabia que fora o Senhor quem a tinha protegido. Nenhum outro deus poderia tomá-la porque ela estava coberta pelo sangue de Jesus! Hoje, essa menina é uma adulta, casada e feliz mãe de filhos. Louvado seja o Senhor!

O Sangue Protege Você da Condenação

Naquele tempo, eu não sabia qual era a principal função do sangue de Jesus ou por que ele provia proteção. Eu apenas cobria tudo com o sangue de Jesus. Não sou contra os cristãos clamarem o sangue de Jesus para proteção, mas hoje tenho uma compreensão mais profunda do Seu sangue.

Você sabe o que Jesus disse sobre o Seu sangue na noite em que foi traído? Durante a última ceia, quando Jesus segurou o copo em Suas mãos, disse: "Este é o sangue da nova aliança, derramado para vossa proteção"? Não! Ele disse: "Porque isto é o meu sangue, o sangue da nova aliança, derramado em favor de muitos, para remissão de pecados."[1] Seu sangue foi derramado **para o perdão de todos os seus pecados**. O sangue de Jesus protege? Sim, claro que protege! Mas, embora Seu sangue nos proteja das artimanhas do diabo, essa não é a principal razão pela qual foi derramado.

Saber que você está protegido da condenação o leva a reinar sobre o pecado, vício ou depressão que estão mantendo-o em cativeiro hoje.

Meu amigo, a principal razão de o sangue do Salvador ter sido derramado foi o perdão dos nossos pecados. Isso significa que o sangue de Jesus também nos oferece proteção de qualquer forma de condenação. Quando você tem uma revelação de que o sangue de Jesus o fez justo e que todos os seus pecados são perdoados, você está protegido da condenação do acusador. É imperativo que você entenda isso porque esta verdade lhe dá a confiança para entrar na presença de Deus ousadamente e vê-lo como um Pai amoroso. Esse conhecimento o levará a reinar sobre o pecado, vício ou depressão que estão mantendo-o em cativeiro hoje.

Minha Luta Contra a Condenação

Gostaria que alguém tivesse compartilhado esta revelação comigo quando eu estava vivendo a experiência de pensar que eu tinha cometido o pecado imperdoável. A condenação que eu sentia e a crença de que tinha blasfemado contra o Espírito Santo vinham, de fato, do acusador. Foi um terrível período para mim e todos os ensinamentos que recebi na ocasião não ajudaram em nada.

Hoje entendo que é impossível para um crente cometer o pecado imperdoável — o pecado de rejeitar constante e consistentemente a Jesus Cristo. Então, se você é um crente, já recebeu Jesus, e não há como cometer o pecado imperdoável.

Entretanto, ali estava eu, um jovem rapaz com praticamente nenhum conhecimento da nova aliança da graça, sem revelação de minha justiça em Cristo e sem compreensão da principal função do sangue de Jesus. Sem essas verdades, caí em grande decepção. Eu acreditava que tinha pecado irrevogavelmente contra Deus. Pensava que tinha blasfemado contra o Espírito Santo porque tivera maus pensamentos sobre Deus e sobre o Espírito Santo. Fui cruelmente bombardeado com sentimentos de culpa e condenação, até que senti como se minha mente fosse estourar.

Toda essa condenação vinha do diabo. O acusador tinha colocado pensamentos negativos em minha mente sobre Deus e eu não sabia como lhe resistir, então assumi aqueles pensamentos como sendo meus, e recebi suas mentiras e condenação por aqueles pensamentos. Voltando àquele tempo, eu sequer sabia que Deus tinha um chamado em minha vida. Como eu poderia saber? Eu realmente acreditava que sequer estava indo para o céu por causa do pecado imperdoável que tinha cometido!

Atormentado pelo senso devastador da condenação, fui pedir oração a um homem de Deus, esperando que ele fosse capaz de me libertar de meus medos e opressão. Seu nome é Percy Campbell, e naquele tempo ele administrava uma das mais proeminentes escolas bíblicas em Cingapura.

Percy impôs suas mãos sobre mim e orou. Mesmo depois de tanto tempo, ainda posso me lembrar exatamente de como ele falou, com seu típico sotaque neozelandês: "Joe, eu vejo você no espírito. Vejo você pregando para milhares de pessoas." Repare que, naquele tempo, eu ainda estava no ensino médio e mal conseguia falar diante de um grupo de pessoas sem gaguejar sem parar. De fato, havia um professor realmente cruel que sempre me fazia ficar em pé diante da turma e ler em voz alta. Todas as meninas acabavam sorrindo e por fim gargalhando de mim enquanto eu só gaguejava, tentando desesperadamente terminar uma frase. Meu rosto ficava vermelho e minhas orelhas queimavam. Aqueles momentos eram realmente dolorosos. Então, quando procurei Percy para uma libertação da minha opressão, mas em lugar disso recebi sua profecia de que falaria para milhares de pessoas, isso realmente me assustou.

Em 2004, Percy visitou nossa igreja e viu por si mesmo o quanto ela tinha crescido, pela graça de Deus. Quando finalmente nos falamos após o culto, foi com lágrimas nos olhos que ele disse: "A profecia se cumpriu." Ele se lembrou do que tinha dito sobre mim muitos anos antes, quando eu ainda era um adolescente lutando contra a opressão e a condenação. Toda glória a Jesus!

Meu amigo, eu sei o que significa estar sob a culpa e a condenação do acusador. Ele está usando a mesma estratégia para afligir os crentes hoje. O diabo virá diversas vezes para fazer você se sentir culpado de algo que possa ter pensado. Ele o faz se sentir culpado de seu papel como pai. Ele o faz se sentir culpado como provedor do seu lar. Ele faz você se sentir culpado como um empregado. Ele faz você se sentir culpado como empregador. Ele o faz se sentir culpado até mesmo por ficar doente!

A propósito, o crente jamais deve se sentir culpado por ficar doente. Temos de ser cautelosos para não criar uma cultura na igreja de que as pessoas pensem que nunca serão atacadas por sintomas de doenças se estiverem andando com Deus. Adoecer não significa que você tem pecado ou que Deus está lhe ensinando uma lição. Só significa que sua cura está a caminho!

Quando Jesus e Seus discípulos viram um homem cego de nascença, os discípulos lhe perguntaram se aquele homem era assim porque tinha pecado ou porque seus pais tinham pecado. Jesus respondeu: "Nenhum dos dois." Ele continuou a dizer: "Eu sou a luz do mundo", e prosseguiu em abrir os olhos daquele homem.[2] Eu amo o estilo de Jesus!

Meu amigo, quando há um problema, enfrente-o. Não pergunte de quem é a culpa! Não pergunte se a culpa é do seu pai, seu avô ou seu bisavô. Não! Vamos aprender a lidar com as situações ao modo de Jesus. Quando ficou frente a frente com um homem cego, Jesus declarou que Ele mesmo era a luz do mundo e curou o homem. Então, não deixe o diabo fazer você se sentir culpado por ficar doente. É a culpa que o deixará doente!

Elimine Toda Condenação da Sua Vida

O diabo é mais esperto que muitos psiquiatras e psicólogos, porque ele não lida com o que é periférico. Ele não se distrai com detalhes superficiais. Você sabe qual é o nome do diabo? Seu nome não é "assassino", embora ele mate. Seu nome não é "ladrão", embora ele roube. Seu nome não é "destruidor", embora ele destrua. Seu nome é Satanás. Em hebraico, significa "o acusador".[3] Ele é o promotor contra você. Um promotor jamais menciona qualquer de seus pontos bons. Ele está ali para acusá-lo de cada uma de suas falhas. Ele trará à tona cada peça de roupa suja e mostrará, com evidência após evidência, suas falhas.

Enquanto tentamos lidar com o estresse e o medo, o diabo vai direto à raiz mais profunda, e usa a lei para amontoar culpa e condenação sobre você. Ele sabe que quando você está sob **condenação**, o medo, o estresse e todo tipo de doença vêm a seguir, então ele o ataca direto na sua jugular.

Quando você está sob condenação, o medo, o estresse e todo tipo de doença vêm a seguir.

Então, o que devemos fazer? Devemos arrancar a condenação bem na sua raiz e erradicá-la de nossas vidas. Portanto, quando você ouvir a voz do acusador, lembre a si mesmo que agora não há mais condenação para aqueles que estão em Cristo.[4] Por quê? Porque não importa o que o diabo condena em você, a verdade é que o sangue de Jesus foi derramado para o perdão de todos os nossos pecados. Não há um só pecado, nem uma só vírgula de culpa ou condenação que o diabo possa atirar em você hoje, que o sangue de Jesus já não tenha removido completamente.

Não admira que Isaías capítulo 54 diga que nenhuma arma forjada contra você prosperará. Qual é a arma que o diabo usa contra você? Acabamos de aprender que é a lei. O diabo usa a lei para condenar os crentes e lembrar-lhes de que esmoreceram. Mas a Palavra de Deus declara: "Nenhuma arma forjada contra ti prosperará, e **toda língua que se levanta contra ti em juízo**, tu a condenarás."[5] O diabo usa a língua dele para proferir palavras de culpa e condenação, mas pelo sangue de Jesus, você tem a autoridade e o poder de condenar toda palavra de julgamento que se levanta contra você!

A Dádiva da Não Condenação

"Pastor Prince, se os crentes souberem que não há condenação para eles, não vão sair por aí pecando?"

Bem, é óbvio que Jesus não pensa assim. Você lembra o que Ele disse para a mulher que foi apanhada em adultério?

> Quando Jesus se levantou e não viu ninguém exceto a mulher, disse a ela, "Mulher, onde estão os teus acusadores? Ninguém te condenou?" E ela disse, "Ninguém, Senhor." E Jesus lhe disse, "**Nem eu te condeno; vai e não peques mais**" (João 8:10-11).

Agora, preste muita atenção nisto: Jesus deu a dádiva da "não condenação" **antes** de dizer a ela para ir e não pecar mais. No entanto, a igreja hoje diz: "Vá e não peque mais primeiro, e só então nós não vamos condenar você." Essa é a razão de as pessoas estarem se afastando assustadas das igrejas. Não é porque elas estão se rebelando contra Jesus. É porque não foram apresentadas ao Jesus que dá ao pecador culpado **a dádiva da não condenação!**

Muito frequentemente, os não crentes têm sido apresentados ao Cristianismo como um conjunto de regras que somente os julga e condena. Se você fizesse uma pesquisa entre os não crentes para descobrir o que eles sabem sobre o Cristianismo, muitos deles provavelmente estariam familiarizados apenas com Dez Mandamentos. Eles conhecem somente acerca da lei que mata e não sobre a Pessoa que veio para trazer vida!

Contudo, meu amigo, o Cristianismo não tem nada a ver com leis. Tem a ver com Jesus e como Ele derramou Seu sangue para o perdão dos nossos pecados, pois sem sangue, a Bíblia diz que não há perdão dos pecados.[6] É por isso que o Cristianismo é um relacionamento baseado no sangue derramado de Jesus Cristo. Seu sangue purificou todos os nossos pecados, e as leis que se esperava que cumpríssemos, Ele a cumpriu em nosso lugar. Até mesmo o próprio Jesus se pronunciou contra o legalismo. Suas palavras mais fortes foram ditas aos religiosos fariseus, e não aos pecadores. Eu desafio você a encontrar qualquer ocorrência na Bíblia em que Jesus chamou os coletores de impostos ou prostitutas de "raça de víboras"!

Agora, voltemos à história da mulher pega em adultério. Deixeme perguntar algo a você: a mulher era culpada? Sim, ela era, absolutamente. Não há qualquer dúvida sobre isso. A Bíblia declara que ela foi "apanhada em flagrante adultério".[7] Mas em lugar de condená-la de acordo com a lei de Moisés, a qual requeria que ela fosse apedrejada até à morte (a lei de Moisés sempre ministra condenação e morte, ela não pode salvar o pecador culpado), Jesus mostrou a ela graça e deu-lhe a dádiva da não condenação.

Jesus acreditava que quando alguém realmente tem uma revelação de que Deus não o condena, essa pessoa tem o poder de sair do círculo vicioso do pecado.

Você acha que a mulher saiu, olhou para o amante dela e pulou de volta na cama com ele depois que recebeu a dádiva da não condenação? Não, é claro que não! É óbvio que Jesus acreditava que quando alguém realmente tem uma revelação de que Deus não o condena, essa pessoa tem o **poder** de sair do círculo vicioso do pecado. Ela tem o poder de "ir e não pecar mais"!

Em que você vai colocar a sua fé hoje? Na graça de Jesus, que consome o pecado? Ou nos medos humanos de que os crentes usem a "graça" como uma licença para pecar?

A Condenação Perpetua o Ciclo de Derrota

Deixe-me dizer algo: se você está sob condenação, está condenado a repetir o seu pecado. Por quê? Porque quando está debaixo da condenação, você se sente culpado e condenado, e acredita que a comunhão com Deus está quebrada. E uma vez que você acredita que Deus está longe, acaba cometendo esse pecado novamente. Você tenta fazer algo bom que o faça sentir que restaurou sua comunhão com Deus, mas se você falha de novo, começa a receber condenação novamente, e o ciclo de derrota continua.

O método de Jesus de reagir ao pecado é completamente diferente. Quando você peca, Ele lhe diz: "Nem eu te condeno, vai e não peques mais." Quando você receber a dádiva da não condenação Dele, você saberá, muito além de qualquer dúvida, que o relacionamento com Deus jamais é quebrado, porque o sangue de Jesus continuamente purifica você. Creia que você é a justiça de Deus por meio de Cristo Jesus, e simplesmente receba a dádiva da não condenação, que dá a você o poder de ir e não pecar mais.

Não Abra Mão da Graça

"Pastor Prince, eu sei de alguém que diz que está sob a graça, mas está claramente vivendo em pecado. Uma pessoa pode estar sob a graça e ainda viver em pecado?"

Meu amigo, não abra mão do Evangelho da graça só porque você vê alguns exemplos negativos. Vá até a pessoa e a confronte! Se ela diz: "Bem, eu estou sob a graça", mas ainda vive um estilo de vida de pecado, isto é o que eu diria a ela: "Não, você **não está** debaixo da graça. A Bíblia diz que o pecado não tem domínio sobre você não quando você **está sob a lei, mas sim quando está sob a graça.**[8] Então, se você está vivendo em pecado, **definitivamente** não está sob a graça. Você não está desfrutando da dádiva da não condenação e do favor gratuito e imerecido vindos de Deus. É por isso que o pecado o domina. Você não pode declarar que está sob a graça se continua a viver em pecado!" Tais pessoas se tornam agentes que o diabo usa para introduzir gradualmente a suspeita e o medo contra o Evangelho da graça. Mas não devemos abrir mão do Evangelho que Jesus pregou só porque um pequeno grupo de pessoas usa a graça como uma desculpa para seu estilo de vida de pecado.

Se alguém tem realmente conhecido e experimentado a graça e a dádiva da não condenação, essa pessoa NÃO QUER viver em pecado. O pecado será a última coisa em sua mente! Deixe-me expressar isso muito claramente: **Ninguém que esteja vivendo em pecado está sob a graça**, nem mesmo experimentou a dádiva da não condenação, porque a graça sempre resulta em vitória sobre o pecado!

O Poder de Não Pecar Mais

Creio que muitos crentes desejam viver uma vida que glorifique a Deus, e creio que a maioria de nós, raça humana normal e racional, NÃO ESTÁ procurando por uma desculpa para pecar. Mas há uma luta sobre a qual o próprio Paulo escreveu a respeito: "Porque nem mesmo compreendo o meu próprio modo de agir, pois não faço o que prefiro, e sim o que detesto."[9]

Estou escrevendo para crentes que vivem essa genuína luta contra a lei, e que, como Paulo, estão gritando: "Desventurado homem que sou! Quem me livrará do corpo desta morte?"[10] Se esse é o seu grito, então isto foi escrito especialmente para você: a pessoa que liberta você é Jesus. Sua maravilhosa graça salva a todo "desventurado homem". Em meio a todo o seu desalento, fraqueza e vulnerabilidade, Jesus olha para você com Seus ternos olhos e lhe diz: "Onde estão os seus acusadores? Ninguém o condenou? Nem eu condeno você. Vá e não peque mais."

Sempre que você falhar em pensamento, palavra ou ação, receba este renovo: agora não há mais condenação para aqueles que estão em Cristo. Quando Jesus morreu na cruz, todas as suas falhas já foram condenadas em Seu corpo. Hoje, você é livre para viver uma vida vitoriosa — não por causa da sua obediência à lei, mas por causa da sua obediência em crer no sangue e na justiça de Jesus.

Toda vez que você falhar em pensamento, palavra ou ação, receba este renovo: agora não há mais condenação para aqueles que estão em Cristo.

Paulo disse: "Porquanto **o que fora impossível à lei**, no que estava enferma pela carne, **isso fez Deus** enviando o seu próprio Filho em semelhança de carne pecaminosa e no tocante ao pecado; e, com efeito, condenou Deus, na carne, o pecado."[11] O que a lei não podia fazer, Deus o fez (observe o uso do tempo verbal no passado) ao enviar o Seu Filho. A lei não podia salvar o "desventurado homem" que éramos. Ela só podia nos condenar. Mas Deus nos salvou ao colocar toda culpa, punição e condenação por nossos pecados no corpo de Jesus, no Calvário.

Por intermédio de Jesus Cristo, sua herança hoje não é mais a culpa, a punição e a condenação por seus pecados, mas a justiça, a paz a e alegria. Esse é o caminho de Deus para que você experimente o sucesso em sua vida sem esforço, naturalmente. Ele já fez tudo isso em nosso lugar. Sua parte é simplesmente crer e receber. É assim que você caminha em vitória sobre o pecado, os vícios, os pensamentos negativos e todo ciclo de derrota que o mantêm em cativeiro. É uma boa notícia? Esse é o Evangelho de Jesus Cristo!

Capítulo 14

Não Mais Consciência do Pecado

Uma das coisas que me ensinaram durante meus anos de formação como cristão era que eu tinha de sondar meu coração à procura de pecados antes de adorar o Senhor. Disseram para eu curvar minha cabeça e procurar por pecados em meu coração. Então, cada vez que eu fazia isso, me sentia como se estivesse entrando num depósito escuro e cheio de teias de aranha. Eu me via espreitando à volta e procurando por todos os meus pecados com uma pequena lanterna. E quanto mais eu procurava, mais me sentia indigno para adorar o Senhor. Quanto mais eu sondava, mais encontrava, e começava a me sentir condenado e indigno até mesmo para pensar que era qualificado para entrar em Sua santa presença.

Assim, em lugar de ser mais consciente do amor do meu Salvador, tornei-me mais e mais consciente de mim mesmo — mais consciente dos meus pecados, impurezas, culpa e indignidade. Inicialmente, eu levantava minhas mãos e estava pronto para louvar e adorar a Deus, mas quanto mais eu procurava em meu coração por pecados, mais minhas mãos se mantinham abaixadas com tristeza e minha cabeça baixa, em desapontamento. Como eu podia adorar a Deus? Como poderia ter a coragem e a ousadia de entrar em Sua corte real com louvor?

Venha a Ele Como Você Está

Na medida em que cresci e amadureci nas coisas de Deus, percebi que a ideia de você precisar estar "certo" antes de poder adorar a Jesus é uma **tradição** humana. A mulher citada em Lucas capítulo 7, que foi até Jesus com um frasco de alabastro de óleo aromático, simplesmente se prostrou aos Seus pés e o adorou. Ela lavou os pés de Jesus com suas lágrimas e os secou com seu cabelo antes de ungi-los com o óleo. A Bíblia claramente registra que a mulher era uma pecadora, mas não diz nada acerca de ela ter sondado seu coração ou confessado seus pecados antes de adorar a Jesus. Ela o adorou do jeito que estava — e depois disso, Jesus lhe disse: "Teus pecados são perdoados."[1]

Seja qual for sua necessidade, venha a Jesus. Ele é o seu Salvador, o seu curador, o seu provedor e a sua paz. Ele é o seu "Eu Sou".

Penso que o diabo tem tentado nos roubar essa tremenda verdade. Seja qual for sua necessidade, se você está afundado em dívidas, soterrado em um pecado em particular ou aterrorizado por seu futuro, venha a Jesus. Ele é o seu Salvador. Ele é o seu curador. Ele é o seu provedor. Ele é a sua paz. Ele é o seu perdão. Ele é o seu "Eu Sou", o que significa que Ele é o grande "Eu Sou" para qualquer situação que você esteja enfrentando em sua vida.

Seja qual for a perda que você estiver enfrentando exatamente agora, Ele é a sua solução. Venha e adore-o exatamente como você está, e Ele **vai** suprir você em sua necessidade. Você não tem de se preocupar com seu pecado porque está adorando o seu perdoador. Você não tem de se preocupar com sua doença, porque está adorando o seu curador. Se os crentes realmente conhecessem essa verdade, nem cavalos selvagens seriam capazes de impedi-los de vir adorar a Deus!

Você conhece alguém que se limpa antes de tomar um banho? Soa ridículo, certo? No entanto, há pessoas que evitam ir a Jesus porque sentem que devem "endireitar as coisas" em sua vida primeiro. Será que elas não conseguem perceber que na verdade estão dizendo que precisam se limpar antes de tomar um banho? Ora, vamos — Jesus é o "banho" que nos limpa! Ele **é** a solução, e Ele nos ajudará a endireitar o que nunca seremos capazes de endireitar por nós mesmos.

A mentira de que você tem de limpar a si mesmo primeiro é tão arraigada na igreja, que muitos crentes dizem: "Pastor, não quero vir a Jesus até que eu tenha acertado minha vida." Se essa é a sua resposta, então a triste verdade é que você **nunca** virá a Jesus, porque você jamais chegará ao ponto em que possa tornar sua vida "certa". Venha para o banho, e o banho o limpará. Venha como está, com todos os seus pecados, e Jesus lavará você de toda culpa e condenação.

O mundo precisa ouvir essa verdade, e não apenas receber uma lista de faça e não faça. Pregue a verdade, e o mundo virá às igrejas se aglomerando na busca por suas respostas. Eles estão procurando por algo real, e é isso que podemos lhes oferecer. Mas isso não se encontra em dois pedaços de pedra. Você não pode ter um relacionamento com a fria, difícil e impessoal lei gravada em pedras. Mas você definitivamente pode ter um relacionamento com o nosso Salvador Jesus Cristo. Ele é querido, amável e cheio de graça. As pessoas irão se reunir onde o verdadeiro Evangelho de Jesus estiver sendo pregado — o Evangelho para o qual Deus convocou Paulo a pregar, o Evangelho da graça, do perdão e de nenhuma condenação!

A Graça de Deus lhe Ensinará a Rejeitar a Iniquidade

Você sabe o que pode produzir caráter, santidade e o fruto do Espírito Santo no Corpo de Cristo? Ao contrário do que alguns pregadores da lei estão dizendo, é o Evangelho puro da **graça** de Deus, que vai produzir todos esses bons frutos. A Bíblia declara isso claramente: "Porquanto **a graça de Deus** se manifestou salvadora a todos os homens, educando-nos para que, **renegadas a impiedade e as paixões mundanas**, vivamos, no presente século, sensata, justa e piedosamente."[2] Claramente é a "graça de Deus" que produz um viver equilibrado, justo e santo!

A graça não é um ensinamento. Não é uma doutrina. Não é um tópico da grade de ensino da escola bíblica. Graça é uma pessoa, e Seu nome é Jesus.

O que eu amo em pregar o Evangelho da graça é que a Palavra de Deus está sempre sendo pregada em seu contexto. Honestamente, não entendo como os oponentes da graça ainda podem ensinar dentro do contexto das Escrituras. Não é a "lei de Deus" que surgiu para ensinar o homem sobre como rejeitar a iniquidade e o desejo mundano. No entanto, isso é o que você ouve sendo pregado o tempo todo.

É tempo de enfatizar o que a Bíblia enfatiza. A nova aliança tem tudo a ver com a graça de Deus que traz salvação. E graça não é um ensinamento. Não é uma doutrina. Não é um tópico da grade de ensino da escola bíblica. Graça é uma pessoa, e Seu nome é Jesus. A graça "se mostrou a todos os homens", ensinando-nos o segredo para a devoção, o caráter e a santidade. Ele nos mostrou que tudo se encontra Nele e em Sua obra na cruz. Quando você o tem, você é piedoso. Quando você o tem, você é justificado. Quando você o tem, o bom caráter se manifestará. Quando você o tem, você é feito santo!

Entendendo a Santidade

O que é santidade? O entendimento convencional de santidade é que ser santo tem a ver com fazer a coisa certa. Mas olhe mais de perto a palavra "santidade" no original grego, e você descobrirá que é a palavra *hagiasmos*, que significa "separação para Deus".[3] Portanto, ser santo significa que você foi separado, foi tornado **diferenciado** do restante do mundo de incrédulos.

Na antiga aliança, quando Deus separou os filhos de Israel do mundo, Ele os preservou das pragas enviadas contra o Egito. Deus cuida dos Seus. Na antiga aliança, Ele supriu os israelitas e os protegeu porque eles foram santificados e separados para Ele pelo sangue de bois e bodes. Imagine então o que Ele fará por nós, na nova aliança, que somos santificados e separados por Deus para sempre pelo sangue do sacrifício eterno de Jesus Cristo!

Isso significa que mesmo o mundo enfrentando uma crise financeira, nós que fomos santificados pelo sangue de Jesus teremos mais que o suficiente em nossa despensa. Significa que mesmo havendo todo tido de epidemias, doenças e enfermidades no mundo, como a doença da vaca louca ou a gripe aviária, nós seremos santificados e separados para desfrutar a proteção de Deus e a saúde divina!

Meu amigo, Deus não exige que você vasculhe seu coração e localize seus pecados antes que possa adorá-lo. Quando o salmista Davi clamou: "Sonda-me, ó Deus, e conhece o meu coração",[4] ele estava pedindo a **Deus** para sondá-lo. Ele não estava sondando a si mesmo. Em todo caso, o que Deus vai encontrar se Ele sondar você hoje é a sua justiça em Jesus Cristo, pois Ele o vê como justo, santo e perdoado. Ele já declarou: "Pois, para com as suas iniquidades, usarei de misericórdia e dos seus pecados jamais me lembrarei."[5]

Como você se vê hoje? Você está mais consciente de seus pecados ou mais consciente de sua justiça e do que o sangue de Jesus fez? A tradição tem nos ensinado a estar ocupados com o ego, mas a graça nos ensina a estar ocupados com Cristo. Quanto mais você se ocupa consigo mesmo, mais rejeitado, oprimido e deprimido você se torna. Seja qual for o ângulo pelo qual você se olhar, verá maldade, indignidade e desqualificação.

Estar ocupado com Cristo é afastar-se do ego e ver a Jesus. Ele é como um diamante precioso. Quando você está apoiado na luz da Palavra de Deus, seja para onde for que você se volte, Ele cintila com raios de beleza, perfeição, justiça, santidade e plenitude. Você percebe isso? Olhe para fora de sua própria debilidade e veja Jesus, porque a Palavra de Deus diz: **"Segundo ele é, também nós somos neste mundo."**[6] Jesus é santo? Então você também é!

Mas **como** você é santo? Há pouco expliquei que você não é santificado por seus pensamentos e ações. Você é santificado por causa do sacrifício de Jesus na cruz. Agora, vamos um pouquinho mais ao fundo, para examinar o sacrifício que foi feito em seu lugar.

O livro de Levítico fala das cinco ofertas da antiga aliança: o holocausto, a oferta pacífica, a oferta de alimento, a oferta pelo pecado e a oferta pela transgressão. Essas ofertas são uma sombra (ou simbologia) do que o nosso Senhor Jesus conquistou quando ofereceu a Sua vida por nós na cruz. Jesus, como nossa oferta de sacrifício, fez uma obra maravilhosa, e ela requer cinco ofertas para descrever o ato de Seu sacrifício na cruz! Neste livro, vou me concentrar em duas das mais importantes ofertas — o holocausto e a oferta pelo pecado.

A Oferta Pelo Pecado

Vamos falar da oferta pelo pecado primeiramente. Segundo a lei, quando o homem pecasse, devia trazer uma oferta pelo pecado ao sacerdote. Imagine que você está vivendo nos dias do Antigo Testamento. Você pecou e agora está trazendo um cordeiro como sua oferta pelo pecado ao sacerdote.

A primeira coisa que acontece é que o sacerdote examina o cordeiro para assegurar-se de que ele não tem manchas. O cordeiro deve ser sem manchas e perfeito, porque isso fala da perfeição de Jesus. Ele não conheceu pecado e não cometeu pecado. Ele é o verdadeiro Cordeiro sacrificial sem mancha.

Depois que o sacerdote examina sua oferta pelo pecado, você deve colocar suas mãos na cabeça do animal.

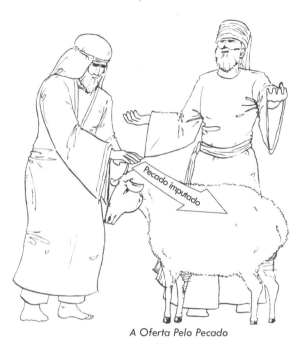

A Oferta Pelo Pecado

Por que você deve colocar suas mãos na cabeça do cordeiro? Impor as mãos sobre o animal que você trouxe ao sacerdote é um ato de identificação. Quando você coloca suas mãos sobre a sua oferta pelo pecado, seus pecados são transferidos para o cordeiro inocente. Depois de impor suas mãos sobre o cordeiro, você deve matá-lo. O cordeiro deve ser morto porque todos os seus pecados foram transferidos para o corpo dele. E porque ele morre carregando os seus pecados, você pode sair livre.

Do mesmo modo, Jesus teve de morrer na cruz com os seus pecados, para que você pudesse ser livre deles. Ele não foi assassinado. Ele veio para derramar Sua vida por você e por mim.[7] Ele escolheu se tornar nossa oferta pelo pecado na cruz. É por isso que quando João Batista viu a Jesus, ele disse: "Eis o Cordeiro de Deus que tira o pecado do mundo!"[8] E é por isso que o apóstolo Paulo disse: "Àquele que não conheceu pecado, Deus o fez pecado por nós; para que nele fôssemos feitos justiça de Deus."[9]

Você sabe o que isso significa, meu amigo? Significa que no momento em que você recebeu a Jesus Cristo em sua vida, **todos** os seus pecados foram transferidos para Jesus... **para sempre!** Jesus morreu em seu lugar como sua oferta pelo pecado, para que você pudesse sair livre. Que Salvador maravilhoso nós temos!

Pelo sacrifício de Jesus, você é aperfeiçoado para sempre, a cada dia, pelo resto de sua vida.

Mas há uma grande diferença entre a oferta pelo pecado no Antigo Testamento e o sacrifício de Jesus por você na cruz. No Antigo Testamento, o sangue de bois e bodes só podia prover uma cobertura temporária pelo pecado. Cada vez que o homem falhava, tinha de oferecer outra oferta pelo pecado. Louvado seja Deus porque na nova aliança a Bíblia declara que "Porque, com uma única oferta, **aperfeiçoou para sempre** quantos estão sendo santificados".[10]

O sangue de bois e bodes jamais poderia tirar os pecados, então os sacrifícios tinham de ser oferecidos repetidamente. Mas o sacrifício de Jesus foi "**de uma vez por todas**".[11] Trata-se de uma obra completa e consumada, por isso Ele nunca mais precisa ser sacrificado de novo! Jesus **é** a perfeita oferta pelo pecado. Seu sangue não cobre apenas temporariamente seus pecados. **Todos** os seus pecados foram removidos permanentemente! Mesmo que você falhe amanhã, Jesus não precisará ser oferecido novamente. Seu sacrifício o aperfeiçoou... por quanto tempo? Para sempre! Você é **para sempre** aperfeiçoado, a cada dia, pelo resto de sua vida. O sangue de Jesus permanece continuamente o aperfeiçoando. Você agora está sob a cachoeira de perdão e é santificado perpetuamente. Aleluia!

O Holocausto

A oferta pelo pecado fala de seus pecados sendo transferidos para o corpo de Jesus na cruz. É por isso que Deus não quer que você seja consciente de seus pecados hoje. Ele quer que você seja consciente do seu perdão.

Vamos dar uma olhada no holocausto agora. O holocausto é lindo, porque enquanto a oferta pelo pecado fala de Jesus assumindo os seus pecados em Seu corpo, o holocausto fala da justiça de Jesus sendo transferida para você na cruz.

Quando você lê o livro de Levítico, percebe que das cinco ofertas, Deus coloca a oferta pelos pecados por último e o holocausto em primeiro lugar. O homem coloca na ordem contrária: primeiro nós vamos a Deus com todos os nossos pecados, depois todos os nossos

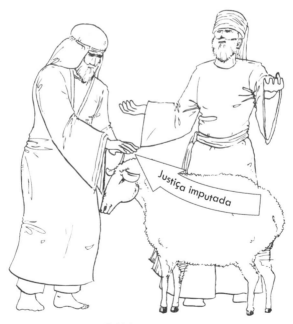

O Holocausto

pecados são julgados como uma oferta pelos pecados na cruz de Jesus. Não há nada de errado com essa ordem, mas Deus não espera que paremos aí. Ele quer que saibamos que Jesus não apenas morreu por nossos pecados, mas também morreu como nosso holocausto, para nos tornar agradáveis, justos e favorecidos diante Dele. É por isso que quando o holocausto é oferecido, ele sobe como "aroma agradável" ao Senhor[12] (não há aroma agradável na oferta pelos pecados). O aroma agradável do holocausto fala da beleza, da perfeição e da amabilidade de Jesus para com o Pai.

Provavelmente esta é a primeira vez que você está ouvindo tudo isso, então me deixe reiterar a diferença. A oferta pelos pecados fala de nossos pecados sendo transferidos para Jesus, ao passo que o holocausto fala da posição de dignidade de Jesus diante de Deus — Sua aceitação e o prazer de Seu Pai Nele **sendo transferidos para você**. Hoje Deus favorece você exatamente da mesma maneira que favorece ao Seu Filho.

Infelizmente, há crentes hoje que entendem que foram só perdoados. Não entendem que foram feitos igualmente justos pela cruz de Jesus. Por causa disso, eles têm se permitido ficar sob condenação. Se isso o descreve, então se alegre — deixe que a verdade de que Deus o vê vestido com a justiça de Seu Filho (porque Jesus se tornou seu holocausto na cruz) liberte você hoje de toda culpa e condenação!

Se você acredita que não merece o sucesso, mas merece ser punido, inconscientemente pune a si mesmo e se leva a falhar.

A Autocondenação É Destrutiva

A razão pela qual alguns crentes estão doentes, deprimidos e oprimidos é que em lugar de serem conscientes de sua justiça em Cristo, eles têm pecado em sua consciência. No momento em que pecam, inconscientemente sentem que **alguém** (geralmente eles mesmos) deve pagar por isso.

Se isso descreve você, então preste atenção, porque vou lhe dizer o que acontece quando você é consciente de seus pecados, em lugar de ser consciente de seu perdão e justiça. Quando a condenação o domina, sua mente e corpo começam a dizer: "Ele quer se punir, então vou fazê-lo pagar." Seu corpo responde a essa necessidade de punição, e você pode começar a desenvolver depressão e doenças em seu corpo.

Muitos crentes estão doentes hoje não por causa do pecado, porque o pecado já foi punido no corpo de Jesus, mas **por causa da condenação**. Em capítulos anteriores, analisamos a condenação do acusador, mas agora estou falando com você sobre a autocondenação e seu desejo inconsciente de impor punição a si mesmo quando você sabe que pecou.

Meu amigo, a autocondenação é destrutiva. Quando falha em perceber que Jesus já carregou sua punição, você pune a si mesmo, ou descarrega isso em sua família por meio do abuso verbal ou mesmo físico. Se acredita que merece ser punido e que não merece o sucesso, você inconscientemente ativa um mecanismo de autossabotagem para se punir e levar a si mesmo a falhar. Você pode estar a um passo de um contrato lucrativo de negócios ou prestes a enveredar em uma excitante oportunidade de carreira, mas de algum modo você se pega fazendo alguma coisa que sabota o negócio todo e faz tudo desmoronar diante dos seus olhos. Por quê? Porque bem no fundo você acha que não merece aquilo.

A autocondenação também se manifesta como um efeito destrutivo nos relacionamentos. Se você está em um relacionamento maravilhoso com alguém a quem realmente ama e se importa com você, inevitavelmente você faz algo que sabota o relacionamento porque, novamente, algo em seu interior lhe diz que você não merece ser amado por essa pessoa.

Os psiquiatras lhe dirão que uma pessoa com tal comportamento é guiada pela culpa e tem um contínuo sentimento de querer se punir.

O mundo tem todo tipo de terminologia pomposa para descrever pessoas que exibem um desejo inconsciente de punição — mas esses mesmos psiquiatras não conseguem lhe mostrar como superá-lo.

Amado, desperte e perceba que Jesus já foi punido em seu lugar. Pare de se condenar e se punir, porque Jesus já foi condenado e punido em seu lugar! Se você diz que acredita que Deus já o perdoou de todos os seus pecados, então por que ainda está se sentindo culpado? A existência da culpa e da condenação em sua vida mostra que você não acredita realmente que todos os seus pecados foram perdoados.

No Antigo Testamento, os israelitas tinham consciência dos pecados porque repetiam sacrifícios que os lembravam deles, ainda que o sangue de bois e bodes por si só não pudesse tirar os pecados deles.[13] No entanto, hoje os crentes não têm motivos para viver com uma consciência de pecado, porque Jesus, sua oferta definitiva pelos pecados, já os tirou deles! E por causa do holocausto de Jesus, os crentes podem viver com a consciência da justiça!

Preste Atenção em Seu Desejo de Glorificar a Deus

Deixe-me apenas ressaltar que estou escrevendo este livro para crentes que desejam glorificar a Deus em suas vidas, mas estão lutando contra a culpa e a condenação. Se você está vivendo em pecado e não tem desejo de viver um estilo de vida que glorifica a Deus, isso é uma história diferente. Você pode tentar, do jeito que quiser, não ser consciente do pecado, mas não será bem-sucedido simplesmente porque você está vivendo em pecado (por exemplo, permanecer envolvido em adultério sem desejo de terminar o relacionamento). Caia fora desse estilo de vida de pecado pela graça de Deus!

Você compreende a diferença entre as duas condições que citei? Você pode estar lutando contra uma consciência de pecado mesmo que não esteja vivendo em pecado. Estou escrevendo para aqueles de vocês que desejam quebrar o ciclo de derrota que a autocondenação traz. Estou escrevendo para aqueles de vocês que estão aprisionados na mentira de que não merecem sucesso na vida. Estou escrevendo para aqueles de vocês que querem parar de sabotar a si mesmos por causa da culpa e da condenação. Estou escrevendo para aqueles de vocês que não estão vivendo em pecado, mas mesmo assim, estão lutando contra a consciência do pecado.

Amado, estou escrevendo para aqueles de vocês que tiveram a ousadia de entrar na presença de Deus e adorá-lo roubada, porque depois de "sondar seu coração", convenceram-se de que não estavam qualificados. Se eu estou descrevendo você, meu amigo, oro para que hoje seja o dia da sua libertação.

Jesus Foi Um Alto Preço Pago
Por Todos os Seus Pecados

Você e eu temos para com Deus uma dívida que jamais poderemos pagar. Mas Jesus já pagou a nossa dívida. Na verdade, ele PAGOU CARO, por isso jamais teremos a dívida em nossa consciência novamente! Deixe-me compartilhar uma ilustração, e eu oro para que você abra seus olhos para o quão completamente essa dívida foi paga.

Vou usar dois de meus pastores para esta ilustração — Pastor Henry e Pastor Lawrence. Digamos que você pegou emprestada a quantia de 50 mil dólares com Lawrence e prometeu pagar em um mês. Entretanto, com o passar do tempo, você simplesmente não conseguiu pagar o dinheiro a ele. Agora, mesmo que Lawrence não peça o dinheiro, o que acontece com o relacionamento de vocês por causa deste **débito em sua consciência**? Será que você iria até ele e lhe daria uma tapa nas costas, dizendo: "E aí, irmão, como é que vai?" De jeito nenhum! Se você esbarrasse com Lawrence, provavelmente balbuciaria timidamente algo como, "Hã, oi... quer dizer... desculpe, eu tenho mesmo de ir agora, mas vejo você depois... é... quero dizer... uma hora dessas". A maioria das vezes, você provavelmente mudaria de caminho para evitá-lo.

Agora imagine que um dia Henry ouve falar de sua dívida para com Lawrence. E digamos que Henry é um bilionário, além de ser um bom amigo seu. Ele precisa voar para Paris, mas antes de partir, resolve conversar com Lawrence e saber quanto você lhe deve. Lawrence diz a Henry que você lhe deve 50 mil dólares. E Henry dá a ele 1 milhão! É claro que Lawrence fica chocado. Ele protesta, dizendo que você não lhe deve tanto dinheiro. Mas Henry insiste em dar esse valor, porque gosta imensamente de você e quer estar certo de que você nunca mais vai se preocupar com aquela dívida novamente.

E, assim, sua dívida está mais do que paga. Contudo, duas coisas podem acontecer que resultariam na permanência da dívida em sua consciência. Vamos imaginar que Henry tenha voado às pressas para Paris e não tenha tido tempo de falar com você, e tenha incumbido um de seus assistentes de informar-lhe que sua dívida já foi paga. Porém, quando o assistente fala com você sobre o débito, ele falha inteiramente em repassar o fato de que sua dívida já foi paga e que Lawrence, na verdade, foi enriquecido por Henry por causa do débito que você tinha com ele. O assistente diz: "Bem... disseram-me para avisar a você que seu débito já foi pago. Mas eu não tenho muita certeza dos detalhes, então talvez fosse bom para você continuar pagando ao Lawrence, não importa se você tem condições de fazer isso."

O que aconteceu neste cenário? O mensageiro falhou em retransmitir a boa notícia, e você saiu sem ter certeza se seu débito realmente foi pago e se você está livre dele. Isso é triste, mas você sabia que é exatamente o que está acontecendo no Corpo de Cristo? Está sendo dito às pessoas pelos pregadores que Jesus não gritou "Está consumado!" na cruz, ao contrário, elas têm ouvido que ainda precisam continuar a pagar por suas dívidas de pecado!

Deixe-me perguntar-lhe: quando você termina de pagar o empréstimo que fez para comprar sua casa, ainda precisa fazer os pagamentos mensalmente? É claro que não! Você deve parar de pagar os boletos do banco, porque sua dívida já foi paga. Se você continuar a pagar as prestações, estará perdendo seu tempo e dinheiro!

Vamos dar uma olhada em outro cenário possível. Digamos que Henry não pudesse entrar em contato com você antes de voar para Paris, então ele pede a um bom amigo, comum a vocês dois, para lhe dar a boa notícia de que sua dívida foi totalmente quitada. O amigo fica tão animado que dirige até sua casa, mesmo sendo meia-noite, e diz a você: "Aleluia! Tenho ótimas notícias para você! Seu débito foi quitado. Na verdade, está mais do que pago! Você devia a Lawrence 50 mil dólares, mas Henry deu a Lawrence 1 milhão para quitar o seu débito!"

O mensageiro repassou a boa-nova para você. Agora cabe a você, o ouvinte, acreditar na mensagem. Você pode reagir com incredulidade, perguntando: "Você tem certeza? Eu tive essa dívida por tanto tempo e agora você está me dizendo que ela está totalmente quitada? Você está zombando da minha cara!" Ou você pode gritar: "Aleluia!" e se alegrar por causa desse presente imerecido de Henry que quitou o seu débito completamente!

Quando o mensageiro transmite a boa-nova, depende de você acreditar ou não na mensagem.

Deixe-me perguntar algo: se você não acreditar nessa boa-nova, o seu débito ainda estará quitado?

Uma vez mais: mesmo se você se recusar a acreditar que seu débito já foi pago, ele ainda está pago?

Sim! Sua descrença não muda o fato de que seu débito já foi completamente pago. Mas sua descrença significa que você ainda terá débitos em sua consciência que o afetarão negativamente porque toda vez que vir Lawrence, você se sentirá envergonhado e irá querer evitá-lo! Por outro lado, se acreditar na boa-nova, você não evitará encontrá-lo. Na verdade, sabendo que ele se tornou um milionário porque Henry pagou mais que o valor da dívida, você tem é de ser ousado o bastante para chamá-lo e propor um acordo com ele!

Meu amigo, Jesus já pagou sua dívida totalmente. Você sabe o que está fazendo cada vez que permite que essa dívida permaneça em sua consciência? Toda vez que você tem consciência do pecado, está insultando o pagamento do nosso Senhor Jesus Cristo. Você está dizendo que ele não é suficiente. Está dizendo que a cruz não é suficiente. E sabe de uma coisa? Você também está insultado Aquele que recebeu o pagamento por sua dívida de pecado. Cada vez que tenta pagar sua dívida de pecado que já foi paga, você está dizendo que Deus não está satisfeito com o pagamento de Jesus, embora a verdade é que Ele está mais do que satisfeito com Seu pagamento caríssimo. Jesus é o amado Filho do Deus vivo. Como você pode dizer que o sacrifício Dele não é suficiente?

Realmente importa se você condena a si mesmo e permite que sua dívida de pecado permaneça em sua consciência mesmo depois que Jesus já pagou um alto preço? Sim, isso importa, porque além de desonrar a obra de Jesus na cruz, a consciência do pecado o faz evitar a Deus, e pode produzir em você condenação, doenças, enfermidades, depressão e um ciclo de pecado!

Ouça atentamente, meu amigo — por causa de quem Jesus é e pelo valor desse único Homem, o preço que Ele pagou pelos nossos pecados foi um **pagamento além do necessário**. Todos os pecadores juntos não podem se comparar ao valor desse Homem. Acredite na boa-nova e se aproxime do seu Salvador hoje! A Palavra de Deus declara que você pode ter "ousadia para entrar no santíssimo lugar, pelo sangue de Jesus".[14] Ela declara que você pode se aproximar com um coração confiante em plena certeza de fé, tendo o seu coração purificado de uma má consciência e o seu corpo lavado com a pura água.[15] Alegre-se, amado!

180 | Capítulo 14

Ouça Mais do Evangelho De Jesus

"Pastor Prince, eu quero parar de ser tão consciente dos meus pecados, mas como faço isso?"

O caminho para sair da consciência do pecado é ouvir mais ensinamentos sobre a obra consumada de Jesus, e como o Seu sangue o purificou e lhe perdoou de todos os seus pecados. Quando você recebe Jesus como sua oferta pelo pecado, seu coração é espargido com o Seu sangue contra uma "má consciência", porque os seus pecados já foram punidos em Seu corpo. Uma má consciência é uma consciência que está constantemente ciente dos seus pecados. Na medida em que ouvir ensinamentos que exaltam a Cristo, você começará a ser mais consciente do seu perdão do que dos seus pecados. E no momento em que parar de carregar a consciência do pecado e a condenação em sua mente e coração, você será lavado com a água pura da Palavra de Deus, a qual começará a afetar seu corpo físico e trazer cura a cada parte que não estiver bem!

Alguns cristãos não são capazes de receber a cura porque não são capazes de receber o perdão. Eles ainda estão conscientes do pecado e duvidam de seu perdão. Acreditam que Deus deve ter perdoado seus pecados passados, mas não os pecados de sua vida inteira. Deus sabe que as pessoas precisam da segurança de que seus pecados estão perdoados, antes que recebam a cura em seus corpos, então a Bíblia torna isso muito claro. No Salmo 103, quando o salmista lista os "benefícios" vindos do Senhor, começa com "quem perdoa todas as tuas iniquidades" antes de acrescentar "quem cura todas as tuas enfermidades".

Quando o homem que sofria de paralisia foi baixado através do telhado e colocado diante de Jesus, o que Jesus disse a ele foi, "Filho, os teus pecados estão perdoados", antes de lhe dizer para se levantar, tomar seu leito e ir para casa.[16] Seus pecados estão perdoados, amado. Pare de se punir e se condenar. É hora de receber livremente seu milagre de Deus!

"Mas eu pequei. Como pode não haver punição para o meu pecado?"

Não nego que o pecado deva ser punido, mas estou declarando a você que **todos** os seus pecados **já foram punidos** no corpo de Jesus. Ele é a sua perfeita oferta pelos pecados, e nós que recebemos o Seu perdão não devemos mais ter consciência de pecados. Pare de examinar a si mesmo e de procurar pecados em seu coração. Lembre-se de que quando alguém levava sua oferta ao sacerdote, ele não examinava a pessoa, mas sim a oferta pelo pecado. O sacerdote é uma ilustração de Deus. Quando você vai a Deus hoje, Ele não examina você. Ele examina a sua oferta pelo pecado. Ele examina Jesus, que é completamente perfeito e sem pecado, sem mancha, ruga ou cicatriz. Deus aceitou Jesus como sua oferta pelo pecado e, assim, cada um dos nossos pecados foi transferido para o Seu corpo!

Pare de se punir. Jesus já foi punido pelos seus pecados. Creia nisso e deixe sua consciência ficar satisfeita! Comece a desfrutar todos os Seus benefícios porque eles são seus por direito adquirido a preço de sangue. Leia Salmos 103 e perceba que o perdão é seu. A cura é sua. A redenção da destruição é sua. Ser coroado com graça e misericórdia, isso é seu. O renovo da mocidade é seu. Aleluia! Simplesmente creia que o seu débito de pecado já foi pago e caminhe nessas bênçãos hoje!

Pare de se punir. Jesus já foi punido pelos seus pecados. Creia nisso e deixe sua consciência ficar satisfeita!

Capítulo 15

O Caminho para Emaús

Seja qual for sua necessidade hoje, seja ela física, emocional, mental, social ou financeira, sua solução está na grande revelação de Jesus. Quando Jesus é revelado em toda a Sua magnificência, o pobre prospera, o fraco se torna forte e o doente é curado. Em Lucas capítulo 4, Ele declarou: "O Espírito do Senhor está sobre mim, porquanto me ungiu para anunciar boas novas..."[1] Jesus foi ungido para pregar a boa-nova para você. Então, sempre que você ouvir Jesus sendo pregado, a boa-nova é proclamada sobre sua vida, finanças e casamento, e toda a sua casa é abençoada com bênçãos sem medida.

Seja qual for sua necessidade hoje, sua solução está na grande revelação de Jesus.

Quando Jesus ressuscitou dos mortos, Ele ministrou conforto para dois discípulos que estavam caminhando de Jerusalém para uma vila chamada Emaús. Quando Ele se aproximou e começou a caminhar junto dos dois discípulos, eles estavam tristes e desencorajados enquanto conversavam sobre os eventos que haviam se tornado públicos. A Bíblia diz que os olhos dos discípulos estavam turvados, então eles não reconheceram Jesus em Seu corpo ressurreto.

Jesus lhes perguntou: "Que é isso que vos preocupa e de que ides tratando à medida que caminhais?"[2] Os discípulos, então, começaram a contar a Ele os fatos ocorridos, de como Jesus fora condenado a morrer e havia sido crucificado. Pelo jeito como falavam, você pode notar que eles não acreditavam que Jesus ressuscitaria. Então disseram que estavam **esperando** que fosse Jesus quem redimiria Israel, e como tinham ficado **impressionados** quando algumas mulheres de seu grupo, que tinham ido ao túmulo de Jesus, disseram a eles que não conseguiram encontrar o Seu corpo. Quando eles terminaram a narrativa, Jesus disse:

> Ó **néscios**, e **lentos de coração para crer** tudo o que os profetas disseram! (Lucas 24:25).

Há duas acusações contra o corpo de Cristo hoje. A primeira é que nós somos "néscios", ou seja, nós estamos sofrendo pela ignorância e falta de conhecimento da revelação da Palavra de Deus. A segunda é que mesmo quando temos conhecimento da Palavra, somos "lentos de coração para crer". Observe que o nosso Senhor Jesus é tão amável, que não disse àqueles dois discípulos quais eram os seus problemas sem lhes dar a solução. Olhe para o que Jesus fez imediatamente depois de lhes pronunciar essas duas críticas:

> E, começando por Moisés, discorrendo por todos os profetas, **expunha-lhes o que a seu respeito** constava em todas as Escrituras (Lucas 24:27).

Isso é maravilhoso! Bem ali, no caminho para Emaús, Jesus começou a expor as Escrituras. Ele começou com Moisés, cuja referência diz respeito aos cinco livros da Bíblia (Gênesis, Êxodo, Levítico, Números e Deuteronômio), antes de seguir adiante para o restante do Antigo Testamento — que inclui os profetas maiores e os menores. Jesus expôs para eles todas "as coisas concernentes a Seu respeito" em cada um dos livros, mostrando-lhes figuras Dele em cada página. Que tremendo momento de estudo bíblico deve ter sido!

Isso nos diz que cada página da Bíblia tem a ver com Jesus. Ele está no Antigo Testamento **oculto**, e no Novo Testamento **revelado**. Não há detalhes sem significado na Bíblia, e tudo nela aponta para Jesus.

Eu já posso imaginar a empolgação deles quando Jesus começou a lhes revelar que Ele era a semente prometida no jardim do Éden, que esmagaria a cabeça da serpente. Então, Ele deve ter avançado um pouco mais para compartilhar como cada uma das cinco ofertas em Levítico ilustrava Sua única e perfeita obra na cruz. Ele deve ter compartilhado sobre o sumo sacerdote, e como até mesmo suas vestes falavam Dele como nosso perfeito representante diante de Deus. Você consegue imaginar isso?

Jesus deve ter revelado até mesmo toda a simbologia contida nas histórias do Antigo Testamento. Ele deve ter contado a eles como Ele estava tipificado no caráter de José — como Ele foi rejeitado por seus próprios irmãos judeus, mas se tornou o Pão da Vida para o mundo gentio, e se casaria com uma noiva gentia (isso é o que a igreja é hoje — nós somos Sua noiva gentia!). Ele deve ter exposto tudo aquilo e muito mais! Um dia, quando eu estiver no céu, pedirei ao Senhor para me mostrar um vídeo deste maravilhoso estudo bíblico que o Senhor ministrou aos dois discípulos, ali, ao longo da estrada para Emaús!

Jesus Nos Mostrou Como Estudar a Bíblia

Eu costumava me perguntar por que o Senhor cegou os olhos dos dois discípulos impedindo-os de verem que Ele estava ali com eles, desde o primeiro momento em que falou com eles. Então, um dia, o

Senhor falou comigo sobre isso. Ele disse: "Eu não quero que eles Me vejam como o Jesus ressurreto, porque quero que ouçam as Escrituras primeiramente. Não quero que eles tenham fé em Mim simplesmente porque Me viram. Quero que tenham fé em Mim porque ouviram as Escrituras falando de Mim. E esse é o mesmo privilégio que estou dando à Igreja hoje." Eu fiquei muito feliz quando ouvi isso. Hoje, não precisamos desejar ter vivido nos dias de Jesus ou que Ele apareça para nós — Sua vontade é que o vejamos na Bíblia!

Ao expor as Escrituras para os dois discípulos, acredito que Jesus nos mostrou **como** devemos estudar a Bíblia. Ele não quer que a leiamos para descobrir o que fazer e o que não fazer. Ele quer que estudemos a Bíblia para **vê-lo,** e perceber que tudo nas Escrituras diz respeito a **Ele.**

Não precisamos desejar que Jesus apareça para nós — Sua vontade para nós é que o vejamos nas Escrituras!

E sabe de uma coisa? Desde que a nossa igreja experimentou a Revolução do Evangelho, estudar a Palavra tem sido muito empolgante! Eu me pego pregando até mesmo sobre o livro de Levítico no domingo pela manhã. Você acredita nisso? Para a maioria dos crentes, as páginas de Levítico ainda estão grudadas, mesmo depois de utilizarem a Bíblia durante anos!

Quando você começa a ver Jesus em cada página da Bíblia, tudo ganha vida. Em nossa igreja, vamos fundo na Palavra de Deus para encontrar todas as joias escondidas e verdades sobre Jesus, de Gênesis aos Mapas! Nós temos alegria na Palavra, porque quando a pessoa de Jesus aparece nela, o estudo bíblico nem de longe é seco e acadêmico, mas vivo e **empolgante**, e nós amamos isso!

Nossos Corações Ardem Dentro de Nós

A solução de Jesus para aqueles que são "néscios" e "lentos de coração para crer" é que eles estudem a Bíblia para ver mais Dele. Ao fim da jornada dos discípulos, a Bíblia diz que eles disseram um ao outro: "Porventura, não nos ardia o coração, quando ele, pelo caminho, nos falava, quando nos expunha as Escrituras?"[3] Meu amigo, quando Jesus é revelado nas Escrituras, nossos corações **ardem** dentro de nós. Na verdade, a raiz hebraica da palavra "Emaús" é "banhos quentes" ou "fontes quentes".[4] Quando Jesus expôs as Escrituras, os corações dos discípulos experimentaram "banhos quentes". Seus corações ficaram estranhamente aquecidos e confortados.

Em uma de nossas viagens a Israel, levei um grupo de líderes da nossa igreja para fazer essa jornada a Emaús. Ao longo do caminho, nosso guia israelita compartilhou conosco que no tempo de Jesus havia, de fato, uma fonte natural de água quente ao longo da estrada para Emaús,[5] e as pessoas costumavam se beneficiar de suas qualidades medicinais enquanto desfrutavam de um banho quente.

Imediatamente após o guia explicar esse fato, eu fiquei realmente empolgado, porque tive esta revelação do Senhor: Ele me mostrou que quando você está posicionado sob a cobertura de ministérios ungidos que revelam a Jesus na Bíblia, não somente seu coração é banhado no calor do amor Dele, mas também seu corpo físico é curado e restaurado! Há qualidades medicinais e virtudes de cura em ver Jesus na Bíblia, pois Suas palavras são verdadeiramente "são vida para quem as acha e saúde, para o seu corpo".[6]

A Bíblia diz que Emaús dista cerca de dez quilômetros de Jerusalém.[7] Isso significa que os discípulos estudaram a Bíblia com Jesus por sete horas! A Bíblia também diz que quando os discípulos perceberam que era Jesus falando com eles, após chegarem a Emaús, "na mesma hora, levantando-se, voltaram para Jerusalém".[8] Isso significa que os discípulos caminharam por dez quilômetros durante todo o dia para Emaús, e então caminharam outros dez quilômetros de volta para Jerusalém!

Acredito que algo sobrenatural deve ter acontecido no corpo deles. Os discípulos ficaram tão cheios de vida que foram capazes de caminhar todo aquele trajeto de ida e volta — aproximadamente vinte quilômetros ao todo, de ponta a ponta. Quando percebi isso alguns anos atrás, o Senhor falou comigo, dizendo: "Filho, quando você se posiciona sob um ensinamento ungido da Bíblia a Meu respeito, seu corpo reage, a vida vem e uma profunda e ousada energia flui." Não me admira que Davi tenha dito: "Vivifica-me segundo a tua Palavra",[9] que significa, "Dá-me vida através da Tua Palavra".

Quando você vê Jesus revelado e o ouve pregando para você, não é de admirar que seu corpo receba cura, porque a vida de ressurreição divina de Jesus é transmitida a você. Foi isso que aconteceu ao homem em Listra, que era coxo de nascença. Tudo que ele fez foi ouvir Paulo pregando sobre Jesus, e suas pernas ficaram inundadas com tanta vida, que quando Paulo lhe ordenou, ele deu um salto e caminhou![10]

O Ministério de Um Pregador da Nova Aliança

Este é o verdadeiro ministério de qualquer professor ou pregador da Bíblia na nova aliança: revelar Jesus e qualificar você pelo sangue Dele. Um pregador da nova aliança não busca revelar suas falhas ou trazer seus pecados à lembrança para desqualificá-lo de entrar na presença de Deus e desfrutar Suas bênçãos — isso é o que um pregador da antiga aliança fazia. No Antigo Testamento, a viúva de Sarepta disse a Elias: "Que tenho eu contigo, ó homem de Deus? Vieste tu a mim para trazeres à memória a minha iniquidade...?"[11]

Toda vez que você se voltar para si mesmo, encontrará falhas. Mas toda vez que se voltar para Jesus, encontrará um precioso diamante — verá brilho, beleza e perfeição. O acusador quer que você seja consciente de si mesmo, por isso fica lhe dizendo para olhar para cada ação e pensamento errado. Mesmo quando você faz algo "certo", como dedicar tempo à Palavra e orar todos os dias, ele diz a você: "Não é suficiente! Você só lê cinco capítulos por dia. Você sabia que fulano lê 10 capítulos por dia? E você ora somente uma hora por dia! Beltrano se levanta bem cedo todas as manhãs e ora por quatro horas!"

O diabo quer você consciente de si mesmo, mas Deus quer você consciente de Jesus.

Meu amigo, não jogue este jogo. Dê as costas para as acusações do diabo e para si mesmo, e olhe para Jesus. Deus não o está julgando hoje com base em quem você é. Ele substituiu você por **Cristo**, e Ele vê a excelência, a beleza e a perfeição de Jesus quando olha para você. O diabo quer você consciente de si mesmo. Deus quer você consciente de Jesus. É de seu maior interesse descobrir o máximo que puder sobre Jesus — quem é Ele, Seus títulos, Suas glórias oficiais e Suas posses — porque tudo que Ele é, Deus transferiu para a sua conta. Você é coerdeiro de tudo que Ele tem, e toda a herança devida a Jesus é igualmente sua![12]

Infelizmente, em lugar de olhar para Jesus, muitos cristãos caem na cilada de pensar que Deus olha para eles a partir de quem são e do que têm feito. No momento em que pensa assim, você se coloca debaixo da lei. Observe que a lei, com seu foco no faça ou não faça, torna-o consciente de si mesmo. Você nem sequer percebe que no momento em que foca em si mesmo e no seu desempenho, já se colocou sob a lei. No momento em que se sente condenado por não fazer mais, por não fazer melhor ou não fazer absolutamente nada, você se colocou sob a lei. Em lugar de olhar na direção do que Jesus fez, você está olhando para o que **você** fez.

Tudo Tem a Ver com Ver a Jesus

Tudo sobre a **lei** tem a ver com você olhando para **si mesmo**. Mas tudo sobre a nova lei da **graça** tem a ver com você **vendo a Jesus**. Os fariseus sabiam de cor grandes porções da Palavra de Deus, mas não conseguiam ver a Palavra de Deus encarnada embora ela estivesse bem diante deles. Não devemos estar interessados em apenas acumular conhecimento bíblico. Devemos estar receptivos à Bíblia para ver mais de Jesus. Algumas pessoas pensam que se conhecessem hebraico e grego, compreenderiam a Bíblia melhor. Bem, os fariseus conheciam hebraico, e isso não fez nada por eles. O que precisamos é que o Espírito Santo traga à tona para nós revelações e joias ocultas sobre Jesus e Sua obra consumada. Gosto do que Smith Wigglesworth disse: "Algumas pessoas leem suas Bíblias em hebraico, algumas em grego. Eu gosto de ler a minha no Espírito Santo."

Amado, tudo se resume em ver Jesus, porque Dele vem cada suprimento e provisão. Mesmo enquanto prego, eu olho para Jesus. Olho para Ele pela Palavra. Olho para Ele para ter direção. Olho para Ele o tempo todo. Enquanto Pedro manteve seus olhos em Jesus, ele conseguiu andar sobre as águas. Mas quando tirou os olhos de Jesus e em lugar disso olhou para a tempestade — os desafios e as circunstâncias estressantes — ele começou a afundar.

Quando as pessoas tiram os olhos de Jesus, param de ir à igreja e começam a olhar para si mesmas e para seus próprios recursos para fazer as coisas acontecerem. Elas pensam: *Eu preciso de mais tempo. Eu preciso trabalhar mais. Eu preciso investir em mais trabalho extra, eu preciso trabalhar aos domingos.* Por que você não desfruta seus domingos na igreja e com sua família, e crê que o Senhor o vê através de tudo isso? Deus pode fazer muito mais em você por intermédio da pregação ungida de Jesus do que você poderia fazer por meio de sua própria força e trabalho extra. Vamos estar mais juntos para ver mais de Jesus!

Simbologias de Jesus na Bíblia

Agora que você está empolgado para ver Jesus na Bíblia, vamos dar uma olhada em alguns textos do Antigo Testamento e revelações sobre Ele. Se você não está familiarizado com o uso de simbologias na interpretação das Escrituras, quero lhe assegurar que isso é bíblico e que o próprio Jesus usou simbologias em Seus ensinamentos. A primeira vez que Jesus usou uma simbologia foi no livro de João — Ele disse: "E do modo por que Moisés levantou a serpente no deserto, assim importa que o Filho do Homem seja levantado, para que todo o que nele crê tenha a vida eterna."[13]

"Pastor Prince, você está comparando Jesus com a 'serpente no deserto'?"

Bem, leia você mesmo. O próprio Jesus fez essa comparação e isso é o que nós chamamos de "simbologia". O Antigo Testamento está cheio de simbologias. A Bíblia diz: "A glória de Deus é encobrir as coisas; mas a glória dos reis é esquadrinhá-las."[14] Deus escondeu os mistérios de Seu amado Filho e Sua obra consumada ao longo de toda a Bíblia, e é nossa glória procurar por todas essas coisas que dizem respeito a Ele. Você está pronto?

Jesus, o Verdadeiro Pão da Vida

Vamos para Números capítulo 21 e vejamos como Jesus está tipificado nessa passagem bíblica. A Bíblia nos diz que enquanto os filhos de Israel atravessavam o deserto, "o povo se tornou muito impaciente" e começou a murmurar e reclamar contra Deus e Seu líder nomeado, Moisés, dizendo: "Por que nos fizestes subir do Egito, para morrermos no deserto? pois aqui não há pão e não há água: e a nossa alma tem fastio deste miserável pão."[15]

Você consegue imaginar isso? Deus os libertou de uma vida de escravidão no Egito com Sua mão poderosa, Deus os protegeu do exército do Faraó com uma coluna de fogo e abriu o Mar Vermelho para que passassem. E em lugar de serem gratos, eles reclamaram e até mesmo se referiram ao maná do céu como "miserável pão". Na versão King James da Bíblia, em língua inglesa, a expressão usada é "pão trivial",* implicando em como eles viam o maná como algo que era de pequeno valor, e que não satisfazia.

De acordo com o salmista Davi, o maná era o "pão dos anjos".[16] Foi tão bom quando os filhos de Israel comeram essa comida por 40 anos no deserto que seus pés não incharam e não havia ninguém debilitado

---

* *Light bread*, expressão utilizada na Bíblia King James (Nota da tradutora).

no meio deles. Deus os proveu com alimento para campeões, um alimento que os manteve livres de doenças e enfermidades, que desceu diariamente do céu. Tudo que eles tinham de fazer a cada manhã era recolher o suficiente para seu consumo. Mesmo assim, eles desdenharam do maná.

A Igreja hoje precisa ser cuidadosa para não cometer o mesmo erro que os filhos de Israel cometeram quando chamaram o maná de Deus de "miserável pão" sem valor. O maná que Ele lhes deu era uma figura (ou simbologia) de Jesus. Disse Jesus: "Eu sou o pão da vida. Vossos pais comeram o maná no deserto e morreram. Este é o pão que desce do céu, para que todo o que dele comer não pereça."[17]

Devemos ser cuidadosos para não considerar Jesus um "pão sem valor" ao deixá-lo de fora dos nossos ensinamentos.

Em muitos lugares, há uma ênfase menor em Jesus Cristo e uma ênfase bem maior em toda sorte de doutrinas e princípios que podem ser extraídos da Bíblia. Não estou dizendo que as igrejas não devam usar a Palavra para ensinar princípios financeiros, chaves para a sabedoria, liderança e por aí vai. Eu ensino tudo isso em minha igreja também. O que estou dizendo é que as igrejas devem ter cuidado para não considerar Jesus um "pão sem valor" ao deixá-lo de fora de seus ensinamentos.

Qualquer pessoa que não tem Jesus Cristo e Sua obra consumada como foco principal não tem nem a sabedoria de Deus, nem o poder Dele, porque a Bíblia diz que Cristo crucificado é a sabedoria e o poder de Deus.[18] Ele é o verdadeiro Pão do céu e somente Ele satisfaz! O diabo tem medo de qualquer igreja que pregue a Jesus Cristo na cruz, porque ele sabe que quando o povo conhece como Deus enviou Seu unigênito Filho para morrer na cruz por eles, essas pessoas verão que têm um Deus misericordioso que as ama incondicionalmente. Elas conhecerão a Verdade, e a Verdade as libertará!

Quero acrescentar algo. Você sabia que toda manhã os filhos de Israel tinham de sair para recolher o maná fresco? O maná não podia ser estocado de um dia para o outro, pois estragava e criava vermes. Você já se perguntou alguma vez por que Deus não lhes dava um suprimento semanal de maná? Bem, é porque Deus quer que nós abramos a Bíblia todos os dias para colher o maná fresco de Jesus. Ele não quer que vivamos do passado e de revelações envelhecidas de Jesus, porque Suas misericórdias são novas a cada manhã. Aleluia!

Jesus, A Serpente de Bronze No Deserto

Continuemos a ver o que aconteceu depois que os filhos de Israel murmuraram e reclamaram. A sua Bíblia diz que "o Senhor enviou serpentes venenosas"[19], e elas picaram o povo, e muitos dos israelitas morreram. Agora, é importante reconhecer que as serpentes sempre estiveram ali, no deserto. Tudo o que Deus fez foi retirar Sua proteção quando eles murmuraram contra Moisés. Lembre-se de que isso aconteceu sob a antiga aliança da lei! Louve ao Senhor porque na nova aliança da graça, sob a qual você e eu estamos, Deus JAMAIS retirará Sua proteção de nós. Tenha sempre isso em mente quando ler o Antigo Testamento. É necessário **discernir corretamente a Palavra**.

O povo, então, veio a Moisés, e ele orou por eles. E o Senhor disse a Moisés: "Faze uma serpente abrasadora, põe-na sobre uma haste, e será que todo mordido que a mirar viverá."[20] Então, Moisés fez uma serpente e a colocou em uma haste, e "sendo alguém mordido por alguma serpente, se olhava para a de bronze, sarava".[21]

Na nova aliança, Deus jamais retirará Sua proteção de nós.

A serpente de bronze na haste é uma figura de Jesus na cruz. Pense comigo, por que Jesus se comparou com uma serpente quando Ele não é parecido em nada com ela? Ele é lindo, incomparável, sem falhas e totalmente desejável. Veja, na cruz, Jesus foi amaldiçoado com as maldições que nós merecíamos pelos nossos pecados. Ele, que não conheceu pecado, se tornou pecado. Na cruz, Jesus se tornou uma serpente — a figura de uma criatura amaldiçoada — para que você e eu pudéssemos sair livres.

Por Seu sacrifício na cruz, a criatura culpada que trouxe morte no jardim do Éden se tornou um símbolo da graça de Deus. Não é fantástico como Deus torna algo tão feio em algo tão lindo? É o que acontece quando você deixa a Sua graça entrar em sua vida. Ele pega todas as coisas feias em você e as faz lindas.

Agora, diga-me, por que uma serpente de bronze? Por que Moisés não colocou uma cobra de verdade sobre a haste? Porque isso teria estragado a simbologia. Jesus não veio em "carne pecadora". Ele veio em "**semelhança** de carne pecadora".[22] Há uma grande diferença. Jesus não conheceu pecado e Nele não há pecado. Assim, Ele não pode ser caracterizado por uma serpente real. Ele foi caracterizado como uma figura de bronze, a qual foi feita **à semelhança** de uma serpente.

Mas por que **bronze**? Ao longo da Bíblia, o bronze fala de julgamento. Por exemplo, o altar do holocausto para os sacrifícios de animais era feito de madeira de acácia e recoberta com bronze. Seus utensílios e a grelha eram feitos de bronze.[23] Então, ver Jesus como a serpente de bronze é ver a figura do julgamento de Deus recaindo sobre Jesus, na cruz.

Deus não quer que olhemos para nós mesmos, nossas aflições, nem mesmo nossas doenças e enfermidades. Apenas um olhar para Jesus na cruz, carregando nossos pecados, maldições e julgamento, e você e eu viveremos. A serpente de bronze foi levantada em uma haste, e Moisés deve tê-la levantado em um lugar bem alto, a fim de que todas as crianças de Israel pudessem vê-la. De igual modo, Deus levantou Jesus na cruz, para que o mundo inteiro pudesse vê-lo. Todo aquele que olha para Jesus e vê seus pecados, maldições e doenças punidos em Seu corpo, será salvo. Será curado. Viverá! A Bíblia não nos diz para olhar para Moisés (a lei). Ela nos diz para olhar para Jesus, e não somente olhar para o Jesus que caminhou entre nós, mas para o Jesus que foi crucificado, como uma serpente de bronze, em nosso lugar. Jesus Cristo, e Ele crucificado — essa é a nossa solução.

Não olhe para si mesmo, para suas aflições ou enfermidades. Olhe para Jesus, e você viverá.

Meu amigo, pare de ficar preocupado consigo mesmo e seus esforços próprios, e pare de desqualificar-se. Comece a ficar ocupado com Jesus e Sua obra consumada. Comece a procurar na Bíblia por todas as referências a Jesus, e sinta seu coração ardendo dentro de você enquanto o Espírito Santo lhe revela o quão lindo Ele é.

Você tem um Salvador maravilhoso. Olhe para longe de suas próprias mazelas e feridas — olhe para Jesus, Ele vai salvar você!

Capítulo 16

O Segredo de Davi

Você alguma vez já se perguntou por que Deus chamou Davi de "homem segundo o Seu coração"¹? Qual era o segredo de Davi? O que Davi tinha para que Deus o abençoasse tanto, tornando-o rei sobre todo o Israel?

Tenho ouvido muitas pessoas dizerem que Deus chamou Davi de homem segundo o Seu coração porque ele era rápido para se arrepender. No entanto, houve muitas outras pessoas na Bíblia que se arrependeram prontamente, então isso não diferencia Davi. Além disso, Deus chama Davi de homem segundo o Seu coração **antes** de ele cometer seu pecado com Bate-seba, logo não pode ser por causa de sua rapidez em arrepender-se nesse caso.

O segredo de Davi é a chave para a plenitude das bênçãos de Deus em sua vida.

Devia haver algo único em Davi que o levava a se destacar. Você gostaria de saber qual era o seu segredo? Acredito de todo o meu coração que esse segredo é a chave para a plenitude das bênçãos de Deus em sua vida.

Venha comigo ao Salmo 132, no qual você descobrirá o segredo de Davi. Ele escreveu este salmo quando o Rei Saul o estava perseguindo para capturá-lo. Saul tinha ciúmes de Davi e receava que ele um dia se tornasse rei em seu lugar, por isso o perseguia pelo deserto. Em contraste com esse cenário que o rodeava, Davi escreveu:

> Lembra-te, SENHOR, a favor de Davi, de todas as suas provações; de como jurou ao SENHOR e fez votos ao Poderoso de Jacó: Não entrarei na tenda em que moro, nem subirei ao leito em que repouso, não darei sono aos meus olhos, nem repouso às minhas pálpebras, **até que eu...** (Salmos 132:1-5)

Davi estava fazendo um voto a Deus no deserto, de que não dormiria, nem descansaria, até que tivesse feito algo. Agora, espere um minuto aí! Antes de mostrar a você o que Davi votou a Deus, quero lhe mostrar algo que ele próprio disse acerca de como Deus o via:

> O SENHOR, Deus de Israel, me escolheu de toda a casa de meu pai, para que eternamente fosse eu rei sobre Israel; porque a Judá escolheu por príncipe e a casa de meu pai, na casa de Judá; e entre os filhos de meu pai **se agradou de mim**, para me fazer rei sobre todo o Israel (1 Crônicas 28:4).

Davi disse: "Deus se agradou de mim." Em outras palavras, Deus *gostou* de mim. Ah, eu amo isso! Eu amo a maneira como a versão bíblica King James em língua inglesa captura com exatidão o que Davi disse. Essa versão diz: "Deus **gostou** de mim para me fazer rei sobre todo o Israel." Você sabia que ainda hoje em Israel quando eles dizem "eu gosto de você", usam a mesma palavra usada nessa passagem, que é *ratsah*? "Eu *ratsah* você" significa "eu gosto de você".

O Que Faz de Davi Um Homem Segundo O Coração de Deus?

Você gostaria de descobrir por que Deus **gostou** de Davi? O que ele fez de tão especial? Acredito que Deus se agradou de Davi porque ele alcançou algo que era da maior importância para o coração de Deus. Ele alcançou um pensamento divino e objetivo no coração de Deus. Isso se revelou no voto que Davi fez a Deus no deserto, em Salmos 132: "Não darei sono aos meus olhos, nem repouso às minhas pálpebras, **até que eu encontre lugar para o SENHOR, morada para o Poderoso de Jacó**."[3]

Do que Davi estava falando? Para compreender melhor a passagem, continue lendo. Davi diz no mesmo salmo: "Levanta-te, SENHOR, entra no lugar do teu repouso, tu e a arca de tua fortaleza."[4] Davi estava falando sobre trazer a arca da aliança de volta a Jerusalém! Eu incluí aqui uma ilustração da arca da aliança; veja-a logo na página seguinte.

Depois de Davi ter dado tanta importância à necessidade de trazer de volta a arca, isto foi o que lhe aconteceu: Deus o considerou um homem segundo o Seu coração.

Nos dias da antiga aliança, Deus habitava entre dois querubins, os quais estavam sobre a arca da aliança.[5] Esse era o trono de Deus. Não importava o momento em que os filhos de Israel trouxessem a arca para a batalha, se Israel estivesse alinhado com Deus, Ele lhes dava a vitória sobre seus inimigos.

Deixe-me dizer a você o quão importante era a arca da aliança — para o caso de você só ter ouvido falar dela quando assistiu ao filme *Indiana Jones e os Caçadores da Arca Perdida*. De qualquer modo, se você viu o filme, quero lhe dizer que ele não fez uma descrição

198 | Capítulo 16

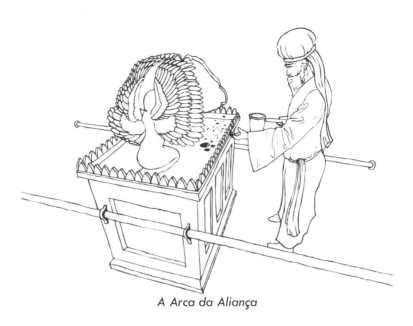

A Arca da Aliança

exata da arca — não havia espíritos vivendo dentro dela como o filme retratou!

Bem, nos dias do Antigo Testamento, qual era o país mais santo para Deus quando Ele olhava para a terra? Era Israel. Qual era a cidade mais santa de todo o Israel? Jerusalém. Qual era o lugar mais santo em toda a Jerusalém? Era o templo, no monte do templo. No recinto do templo, havia o Átrio, o Santo Lugar e o Santo dos Santos. Qual era o lugar mais santo do templo? Obviamente, era o Santo dos Santos.

No templo, você encontrava mobílias como o menorá, o altar de incenso e a mesa do pão propiciatório, no Santo Lugar. Mas atrás do véu ficava o Santo dos Santos, e somente uma peça de mobília havia ali — a arca da aliança. Isso significa que a arca da aliança era o objeto mais santo na terra naquela época. Era a peça central de Deus, no centro do universo e no centro do coração de Deus.

No Antigo Testamento, Deus disse que falaria ao sumo sacerdote "do meio dos dois querubins".[6] Esse lugar era, na verdade, o "propiciatório". O propiciatório era também o lugar em que o sumo sacerdote colocava o sangue do sacrifício do animal, a cada ano, no Dia da Expiação. O Dia da Expiação era a única data, ao longo de todo o ano, quando o sumo sacerdote ultrapassava o limite do véu e entrava no Santo dos Santos.

Você está me acompanhando? Segure firme, estamos chegando à parte empolgante!

A Simbologia da Arca da Aliança

No capítulo anterior, compartilhei com você sobre o caminho para Emaús, onde Jesus expôs as coisas pertinentes a Ele ao longo de toda a Escritura, começando por Moisés e passando todos os profetas. Você está pronto para algumas revelações de Jesus no Antigo Testamento que farão seu coração arder em seu interior? Vamos mergulhar nisso agora.

A arca era tão importante para Deus que Ele deu aos israelitas instruções muito específicas sobre como ela deveria ser construída.[7] Embora nossa abordagem seja superficial se comparada à profundidade do significado da arca, cada detalhe de sua construção nos permite obter uma descrição mais clara de Jesus, pois não há detalhes insignificantes na Bíblia. Desde já, quero que você saiba que a arca da aliança aponta para a pessoa e obra do nosso Senhor Jesus Cristo. Ele é a peça central do coração de Deus, e na medida em que você continuar a ler, sei que vai se apaixonar por Ele mais e mais!

Por agora, olhe para a ilustração que mostrei há pouco. Estamos prestes a olhar mais de perto para alguns componentes da arca da aliança. A parte da caixa da arca é feita de madeira de acácia e recoberta com ouro. A figura da madeira na Bíblia fala de humanidade.[8] A madeira de acácia é conhecida em Israel como uma madeira incorruptível, então isso fala da humanidade incorruptível de Jesus — Ele veio à semelhança de carne pecadora enquanto homem, mas não houve pecado Nele. O ouro na Bíblia fala de divindade.[9] Assim, a madeira recoberta com ouro fala da pessoa de Jesus — Ele era completamente humano e ao mesmo tempo completamente Deus.

O Que É a Arca da Aliança?

Vamos dar uma olhada na tampa da caixa. A tampa inteira era feita de uma chapa sólida de ouro que cobria a caixa. Em hebraico, a tampa é chamada *kapporeth*, que significa "propiciatório".[10] Vejamos o que o propiciatório cobria.

Três itens eram guardados na arca da aliança. O primeiro eram as tábuas de pedra nas quais Deus escreveu os Dez Mandamentos. As tábuas falam da nossa rebelião e incapacidade de guardar perfeitamente as leis de Deus. O segundo item era a vara de Arão. Essa vara não era apenas uma vara comum. Ela foi colocada no tabernáculo e, durante a noite, não somente ramos, mas também frutos e flores brotaram dela.[11] Você sabe por que Deus fez isso? Porque o povo estava reclamando contra a nomeação que Deus fizera de Arão como sumo sacerdote, então Deus fez a vara de Arão brotar sobrenaturalmente para mostrar às pessoas que fora Ele quem constituíra a Arão. Assim, a vara de Arão nos fala da rebelião do homem contra a liderança constituída por Deus.

O item final dentro da arca era um pote de ouro com maná. A Bíblia chama o maná de "pão dos anjos",[12] e quando os filhos de Israel comeram dele enquanto estavam no deserto, nenhum deles ficou doente durante 40 anos. Ainda assim, eles o chamaram de "pão sem valor".[13] Então o pote de ouro com maná fala da rebelião contra a provisão de Deus.

Você consegue perceber que cada item na arca fala dos nossos pecados e rebelião contra Deus? Mas o que Deus fez com nossos pecados e rebelião? Ele os colocou dentro da arca da aliança e os cobriu com o propiciatório, onde o sangue do sacrifício de animais era colocado. Ao fazer isso, Ele estava dizendo que não queria ver os pecados e a rebelião do homem. Quando Deus olha para baixo, não pode ver os pecados e a rebelião do homem porque eles estão cobertos pelo sangue no propiciatório!

Deus não pode ver os seus pecados se eles estão cobertos pelo sangue.

Deixe-me dizer isso mais uma vez para ter certeza de que você não perdeu nenhum detalhe: Deus **não pode** ver os seus pecados quando eles estão cobertos pelo sangue. É por isso que no Antigo Testamento, Israel se regozijava cada vez que o sumo sacerdote adentrava o Santo dos Santos no Dia da Expiação e colocava o sangue do sacrifício do animal sobre o propiciatório. Quando o sangue estava no propiciatório, Deus não podia ver a rejeição de Suas leis nos Dez Mandamentos. Ele não podia ver a rejeição de seu sacerdócio constituído na vara de Arão. E Ele não podia ver a rejeição de Sua provisão no pote de ouro com maná. Ele não podia ver os pecados e a rebelião do povo. Ele via somente o sangue sobre o propiciatório!

A Misericórdia Triunfa Sobre o Julgamento

E não é somente isso. O propiciatório também fala da pessoa de Cristo. A Bíblia diz que "Ele é a **propiciação** pelos nossos pecados".[14] Isso significa que Jesus se tornou nosso sacrifício a fim de desviar para Ele mesmo a ira de Deus que era destinada a nós. Na cruz, Jesus se tornou a propiciação pelos nossos pecados. Se você estudar a palavra "propiciação" na Septuaginta (uma tradução grega do Novo Testamento), descobrirá que é a mesma palavra usada para "propiciatório".[15]

Então, quando o apóstolo João disse que Jesus é a nossa propiciação, ele estava dizendo que Jesus é o nosso propiciatório. O propiciatório era feito de uma placa maciça de ouro que recebia pancadas até atingir a forma ideal. Do mesmo modo, a fim de que Jesus tomasse o nosso lugar e fosse o nosso propiciatório, Ele teve de ser brutalmente espancado e torturado, para que por Suas feridas fôssemos sarados.

Quando você olha para a ilustração da arca da aliança, também vê a coroa sobre o propiciatório. Essa coroa tipifica a majestade, a glória e a realeza de Jesus. Ele foi o único Rei que não veio para ser servido, mas para servir. Ele se tornou um servo-Rei para nós, na cruz.

Assim, a arca da aliança é uma sombra do nosso Senhor Jesus Cristo, Sua pessoa e Sua obra. Por causa do Seu sangue, **todos** os nossos pecados foram purificados. Por isso era perigoso para qualquer pessoa naqueles dias levantar o propiciatório e descobrir os pecados e a rebelião que Deus tinha coberto. O propiciatório não deveria ser levantado em momento algum, e as consequências por fazê-lo eram severas. A Bíblia registra que quando o povo de uma vila chamada Bete-Semes levantou o propiciatório para olhar dentro da arca, muitos deles foram destruídos.[16]

Ninguém deveria sequer dar uma espiada nos Dez Mandamentos. Deus não quer que a lei seja exposta, porque ela representa a nossa rebelião e ministra somente morte e condenação. É interessante notar que as pessoas fazem pôsteres e quadros dos Dez Mandamentos que são pendurados em suas casas, quando mesmo no Antigo Testamento Deus manteve a lei escondida debaixo do propiciatório!

Você não acha que os crentes hoje deveriam estar exaltando a misericórdia de Deus e Sua graça acima da lei? Repare que o propiciatório é colocado sobre a lei. Isso nos diz que a misericórdia de Deus triunfa sobre o julgamento![17] A graça de Deus está acima da lei de Deus. Ele executa o julgamento porque é justo, mas Seu prazer não está em julgar. Seu prazer está na misericórdia e na graça. A Bíblia nos diz que a ira de Deus dura só um momento, mas a Sua misericórdia dura para sempre.[18]

O modo como algumas pessoas retratam a Deus hoje cria a falsa impressão de que a Sua misericórdia dura só um momento, mas a Sua ira dura para sempre! Isso não é verdade. A ira de Deus terminou no momento em que foi exaurida em Jesus, na cruz. Na verdade, até mesmo o Seu julgamento demonstra a Sua graça, porque em lugar de nos julgar por nossos pecados (que é o que merecemos), o julgamento recaiu sobre Seu Filho, Jesus Cristo, enquanto as bênçãos que Ele merecia recaíram sobre nós! É assim o favor de Deus: imerecido, inalcançável e inadquirível.

Não descubra os seus pecados ou os pecados dos outros. Eles já foram completamente perdoados pelo sangue de Jesus.

Então, meu amigo, não levante o propiciatório para descobrir os seus pecados ou os pecados dos outros. Eles já foram completamente perdoados pelo sangue de Jesus. Aleluia!

Traga A Arca da Aliança de Volta

Voltemos para o que Davi votou a Deus — trazer a arca da aliança de volta para Jerusalém. Por mais de 20 anos, a arca estivera em uma região montanhosa chamada Quiriate-Jearim, que significa "os campos das madeiras".[19] Davi tinha ouvido acerca da arca desde que era um jovem garoto crescendo em Belém Efrata (a mesma Belém onde Jesus nasceria), e é por isso que ele disse: "Soubemos da arca em Efrata, mas a encontramos nos* campos das madeiras",[20] referindo-se a Quiriate-Jearim.

Ao crescer, Davi deve ter se perguntado por que ninguém fizera qualquer esforço para trazer a arca de volta a Jerusalém, lugar a que ela pertencia. Saul era rei naquele tempo, mas ele nunca teve o coração ou o desejo de trazer a arca de volta a Jerusalém. Ele simplesmente a deixou ali, em Quiriate-Jearim. Então Davi fez disso sua paixão — trazer a arca para o Monte Sião, em Jerusalém, porque o Senhor tinha escolhido Sião como Seu lugar de habitação. O próprio Deus

---

* *Fields of the woods*, nome que consta na King James Version, encontrado em algumas versões como *campo de Jaar*, que é outro nome pelo qual Quiriate-Jearim é conhecida (Nota da tradutora).

disse acerca de Sião: "Este é o lugar do meu repouso para sempre; aqui habitarei, pois o tenho desejado."[21]

Você sabe por que Deus escolheu o Monte Sião e não o Monte Sinai? Porque o Monte Sião representa a Sua graça, enquanto o Monte Sinai representa a Sua lei. No primeiro Pentecostes, cinquenta dias após a primeira Páscoa, Deus deu os Dez Mandamentos no Monte Sinai, e 3 mil pessoas morreram.[22] No dia do Pentecostes, após a ressurreição de Jesus, Deus deu o Espírito Santo no Monte Sião, e 3 mil pessoas foram salvas e a Igreja da nova aliança nasceu.[23] A lei mata, mas o Espírito traz vida. A lei condena, mas a graça salva. Deus escolheu a graça sobre a lei, o Monte Sião sobre o Monte Sinai!

Quando você entende a simbologia da arca da aliança, percebe que trazer de volta a arca da aliança é o mesmo que trazer Jesus Cristo de volta para o lugar de proeminência, fazendo Dele e de Sua obra consumada o centro de todos os ensinamentos e pregações.

Há muito tempo, o Senhor me disse: "Filho, traga Jesus Cristo de volta para a Igreja."

Entristece-me saber que em muitas igrejas hoje você raramente ouve o nome de Jesus sendo mencionado. Em lugar disso, você ouve psicologia sendo ensinada. Você ouve ensinamentos motivacionais. Você ouve "fazer, fazer, fazer", "visão, visão, visão" ou "chamado, chamado, chamado". Você ouve muito pouco sobre Jesus Cristo e Sua obra consumada sendo ensinado. É disso que se trata o Cristianismo? Seu fazer, seu chamado e sua visão?

Há um versículo bem popular extraído do livro de Apocalipse, geralmente utilizado pelos cristãos para evangelizar os incrédulos. Ele diz: "Eis que estou à porta e bato; se alguém ouvir a minha voz, e abrir a porta, entrarei em sua casa, e cearei com ele, e ele comigo."[24] Quando você olha para o contexto desse versículo, percebe que, na verdade, ele não foi escrito para incrédulos, mas para a igreja de Laodicéia![25] Agora, por que o Senhor está do lado de fora da igreja, batendo à porta?"

Tudo Tem a Ver Com Revelar Jesus

Quando viajo ao redor do mundo para pregar o Evangelho de Jesus, minha maior recompensa como pastor é ser capaz de encontrar crentes preciosos e revelar Jesus Cristo para eles, de novo. Não há maior recompensa do que saber que abri os olhos deles para ver mais de Jesus, Sua graça, Sua beleza e a perfeição de Sua obra, porque eu sei que essa é a minha vocação na vida, vinda do Senhor.

Eu ainda me lembro de como Wendy e eu vivíamos em um lugar bem pequeno, assim que casamos. Era nosso primeiro apartamento. Nossa sala de estudo era tão minúscula que não tinha sequer uma cadeira naquele tempo. Quando eu sentava no chão da minha sala de estudo, lendo a Bíblia, Deus falava comigo. Ele começou a me mostrar claramente, mais do que eu jamais vira antes, que Jesus Cristo não estava recebendo o lugar central no Corpo de Cristo e, como resultado disso, a plenitude de Suas bênçãos não estava fluindo como deveria.

> *Enquanto não for dado a Jesus Cristo o lugar central no Corpo de Cristo, a plenitude de Suas bênçãos não fluirá como deveria.*

Quando Ele me mostrou isso, eu disse: "Senhor, se eu pregar sermões que sejam plenos de Jesus, e se todos os meus sermões forem sobre Jesus, acho que ninguém vai querer ouvi-los." Então, ouvi o Senhor dizer: "Filho, você está disposto a fazer isso mesmo que ninguém venha? Ainda que ninguém queira ouvir suas palavras, você ainda pregará cada sermão pleno de Jesus?" Eu fiquei espantado com essa pergunta do Senhor, e pensei nisso por um momento, porque eu era um jovem pastor — eu era ambicioso e queria fazer a igreja crescer. Então eu disse a Ele, e jamais me esquecerei do que disse: "Senhor, ainda que a nossa igreja se torne menor depois disso, eu estou pronto a fazê-lo." Então, não me preocupei se as pessoas aceitariam ou não. Apenas comecei a pregar sobre Jesus Cristo e Sua obra consumada.

Muitos anos se passaram e agora eu sei que aquela pergunta era um teste do Senhor. Nossa igreja não se tornou menor. Na verdade, ela explodiu logo depois desse encontro com o Senhor. De somente algumas poucas pessoas naquele tempo, nós crescemos para mais de 15 mil pessoas cadastradas. Ainda me lembro exatamente de onde eu estava sentado em minha sala de estudo quando Deus me deu aquele desafio. Desde aquele dia, Ele tem me dado tudo que eu preciso para cumprir minha vocação. Ele me deu uma esposa incrível, uma filha maravilhosa (quando Ele falou comigo, Jessica ainda não tinha nascido) e grandes líderes para apoiar esse chamado. Tudo que Ele me deu em minha vida tem sido para me levar a um lugar no qual Jesus seja exaltado.

Muitos me dizem que eu sou chamado para pregar a graça, mas a minha principal vocação não é ensinar sobre a graça. É trazer Jesus de volta para o lugar central da igreja, e Sua graça é parte disso. Você não pode separar Jesus de Sua graça de modo algum. A Bíblia diz: "Porque a lei foi dada por intermédio de Moisés; **a graça e a verdade vieram por meio de Jesus Cristo.**"[26]

Na verdade, não é fácil pregar a graça, porque quando você a prega faz do homem um nada e de Jesus o tudo. E o homem não gosta disso. O homem gosta de pensar que ele jejuou 40 dias e 40 noites para conseguir a unção. Ele quer ser capaz de dizer: "Eu paguei o preço pelo poder espiritual." Ei, meu amigo, Jesus já pagou o preço. Não tem nada a ver com o seu jejum. Tem tudo a ver com a obra de Jesus Cristo!

Trazendo Jesus de Volta Para o Monte Sião

Deixe-me explicar a você o que significa trazer Jesus de volta para o Monte Sião. Trazer Jesus de volta para o Monte Sião é trazer Jesus de volta para o lugar da graça. Você já ouviu sermões nos quais eles pregam sobre Jesus, mas os sermões são muito difíceis?

Quando eu era um adolescente em crescimento na minha igreja anterior, lembro-me de um sermão que realmente me aterrorizou. O pregador disse: "O próprio Jesus falou que a menos que a sua justiça exceda a justiça dos escribas e dos fariseus, você jamais entrará no reino dos céus." Então ele disse: "Se os fariseus tinham esse padrão, então devemos ter padrões mais elevados que os deles." Eu me senti realmente condenado. Que esperança havia para mim, se eu não chegava nem perto da medida padrão dos fariseus?

Embora aquele pregador estivesse pregando com base nas palavras de Jesus, ele jamais trouxe Jesus para o contexto da graça. Ele fez Jesus parecer difícil e legalista. Ele não trouxe a arca de volta para Sião. Agora, vamos interpretar o que Jesus realmente estava dizendo, no contexto da graça. Ele estava dizendo que o único modo de entrar no céu é ter a justiça DELE, que excede todos os outros padrões de justiça. Sua justiça está muito acima da justiça própria dos escribas e fariseus! E sabe de uma coisa? A justiça de Jesus é uma dádiva para ser livremente recebida. E ela é sua hoje!

Seja Um Homem Segundo o Coração De Deus

Esse é o segredo das bênçãos de Davi. Ele buscou a arca da aliança, e Deus o chamou de homem segundo o Seu coração. Hoje, você também pode ser um homem ou mulher segundo o coração de Deus. Você pode buscar a Jesus e trazê-lo de volta para o centro da sua vida. Faça de Jesus a peça central de cada aspecto da sua vida. A Bíblia diz que onde dois ou três estivessem reunidos em Seu nome, Jesus estaria no meio deles.[27]

Se o seu casamento está se desfazendo, provavelmente você está colocando sobre o seu marido a responsabilidade de suprir necessidades suas que só Jesus pode suprir, ou então você está esperando que a sua esposa lhe dê o que você só poderá receber de Jesus. Parem de pressionar tanto um ao outro. Todo casamento precisa de um "terceiro protagonista". Seu nome é Jesus. Ele deve estar no meio de todo casamento.

Hoje, você pode ser um homem ou uma mulher segundo o coração de Deus ao fazer de Jesus a peça central de cada aspecto de sua vida.

Faça de Jesus, de Sua obra consumada e de Sua graça o centro de tudo na sua vida. Faça Dele o centro de seu casamento, família, carreira e finanças, e deixe que a plenitude de Suas bênçãos flua em sua vida hoje!

Capítulo 17

Uma Figura da Pura Graça

Quando minha filha Jessica tinha cerca de cinco anos de idade, eu perguntei a ela: "O que é a Bíblia?" Ele respondeu: "É um livro que tem tudo sobre Jesus, com uma fita vermelha dentro dele." Ah, eu amo isso! Não é preciso ver as coisas da perspectiva de uma criança? Ela não descreveu a Bíblia em termos religiosos como nós, adultos, gostamos de fazer. Ela a via apenas em sua forma mais simples e pura — um livro que tem tudo sobre Jesus, com uma fita vermelha nele! É claro, eu tive de explicar a ela que a fita vermelha é um marcador de páginas. Mas sabe de uma coisa? Há, de fato, um "fio escarlate" que corre através desse livro, desde seu início, em Gênesis, até seu fim, em Apocalipse. É tudo sobre Jesus e Sua obra consumada na cruz.

Quando os crentes novos convertidos leem o Antigo Testamento pela primeira vez, geralmente se perguntam o que é todo aquele massacre, sacrifícios e aspersão de sangue. Bem, quando você entende que sem derramamento de sangue não há perdão de pecados, começa a apreciar o valor do sangue, especialmente o sangue que Jesus derramou por nossos pecados.

A Bíblia diz que depois que Adão e Eva pecaram comendo da árvore do conhecimento do bom e do mal, Deus "fez túnicas de pele, e os vestiu".[1] A primeira vez que um animal foi sacrificado para cobrir os pecados do homem aconteceu bem ali, no jardim do Éden. Todos os sacrifícios de animais no Antigo Testamento eram sombras de Jesus Cristo, que é a essência. O sangue de bois e bodes na antiga aliança apontava totalmente para a essência de Cristo, cujo sangue foi derramado na cruz do Calvário. Como João Batista disse, Jesus é o "Cordeiro de Deus que tira o pecado do mundo".[2] No livro de Apocalipse, o apóstolo João ouviu uma voz dizendo: "Eis o Leão da tribo de Judá", mas quando ele se voltou para olhar para o Leão, viu em lugar dele um "cordeiro que parecia ter estado morto".[3] Tudo na Bíblia, de Gênesis a Apocalipse, aponta para a morte de Jesus na cruz. É por causa do Seu sacrifício que estamos sob a nova aliança da graça hoje.

> *Tudo na Bíblia, de Gênesis a Apocalipse,*
> *aponta para a morte de Jesus na cruz.*

A antiga aliança sempre levará você a olhar para si mesmo, enquanto a nova aliança sempre o levará a se voltar e olhar para Cristo crucificado. Os profetas do Antigo Testamento trazem seus pecados à memória, ao passo que os pregadores do Novo Testamento trazem sua justiça à memória. Os pregadores do Antigo Testamento lhe dizem o que está errado com você, mas os pregadores do Novo Testamento lhe dizem o que está certo com você por causa do que Jesus fez, em lugar de lhe dizerem o está errado. O **primeiro milagre de Moisés**, que representa a lei, foi transformar a água em sangue, resultando em morte.[4] O **primeiro milagre da graça** foi Jesus transformando a água em vinho, resultando em celebração e vida.[5] A lei mata, mas o Espírito dá vida.

Pura Graça, do Egito ao Sinai

Quando Deus libertou os filhos de Israel do cativeiro da escravidão no Egito, Ele não fez isso, na ocasião, porque eles tinham guardado os Dez Mandamentos. Os Dez Mandamentos nem sequer tinham sido escritos ainda. Os filhos de Israel saíram do Egito pelo sangue do Cordeiro.

O Senhor me mostrou algo há alguns anos que me conduziu à Revolução do Evangelho. Eu estava sentado em minha sala de estar, desfrutando um tempo com a Palavra, quando Ele falou comigo, dizendo: "Filho, estude a jornada dos filhos de Israel do Egito ao Monte Sinai, porque isso é uma figura da pura graça. Nem um só israelita morreu durante aquele período, embora eles murmurassem e reclamassem."

Eu jamais tinha ouvido alguém pregar isso antes nem tinha lido isso em qualquer livro. Então, fervorosamente, eu me voltei para aquele trecho da Bíblia, tentando encontrar alguém que tivesse sido morto naquele período, então eu poderia provar que Deus estava errado! Você já ouviu algo assim antes, alguém tentando provar que Deus errou? Bem, isso jamais será possível — e eu, claro, não encontrei menção de nenhum israelita que tenha morrido naquele período, embora o povo murmurasse e reclamasse.

Embora Deus tivesse resgatado o povo de Israel de seus dominadores egípcios de escravos por meio da manifestação de grandes sinais e maravilhas, eles fracassaram em honrar a Deus — murmuraram e reclamaram repetidas vezes. Quando o numeroso exército egípcio veio atrás deles, e o Mar Vermelho estava diante deles, os filhos de Israel gritaram com Moisés, dizendo: "Será, por não haver sepulcros no Egito, que nos tiraste de lá, para que morramos neste deserto?"[6]

Houve reclamação contra Deus — murmuração e reclamação são pecados. Mas qual foi a resposta de Deus? Ele abriu o Mar Vermelho e eles atravessaram em terra seca para o outro lado, a salvo de seus inimigos. Mesmo depois de Deus tê-los trazido a salvo para o outro lado do mar, a murmuração continuou. Em Mara, eles reclamaram das águas amargas. Qual foi a resposta de Deus? Ele transformou as águas amargas em águas doces.[7] No deserto, eles gritaram contra Moisés quando estavam com fome. Qual foi a resposta de Deus? Ele fez chover pão do céu.[8] Mesmo assim, os filhos de Israel reclamaram. Quando não havia água novamente, eles gritaram contra Moisés, dizendo: "Por que nos fizeste subir do Egito, para nos matares de sede, a nós, a nossos filhos e aos nossos rebanhos?"[9] Qual foi a resposta de Deus? Ele fez jorrar água de uma dura rocha.

Estude a Bíblia por si mesmo. Você vai descobrir que toda vez que os filhos de Israel murmuravam e reclamavam, isso só trazia novas demonstrações seguidas do favor, do suprimento e da bondade de Deus. Por quê? Porque durante esse período, as bênçãos e provisões que eles recebiam não dependiam de sua obediência ou bondade. Eles eram dependentes da bondade e da fidelidade de Deus à aliança de Abraão, que era uma aliança de graça.

A Troca de Alianças No Monte Sinai

Então, algo trágico aconteceu bem ali, ao pé do Monte Sinai. Você pode conferir em sua Bíblia, em Êxodo 19:8, que o povo gritou com Moisés, dizendo: "Tudo o que o SENHOR falou faremos." No texto original em hebraico, essa fala é, na verdade, uma declaração de orgulho. Eles estavam dizendo: "Tudo que Deus exige e requer de nós, somos muito bem capacitados para executar." Em outras palavras, eles estavam dizendo: "Deus, pare de nos avaliar ou abençoar com base na Sua bondade. Comece a nos avaliar, julgar e abençoar com base na **nossa obediência**." Assim, eles trocaram de aliança —

saíram da aliança Abraâmica, que é fundamentada na graça, para a aliança Sinaítica, que é baseada na lei.

Durante todo esse tempo, Deus estivera com eles e tinha lutado por eles. Ele abriu o Mar Vermelho, fez chover maná do céu e fez jorrar água de uma dura rocha, embora eles continuassem murmurando e reclamando. Mas no momento em que disseram aquelas palavras soberbas, Deus teve de mudar Seu tom. Ele disse a Moisés para instruir o povo a não chegar perto do monte, porque "todo aquele que tocar o monte será morto".[10]

Por que você acha que Deus mudou Sua atitude naquele momento? Foi porque o homem vangloriou-se em sua própria força e firmou uma aliança fundamentada na própria obediência. Isso é o que nós chamamos de justiça própria. Já que as pessoas queriam ser julgadas com base em seu desempenho, logo no capítulo seguinte Deus lhes deu os Dez Mandamentos. Dali em diante, já que eles se gabaram de que podiam fazer tudo que Deus mandasse, Ele teve de avaliá-los com base na Sua lei. Ele os abençoaria se guardassem os Seus mandamentos, mas seriam amaldiçoados se fracassem em fazê-lo. O que o povo não entendeu foi que eles tinham de obedecer a todos os Dez Mandamentos perfeitamente, porque se falhassem em um deles, seriam culpados de todos.[11] Note que a lei é um todo composto, e Deus não dá ponto sem nó.

Agora, vejamos o que aconteceu quando os filhos de Israel se colocaram a si próprios sob a lei. Depois de se gabar de que podiam cumprir todos aqueles Dez Mandamentos que Deus lhes ordenara, as obras da carne foram **imediatamente** manifestas. Eles quebraram o primeiro mandamento — "Não terás outros deuses diante de mim"[12] — ao produzirem um bezerro de ouro e o adorarem como seu deus![13] Isso não é triste? Assim, seja cuidadoso quando você se envaidece de manter ou defender a lei, porque as obras da carne virão logo em seguida.

Deste ponto em diante, toda vez que os filhos de Israel murmuravam e reclamavam, muitos deles morriam. Observe isto:

Antes do Sinai, ninguém morria. Depois do Sinai, no momento em que murmuravam, eles morriam. Antes do Sinai, cada fracasso trazia uma nova manifestação do favor de Deus. Mas agora que os israelitas estavam sob a aliança da lei, o pecado tinha de ser punido. As bênçãos deles e as suas provisões não dependiam mais da bondade, da fidelidade e da graça de Deus. Sob a aliança da lei, as bênçãos dependiam de sua perfeita obediência, e todo fracasso e pecado resultariam em julgamento e punição.

É por isso que a lei de Moisés é chamada de "o ministério da morte e da condenação". É um padrão inflexível que tinha de ministrar morte e condenação aos israelitas quando pecassem.

Você poderia pensar que dois mil anos depois as pessoas já teriam aprendido com esse exemplo, mas há crentes hoje que ainda estão usando o mesmo refrão dos filhos de Israel ao pé do Monte Sinai. Eles estão se vangloriando: "Tudo que o Senhor falou, nós faremos."

Não Estamos Mais Sob a Antiga Aliança

Você consegue ver o que o Senhor estava me mostrando? A jornada dos israelitas do Egito para o Sinai era uma **figura da pura graça**. Não dependia da bondade deles, mas da **bondade de Deus**, não de sua fidelidade, mas da **fidelidade de Deus**. Antes de a lei ser dada, eles estavam sob a graça, e ninguém era punido mesmo quando fracassava. Mas imediatamente após a lei ser dada, ninguém era poupado quando fracassava. A boa-nova é que nós não estamos mais sob a antiga aliança da lei. Fomos libertados da lei por meio da morte de Jesus na cruz. Por causa de Jesus Cristo, estamos agora sob a nova aliança da graça, o que significa que hoje, Deus não nos avalia com base em nosso desempenho, mas em **Sua** bondade e fidelidade.

Se você ainda está tentando ser justificado por sua obediência à lei, está efetivamente negando o que Jesus já fez por você na cruz!

Por que há crentes hoje vivendo como se a cruz não fizesse diferença? Em lugar de se alegrar com a nova aliança da graça, eles ainda estão lutando para estar sob a antiga aliança da lei e os Dez Mandamentos. Declaro a você que a cruz de Jesus realmente **fez** a diferença. Se você ainda está tentando viver sob a lei, tentando ser justificado por sua obediência à lei, está efetivamente negando o que Jesus já fez por você na cruz!

Sob a antiga aliança, Deus disse que "não inocenta o culpado."[14] No entanto, na nova aliança, Ele diz: "Dos seus pecados jamais me lembrarei."[15] Você consegue ver o contraste? É o mesmo Deus falando, então, o que aconteceu? A **cruz** aconteceu, meu amigo. A cruz fez a diferença. Hoje, Deus não se lembra dos seus pecados ou os usa contra você, porque Ele já os julgou no corpo do Seu Filho. Os crentes ficam confusos quando não percebem que a cruz já fez a diferença. Considere isto: supondo que ainda estivéssemos sob os Dez Mandamentos como muitos argumentam, então o que a cruz de Jesus teria conquistado?

A Graça Fez o Que a Lei Não Podia Fazer

"Pastor Prince, você está insinuando que há algo de errado com a lei?"

Não, claro que não! Não há nada intrinsecamente errado com a lei. Como disse o apóstolo Paulo: "Que diremos, pois? É a lei pecado? De modo nenhum! Mas eu não teria conhecido o pecado, senão por intermédio da lei..."[16] Eu estou dizendo exatamente a mesma coisa que Paulo disse. É através da lei que temos conhecimento do pecado, mas isso é tudo que a lei pode fazer. Ela expõe os seus pecados. Mas não pode cobri-los, limpá-los ou removê-los. A lei foi projetada para evidenciar os nossos pecados, nos trazer a aflição e nos levar à percepção de que por nossos esforços próprios jamais salvaremos a nós mesmos. Ela foi projetada para nos mostrar que todos nós precisamos de um Salvador que possa limpar e remover os nossos pecados. Essa é a proposta da lei.

216 | Capítulo 17

A lei condena o melhor de nós, mas a graça salva o pior de nós.

Embora seja santa, justa e boa, a lei não tem poder de nos fazer santos, justos ou bons. Somente a magnificente graça de Jesus e o esplendor do Seu amor podem tornar você santo, justo e bom. E o Seu sangue já fez você santo, justo e bom! Deus já fez o que a lei não podia fazer. Como? Enviando o Seu único Filho para ser condenado em seu lugar, e assim você pôde ser feito justiça de Deus. Esta é a sua posição hoje — você é feito justiça em Cristo.

Com o advento da nova aliança, a Bíblia diz que Deus tornou a antiga aliança obsoleta.[17] Pare de lutar para manter algo que a Bíblia já declarou ser obsoleto! A lei condena o melhor de nós. Até Davi foi condenado sob a lei, e eu pessoalmente o considero o melhor dentre aqueles que estavam sob a antiga aliança. A lei condena o melhor de nós, mas a graça salva o pior de nós. Sob a lei, se quebrar um mandamento, você é culpado de todos. Pela mesma métrica, sob a graça, se faz algo certo, e esse algo é acreditar no Senhor Jesus, então você é justificado de tudo![18]

O Verdadeiro Evangelho Sempre Produz
Paz Em Seu Coração

Alguns anos atrás eu tive o privilégio de aconselhar uma das amigas mais chegadas de Wendy. Ela convidou essa amiga para se reunir conosco para o que se pensava ser um simples jantar, mas a ocasião terminou se estendendo por algumas horas. Ela era uma jovem cristã que não frequentava a nossa igreja. Durante o jantar, essa amiga compartilhou que um de seus líderes espirituais lhe dissera que a vida cristã era difícil, e que ela tinha de sofrer pelo Senhor e pagar o preço. Foi dito a ela que era preciso trabalhar duro, orar intensamente e ter a certeza de ler a Bíblia todos os dias, e assim Deus iria se agradar dela.

Não precisamos ler a Bíblia para sermos qualificados
para as bênçãos de Deus. Lemos a Bíblia para
descobrir sobre nossas bênçãos e herança em Cristo.

Quando ela compartilhou tudo aquilo conosco, eu senti que era minha responsabilidade contar-lhe a boa-nova. Então compartilhei com ela que nós não lemos a Bíblia porque queremos nos qualificar para as bênçãos de Deus. Lemos a Bíblia para **descobrir** sobre nossas bênçãos e herança em Cristo. Percebe a diferença? Eu disse a ela que se parasse de ler a Bíblia por alguns dias, **não me sentiria culpado**, eu **me sentiria faminto**. Deus não se agrada de nós sob a condição de lermos a Bíblia, fazermos longas orações e pagarmos preços. Não, absolutamente não! Ele se agrada de nós porque nós cremos em **Jesus**, que nos qualifica.

A Bíblia nunca disse que é nosso trabalho nos qualificar. Ela diz: "Dando graças ao Pai, que nos tornou dignos de participar da herança dos santos no reino da luz."[19] É **o Pai** que nos qualifica, e Ele fez isso ao enviar Seu Filho para nos salvar. Ele já nos qualificou para sermos participantes do Seu favor, da Sua cura, da Sua prosperidade, do Seu amor, da Sua alegria, da Sua paz e do Seu bem-estar em nossas famílias. Todas essas bênçãos são a herança dos santos, comprada pelo preço do sangue de Jesus Cristo. Nós participamos da nossa herança ao dar graças ao Pai por nos enviar Seu Filho.

Eu compartilhei com aquela jovem que ela podia acordar cada dia e dizer: "Pai, eu Te agradeço porque Tu me qualificaste para caminhar em vitória, cura e prosperidade." Eu lhe disse que ela não precisava ficar quebrando a cabeça se perguntando o que devia FAZER para se qualificar para a bondade de Deus. A bondade dele **já é** dela!

Há muitos ensinamentos hoje dizendo aos crentes o que eles devem fazer para se qualificar para isso ou para aquilo. Mas a direção de Deus para nós é saber que por meio de Jesus, já somos qualificados.

218 | Capítulo 17

No fim daquele jantar, eu disse: "Compare o que compartilhei com você sobre a bondade de Deus, Sua graça e a obra de Jesus na cruz, com o que você tem ouvido em sua igreja. O que produz paz em seu coração?" Ela respondeu: "Embora eu não consiga entender tudo sobre Jesus porque sou um bebê como cristã, sei que tudo que você compartilhou produziu grande paz e alegria em meu coração."

Amado, a alegria e a paz são as marcas registradas do reino de Deus. Deus não é o autor da confusão. Ele está chamando o Seu povo para sair da confusão. Pergunte-se isto: o que produz mais paz e alegria em meu coração — ouvir sobre o julgamento e a indignação de Deus ou ouvir sobre a Sua bondade e graça? O que traz paz e alegria permanentes — saber que Deus jamais o pune ou o condena novamente por seus pecados porque Jesus já foi punido e condenado por você, ou ouvir que Deus algumas vezes se agrada e outras se indigna com você, dependendo de como você se comporta? O que produz verdadeiro arrependimento — o medo do julgamento ou Sua bondade incondicional?

Sua resposta está na graça de Deus, não em seus próprios feitos.

Meu amigo, se você for honesto, admitirá que sabe que a resposta está em Jesus e em Sua obra consumada. A resposta está na graça de Jesus, não em seus próprios feitos. Ao tentar se qualificar por si mesmo hoje para as bênçãos de Deus por meio de toda a sua leitura bíblica, oração e trabalho árduo, você está dizendo com os filhos de Israel, ao pé do Monte Sinai: "Tudo que o Senhor falou, nós faremos." Você está dizendo ao Senhor para não avaliá-lo, julgá-lo e abençoá-lo segundo a bondade e fidelidade Dele. Você está pedindo a Ele para avaliá-lo e julgá-lo segundo a **sua** bondade e fidelidade. É realmente isso que você quer? Se não, então comece a colocar sua fé na obra consumada de Cristo hoje, e desfrute as bênçãos que fluem da Sua bondade incondicional!

Capítulo 18

Só Uma Coisa Lhe Falta

Você está lutando para viver a vida cristã hoje? Seu descanso está na cruz de Jesus. Se você quer experimentar o sucesso sem esforço, então perceba que isso não tem mais nada a ver com você fazer isso ou aquilo certo. Tem a ver com depender do que Jesus fez por você. Olhe para o que o próprio fazer do homem tem produzido. Há algum bem resultando do esforço próprio em guardar a lei de Moisés? Quando o homem se vangloriou na lei, a próxima coisa que ele viu foi um bezerro de ouro. Essa não é a direção de Deus. Não estamos mais sob a lei de Moisés. Louvado seja Deus — nós agora estamos sob a aliança da Sua abundante graça!

A Bondade de Deus Nos Leva Ao Arrependimento

"Mas, Pastor Prince, nós temos de pregar a lei de Deus e o Seu julgamento, ou não haverá arrependimento por parte das pessoas."

Meu amigo, o coração de Deus nunca é condenar. Nós queremos julgamento, mas Deus quer misericórdia. A Bíblia diz que "a bondade de Deus leva ao arrependimento".[1] Você sabe como Jesus transformou um pescador rústico como Pedro? Sendo um pescador, Pedro provavelmente também era um cara grande e robusto. Então, como Jesus o conquistou? Será que foi o sermão inflamado do julgamento de Deus sobre a lei de Moisés que quebrantou este pescador? Nunca! Jesus abençoou Pedro com uma carga de peixes capaz de quebrar uma balança e afundar um barco, e quando Pedro viu a bondade de Deus, ele se prostrou aos pés de Jesus e disse: "Afasta-te de mim, Senhor, porque sou um homem pecador!"[2] Agora, preste muita atenção aqui. O que veio primeiro, o arrependimento de Pedro ou a bondade de Deus? Claramente, foi a bondade de Deus. Meu amigo, verdadeiramente é a bondade de Deus que nos leva ao arrependimento!

É quando experimentamos o Seu amor por nós que podemos responder com nosso amor por Ele.

Apesar disso, ainda há pessoas que insistem que devemos pregar o arrependimento. Bem, eu discordo! Penso que devemos fazer ao modo de Deus — pregar a bondade de Deus e permitir que ela leve as pessoas ao arrependimento. Tal arrependimento será um verdadeiro arrependimento. Não será um arrependimento motivado pelo medo do julgamento e da indignação. Será genuíno e motivado por Sua graça, amor incondicional e compaixão. Afinal, nossa capacidade de amar a Deus vem do fato de primeiro experimentarmos o Seu amor por nós. É quando experimentamos o amor de Deus por nós que podemos responder com nosso amor por Ele. A Bíblia diz: "Nós o amamos porque Ele nos amou primeiro."[3]

Você sabe como a Palavra de Deus define amor? O apóstolo João disse: "Nisto consiste o amor: não em que nós tenhamos amado a Deus, mas em que ele nos amou e enviou o seu Filho como propiciação pelos nossos pecados."[4] Essa é a definição de amor na

Bíblia. Não tem a ver com o **nosso** amor por Ele, mas sim com o **Seu** perfeito amor por nós. Contrariamente à crença convencional, o verdadeiro arrependimento do coração resulta de uma revelação do amor imenso e persistente de Deus. Ele não é encontrado em leis, julgamento e indignação. Quando Pedro viu a bondade e o amor de Jesus, ele se prostrou de joelhos em total rendição a Ele.

Vamos nos apegar aos fundamentos bíblicos, meu amigo. Não é a pregação de um julgamento furioso e a indignação inflamada que levará o coração das pessoas a se voltar para Deus. É a Sua bondade, graça e misericórdia. Quando você tem um vislumbre dessas maravilhas, não consegue evitar ser inundado por tudo que Ele é, e isso é o que leva você ao verdadeiro arrependimento. Deixe as pessoas virem à igreja para desfrutarem a bondade de Deus, porque quando elas são impactadas pela Sua **graça**, o arrependimento, a santidade e a virtude certamente se seguirão. Do mesmo modo que você não consegue ficar sob o sol sem se bronzear, não consegue ficar sob a graça sem se tornar santo.

É Hora de Mudar de Mentalidade

A propósito, para todos vocês que sentem que deveria haver mais pregações sobre arrependimento, sabem o que a palavra "arrependimento" significa em sua primeira acepção? A palavra "arrependimento" é a palavra grega *metanoeo*, a qual, de acordo com o Léxico Grego de Thayer, simplesmente significa "mudar a mentalidade de alguém".[5] Mas por sermos influenciados pela formação denominacional, bem como por nossa própria educação religiosa, muitos de nós temos a impressão de que arrependimento é algo que envolve lamento e sofrimento. No entanto, isso não é o que Palavra de Deus diz. Arrependimento significa apenas mudança de mentalidade.

Quando João Batista disse, "Arrependei-vos, porque o reino dos céus é chegado!",[6] ele estava essencialmente dizendo: "Mude sua mentalidade, porque o reino dos céus chegou!" Isso significa que mesmo que nós não usemos a palavra "arrependimento" o tempo todo no meio do povo de Deus, cada vez que eles param para ouvir a pregação ungida da Sua Palavra, o arrependimento ainda está ocorrendo — a mentalidade deles está sendo mudada por intermédio da pregação do Evangelho.

Enquanto ouvem o Evangelho de Jesus sendo pregado, eles estão mudando sua mentalidade acerca das velhas crenças que os prendem em cativeiro, recebendo em seu lugar a verdade que os liberta. O mesmo acontece com você enquanto lê este livro: o arrependimento está acontecendo, você está renovando a sua mente com a boa-nova de Jesus. Você está se tornando mais e mais consciente de Sua obra consumada e da sua justiça em Cristo. Quando você começa a receber a revelação de que não está mais sob a antiga aliança da lei, mas está agora sob a nova aliança da graça, a Bíblia chama isso de arrependimento!

Arrependimento de Obras Mortas

Os crentes são frequentemente exortados a se arrependerem do pecado. Contudo, no Novo Testamento, na verdade somos exortados a nos arrependermos das obras mortas. Note que o pecado é simplesmente o **fruto**, as obras mortas são a **raiz**.

A Bíblia diz no livro de Hebreus que a primeira pedra fundamental da nossa fé é "arrependimento de obras mortas e a fé em Deus".[7] Agora, "obras mortas" não são pecados. Elas são as boas obras feitas com o objetivo de se alcançar a justiça para com Deus. Se você ora porque acha que orar o torna correto para com Deus, isso é uma obra morta. Mas se você ora porque **está** correto diante de Deus e sabe que Ele o ama, há poder nisso. Você consegue perceber a diferença? É a mesma atividade — orar — mas a base e a motivação para fazê-la é completamente diferente. Uma é obra morta, enquanto a outra é obra viva pela graça.

Similarmente, se você estuda a Bíblia porque acha que fazer isso o torna correto para com Deus, você já errou. Não haverá fluir. Não haverá revelação porque você não está fluindo no Espírito da verdade, o qual testifica com o seu espírito que você já está correto diante de Deus. Mas se você estuda a Bíblia porque sabe que está correto diante de Deus e a Bíblia é uma carta de amor Daquele que o torna correto, tesouros da Palavra de Deus se abrirão para você.

Meu amigo, você alguma vez já se arrependeu das obras mortas?

Jesus disse: "Arrependei-vos e crede no evangelho."[8] Em outras palavras, Ele estava dizendo aos judeus de Seu tempo: "Mudem sua mentalidade e creiam na boa-nova — eu derramarei Meu sangue e por meio do meu sofrimento e paixão, todos os seus pecados serão perdoados!" Se você ainda está vivendo sob a lei e dependendo de seus esforços próprios para se qualificar e agradar a Deus, é tempo de se arrepender (mudar sua mentalidade) das obras mortas e crer no Evangelho!

Uma Coisa Ainda Lhe Falta

Quero mostrar a você duas histórias bíblicas que efetivamente estabelecem um contraste entre lei e graça. Essas histórias estão em Lucas capítulos 18 e 19. Em Lucas 18:18-23, temos a história do jovem administrador rico que veio a Jesus e perguntou, "O que eu devo fazer para herdar a vida eterna?" Agora, pense sobre essa questão por um momento. Qual seria a resposta certa de acordo com o evangelho?

De acordo com o evangelho, a resposta certa seria: "Acredite em Mim e você herdará a vida eterna." Mas não foi isso que Jesus disse a ele. Em lugar disso, Jesus expôs para ele a lei de Moisés, dizendo: "Você conhece os mandamentos: 'Não adulterarás', 'Não matarás', 'Não furtarás', 'Não dirás falso testemunho', 'Honra a teu pai e tua mãe'." Jesus lhe mostrou os Dez Mandamentos. Por quê? Porque o jovem administrador foi a Jesus com orgulho, acreditando que **faria** algo para ganhar e merecer a vida eterna. Toda vez que você se vangloria em seus esforços, Jesus lhe mostra a lei de Moisés.

Agora, ouça o que o rapaz disse em resposta a Jesus: "Todas essas coisas eu tenho guardado desde a minha mocidade." Incrível! Esse homem, na verdade, alegou que guardava os Dez Mandamentos desde a sua mocidade! Como os fariseus, algumas pessoas realmente pensam que são capazes de guardar as leis de Moisés, não sabendo elas que têm rebaixado a lei de Deus a um nível no qual acham que podem guardá-la. Jesus devolveu a lei de volta ao seu padrão inflexível — não deve haver somente uma adesão externa à lei, também deve haver uma adesão interna. Jesus mostrou que a lei de Deus está além dos esforços próprios do homem. O rapaz estava provavelmente esperando que Jesus o elogiasse por sua observância da lei, e estava realmente se sentindo confiante em si mesmo. Mas repare no que Jesus disse a ele. Em lugar de elogiá-lo, Ele disse: "**Uma coisa ainda lhe falta.**"

Veja, toda vez que você se vangloria em sua observância da lei, Jesus encontra algo que falta a você. Nesse caso, Ele disse ao rapaz para vender tudo que tinha, dar o valor arrecadado com a venda aos pobres e segui-lo. O rapaz tinha se vangloriado de que guardava todos os mandamentos, mas agora Jesus estava mostrando a ele o primeiro de todos os mandamentos: "Não terás outros deuses diante de Mim"[9] (nem mesmo o dinheiro), e olhe o que aconteceu. O rapaz se afastou caminhando, cabisbaixo. Ele não era mesmo capaz de dar nem uma só moeda ao Senhor!

Pense sobre o incrível privilégio de seguir a Jesus. Ele deu ao homem uma oportunidade de segui-lo, mas o homem não pôde, porque não conseguia guardar nem mesmo o primeiro mandamento.

Meu amigo, se você for ao Senhor cheio de justiça própria, vangloriando-se de sua capacidade de guardar a lei, Ele vai mostrar a você que, de acordo com a lei, "uma coisa ainda lhe falta".

A Graça Abre o Seu Coração

Agora, vamos seguir para Lucas 19:1-10. Jesus caminhava em Jericó e uma multidão se juntou para vê-lo. Então, quando ele passava por um sicômoro, olhou para cima e viu Zaqueu, o baixinho Zaqueu, que tinha subido na árvore esperando ter ao menos um vislumbre de Jesus quando Ele passasse.

Zaqueu era um corrupto coletor de impostos, um pecador. Mas em lugar de dar a ele os Dez Mandamentos, Jesus lhe mostrou a graça (favor imerecido) e se convidou para ir à casa dele. Claro, as pessoas na multidão ficaram contrariadas e disseram: "Ele vai ser hóspede de um homem que é um pecador."

Agora, observe o que aconteceu na casa de Zaqueu. Antes que o jantar terminasse, Zaqueu se colocou de pé e disse ao Senhor: "Olhe, Senhor, eu darei metade dos meus bens aos pobres; e se eu tiver tomado alguma coisa de alguém por meio de engano, restituirei essa pessoa quatro vezes mais." Jesus sorriu para Zaqueu e disse: "Hoje a salvação entrou nesta casa."

Eu creio que foi o Espírito Santo quem colocou estas duas histórias lado a lado. Não acredito que elas aconteceram cronologicamente. Creio que o Espírito Santo as posicionou nesta divina ordem para nos mostrar o efeito contrastante de estar sob a aliança da lei e estar sob a aliança da graça.

Quando o jovem administrador rico veio se vangloriando de sua observância da lei, Jesus **respondeu com a lei**. E o rapaz dificilmente conseguiria dar uma só moeda para Jesus, então se afastou entristecido. Porém, logo no capítulo seguinte, quando Jesus **não expôs a lei, mas mostrou Sua graça**, isso não somente abriu o coração de Zaqueu, mas também abriu a sua carteira! Você consegue imaginar isso? A graça abriu a carteira de um corrupto coletor de impostos. Esse é verdadeiramente o poder da graça! Ela leva a pessoa ao verdadeiro arrependimento. Quando experimenta a Sua graça, você não pode evitar ser generoso.

A lei condena a justiça própria, mas a graça transforma o pecador.

Depois que Jesus derramou Seu amor incondicional e graça sobre Zaqueu, o coração dele transbordou com o favor imerecido, inalcançável e inadquirível de Deus. Ele sabia profundamente em seu coração que, sendo pecador e um corrupto coletor de impostos, não merecia que Jesus viesse à sua casa. Tudo que ele tinha ansiado era ter um vislumbre de Jesus de cima do sicômoro, mas a bondade de Deus excedeu em muito as suas expectativas. E assim como Pedro foi conquistado quando viu a bondade de Jesus, Zaqueu foi levado ao arrependimento quando experimentou a Sua bondade. Veja como a lei condena a justiça própria, mas a graça transforma o pecador.

Ao contrário do jovem administrador, Zaqueu não veio a Jesus se vangloriando de sua observância da lei. Ele sabia que era desmerecedor e foi por isso que Jesus conseguiu banhá-lo em graça. Do mesmo modo, muitos crentes hoje não se permitem receber a graça do Senhor porque, como o jovem administrador, acreditam em sua própria justiça e observância da lei. Quando você depende da lei, a lei será mostrada de volta a você, para expor as áreas em que você está em falta. Você pode pensar que tem guardado perfeitamente a lei, mas sempre haverá "uma coisa que ainda falta".

O papel da lei é levar você ao fim de si mesmo, conduzindo-o a uma posição em que você saiba, sem sombra de dúvida, que não consegue fazer nada para merecer a salvação, as bênçãos e o favor de Deus. Nosso Pai Celestial está esperando que desistamos de nossos esforços. No momento em que você começa a se arrepender de todas as obras mortas que tem feito para tentar se qualificar e merecer a aceitação e as bênçãos de Deus, Ele inundará você com Sua abundante graça — Seu favor imerecido, inadquirível e inalcançável.

Deus Busca Uma Transformação Interna do Coração

"Mas, Pastor Prince, se eu desistir de guardar a lei de Moisés, o que vai governar meu comportamento e garantir que ele seja aceitável a Deus?"

Você não tem de se preocupar se o seu comportamento será governado sem uma consciência da lei. A Palavra de Deus diz que a graça ensinará a você — "Porque a graça de Deus se manifestou... a todos os homens. Ela nos ensina a renunciar à impiedade e às paixões mundanas..."[10]

A graça é uma professora e ela ensinou a Zaqueu. Você se lembra da resposta dele depois que experimentou a abundância da graça? Ele disse: "Eu darei metade dos meus bens aos pobres; e se eu tomei algo de alguém por falsa acusação, restituirei quatro vezes mais." Isso é a graça que leva as pessoas ao verdadeiro arrependimento. A graça não resulta em modificações superficiais de comportamento, mas em uma transformação interna do coração.

Não é uma pregação acalorada sobre o julgamento de Deus que nos leva ao arrependimento. É a bondade de Deus que o faz. Aproprie-se de conhecimentos ungidos e escute mais e mais sobre a graça de Deus, Sua obra consumada e Sua bondade. Comece a "mudar sua mentalidade" — deixe de colocar-se sob a antiga aliança da lei para ver a si mesmo desfrutando o favor imerecido de Deus, sob a nova aliança da graça!

É a graça que leva as pessoas ao verdadeiro arrependimento e à transformação interna do coração.

---

228 | Capítulo 18

Capítulo 19

O Segredo Para Uma Vida Vitoriosa Sem Esforço

As pessoas receiam pregar o Evangelho da graça porque pensam que se pregarem a graça, os crentes sairão pecando por aí. Elas parecem ter mais confiança na carne do homem para guardar a lei do que no poder da cruz. Mesmo assim, não é a graça que estimula o pecado, é a lei.[1]

Não esqueça que depois que Israel se vangloriou diante de Deus, dizendo: "Tudo que o Senhor falou faremos",[2] eles quebraram exatamente o primeiro mandamento e fizeram um bezerro de ouro ao pé do Monte Sinai. Você alguma vez já leu, **"a força do pecado está na lei"**[3]? Quanto mais você tenta guardar a lei e não pecar, pior isso se torna. Por exemplo, se eu lhe disser para **não** pensar em um dinossauro roxo agora mesmo, qual é a primeira coisa que vem à sua mente?

Ora, vamos, eu disse para você **não** pensar em um dinossauro roxo. Tire a figura do dinossauro roxo da sua cabeça! (Confesse, você pensou no dinossauro Barney!*).

Quanto mais você tenta não ver o dinossauro roxo, mais sua mente fica ocupada com ele. Repare, você não consegue evitar. Quanto mais arduamente tenta, mais você vê aquele dinossauro roxo. Do mesmo modo, quanto mais você se coloca sob a lei — quanto mais tenta não pecar — mais consciente fica do pecado.

Esforço Próprio Resulta Em Fracasso

Imagine um homem que sabe que tem problemas em lidar com a luxúria. Quando ele acorda de manhã, diz ao Senhor: "Senhor, me dá vitória hoje. Ajuda-me a não desejar mulher alguma. Eu não quero me entregar à luxúria, então me ajuda a não desejar outras mulheres hoje. Eu não desejarei outras mulheres. Eu não desejarei outras mulheres. Eu não..."

Mas no momento em que ele põe o pé fora de casa e vê alguém caminhando usando uma saia, qual você acha que vai ser seu primeiro pensamento? Vai ser um pensamento sexual! Quanto mais ele tenta não pensar nisso, mais sua mente fica ocupada com esse pensamento, ainda que a pessoa que esteja caminhando e usando uma "saia" seja, na verdade, um escocês vestindo um kilt!**

Imagine outro cenário no qual uma mulher diz para si mesma: "Eu realmente não suporto esta colega. Ela parece estar sempre dizendo coisas para mim que me deixam muito brava. Mas como eu sou uma cristã, vou fazer o melhor possível para amá-la. Eu obedeço à lei. Eu vou amá-la. Eu vou amá-la como a mim mesma. Eu vou..." Enquanto

---

* Barney é um dinossauro roxo de quase dois metros de altura que estrela a série de tevê infantil *Barney e seus amigos* (Nota da tradutora).

** *Kilt* é um saiote masculino típico da cultura na Escócia, cheio de pregas na parte de trás. Usado em batalhas pelos guerreiros e batedores, é um traje ainda em voga em lugares mais tradicionais, também adotado pelos irlandeses (Nota da tradutora).

dirige para o trabalho, a mulher pensa: *Não vou ficar zangada com ela quando a vir. Eu vou amá-la.*

Mas, imagine o que acontece? No momento em que pisa no escritório, a colega que ela está **tentando** amar a cumprimenta com um esfuziante e animado "Bom dia!" Instantaneamente, em lugar de amor, ela sente raiva e irritação — *É o jeito que ela diz 'bom dia'. É tão pretensioso! Ela é uma hipócrita! Eu a odeio!* E quanto mais ela tenta gostar da colega, pior fica. Você já passou por isso?

Vida Vitoriosa Sem Esforço

Vamos usar como exemplo outro cristão que tem problemas com raiva e pensamentos de luxúria. Mas esse cristão acredita na graça, então, quando acorda, diz ao Senhor: "Senhor, eu não estou conseguindo nem ir trabalhar hoje. Sei que não consigo superar isso dentro de mim. Não consigo superar a luxúria por minha própria força. Não consigo amar esse colega por minha própria força. Meus olhos estão em Ti. Embora eu não consiga, sei que Tu podes. Obrigado por Tua graça. Eu vou apenas descansar em Ti."

Então, ele sai de casa e vai para o trabalho. Enquanto dirige para o escritório, vê um enorme painel mostrando uma mulher de biquíni. E quando se sente tentado a desejá-la, ele diz: "Obrigado, Pai, eu sou a justiça de Deus em Cristo. Eu sei que Tu estás aqui comigo. Eu não me perdi da Tua presença. Embora eu falhe, Tu estás comigo. Obrigado pela Tua graça." A tentação vem, e a tentação vai. Mas ele fica em repouso. Ele não vai para o acostamento da estrada e lamenta: "Ah, Deus, por que isso está acontecendo de novo? Por favor, perdoe-me Senhor!", porque ele sabe que quanto mais confessa e se concentra em sua fraqueza, pior ela se torna.

As pessoas que estão vivendo em culpa e condenação estão condenadas a repetir seus pecados.

A propósito, sabe o que as pessoas que acreditam em confessar seus pecados a fim de serem perdoadas geralmente fazem? Muitas vezes, dizem a si mesmas: "Eu vou guardar minhas confissões para esta noite. Nesse meio tempo, já que estou culpado por ter tido desejos impróprios, vou dar uma olhada neste filme obsceno e me satisfazer com esta revista masculina. Vou juntar esses pecados e confessá-los todos no fim do dia."

Veja, as pessoas que estão vivendo em culpa e condenação estão condenadas a repetir seus pecados. Pensam que uma vez que a comunhão com Deus já está quebrada, elas podem seguir em frente e satisfazer suas fraquezas antes de se reconciliarem com Deus.

Por outro lado, crentes que vivem debaixo da graça sabem que são sempre justos e que a comunhão com Deus nunca é quebrada. Mesmo quando fracassam, sabem que Jesus ainda está com eles. Sabem que a justiça é uma dádiva e que o Espírito Santo está presente para convencê-los de sua justiça em Cristo. Quanto mais creem que são justos, mais experimentam a verdadeira vitória sobre o pecado. Meu amigo, já dissemos claramente isto antes: **crer corretamente sempre produz um viver correto**.

Voltemos ao cristão que acredita na graça. Quando ele pisa no escritório, é saudado pelo colega que detesta. Esse colega gorjeia um estridente "Bom dia!" bem dentro dos seus ouvidos. Embora ele fique irritado e sinta a raiva crescendo dentro de si, é capaz de dar graças: "Senhor, obrigado por me amar quando eu me sinto assim." Em lugar de dizer: "Deus, me perdoe por eu ser um fracassado", ele é capaz de se levantar acima de seus sentimentos de raiva e irritação e receber uma revelação renovada do amor incondicional de Deus por ele.

Em lugar de se sentir irritado e com raiva de si mesmo por ficar irritado com seu colega, ele transborda com a graça de Deus e é equipado com uma capacidade sobrenatural para amar até mesmo o mais insuportável dos colegas. Você consegue ver a diferença entre aqueles que creem na graça e perdão de Deus, e aqueles que tentam subjugar o pecado por seus esforços próprios? Aqueles que dependem da graça de Deus veem Seu poder fluindo em suas vidas!

Meu amigo, você não será tentado a pecar de vez em quando, mas sempre! Porém, enquanto a lei somente incita sua carne a ser mais consciente do pecado, a graça dá a você o poder de ser vitorioso sobre ele sem esforço. Foi isso que o apóstolo Paulo disse: "Porque o pecado não terá domínio sobre vós; pois não estais debaixo da lei, e sim da graça."[4] Quando se coloca sob a lei, no momento em que é tentado você se condena, e nesse estado de culpa e condenação, fica mais propenso a ir em frente naquela tentação, e então pecar.

No entanto, se você se coloca sob a graça de Deus, no momento em que é tentado, recebe uma dose renovada da graça e do perdão de Deus. Você se vê justo, e isso lhe dá o poder de se levantar acima da tentação.

Acorde para a justiça e não peque.[5] Quando você crê que é justo, **ainda** que peque, seus pensamentos e ações ficarão alinhados com sua crença. Em contraste, crentes que não sabem que são justos mesmo quando pecam, permanecerão em seu ciclo de pecado.

Crer Corretamente Leva a Viver Corretamente

Charles Haddon Spurgeon, provavelmente o primeiro pastor a construir uma megaigreja em Londres, o Metropolitan Tabernacle,* foi um famoso e respeitado pregador no início do ano 1900. Ele ficou conhecido como o "príncipe dos pregadores", e sem levar em consideração a qual denominação ele pertencia, muitos ministros e teólogos o respeitavam e ainda o respeitam. Isto é o que Spurgeon tinha a dizer sobre a graça:

> **Nenhuma doutrina é tão planejada para preservar o homem do pecado como a doutrina da graça de Deus.**

---

* *Tabernáculo da Cidade Principal*, em livre tradução (Nota da tradutora).

Aqueles que a chamam de "doutrina licenciosa" não conhecem absolutamente nada sobre ela. Pobres seres ignorantes, eles mal sabem que seu próprio material desprezível é a doutrina mais licenciosa debaixo do céu. Se conhecessem a graça de Deus realmente, eles logo veriam que não há proteção contra a queda igual ao conhecimento de que somos eleitos de Deus desde a fundação do mundo. Não há nada como crer em minha eterna defesa e na imutabilidade do afeto de meu Pai, o qual pode me manter perto Dele a partir da motivação de uma gratidão simples.

Nada torna um homem tão virtuoso quanto a crença na verdade. **Uma doutrina mentirosa logo produz uma prática mentirosa. Um homem não consegue ter uma crença errônea sem que dali a pouco tenha uma vida errônea.** Eu creio que uma coisa naturalmente produz a outra. Dentre todos os homens, aqueles que têm a piedade mais desinteressada, a mais sublime reverência, a mais ardente devoção, são os que creem que estão salvos pela graça, sem obras, através da fé, e isso não vem deles próprios, é dádiva de Deus. Os cristãos devem prestar atenção e perceber isso, para que de modo algum Cristo seja crucificado novamente, e exposto ao vitupério.[6]

Isso não é lindo? Spurgeon estava dizendo que se o seu comportamento estiver errado, é porque há algo errado com suas crenças. A graça de Deus é o poder para preservar você do pecado.

Crer corretamente leva a viver corretamente. Creia que você é justo por causa do sangue de Jesus — e o resultado de crer assim será pensamentos e ações justos.

Se o seu comportamento estiver errado,
há algo errado com suas crenças.

---

234 | Capítulo 19

Vitória em Seus Pensamentos

No livro de Cantares, o próprio Salomão diz: "As tuas faces, como romã partida..."[7] As faces são uma referência à cabeça. A Bíblia, na verdade, compara sua cabeça com uma romã. Quando você corta uma romã no meio, descobre que ela é cheia de sementes brancas, imersas em um bonito líquido vermelho. Quando estive em Israel, ouvi dizer que o líquido vermelho é muito forte — se você derramá-lo na sua camisa será muito difícil remover a mancha.

Essa imagem da romã é uma figura poderosa para ter em mente, se você quer ter vitória sobre os seus pensamentos. Você pode estar lutando contra tentações, pensamentos de luxúria e de raiva, ou pensamentos de culpa e condenação, mas o Senhor quer que você tenha vitória sobre essas batalhas em sua mente. Ele quer que você imagine a sua cabeça como uma romã. O rico líquido vermelho é uma figura do sangue de Jesus Cristo, e as muitas sementes, os seus pensamentos. O sangue de Jesus está constantemente lavando e limpando os seus pensamentos. A tentação que você tinha em sua cabeça exatamente agora já foi eliminada. Seus pensamentos estão sob uma constante cachoeira de purificação e perdão.

Quando a Bíblia declara em 1 João 1:7 que o sangue de Jesus Cristo nos purifica de todo pecado, o tempo verbal em grego para a palavra "purifica" denota uma ação presente e contínua. Em outras palavras, o sangue de Jesus "permanece limpando continuamente".[8] Isso significa que o sangue nunca cessa de limpar seus pensamentos. Agora mesmo, seus pensamentos de culpa e condenação estão sendo limpos. Pensamentos de raiva e luxúria estão sendo eliminados. Todo tipo de tentação está sendo eliminada! No momento em que você tem um pensamento mau, ele já está sendo eliminado. O problema com os crentes hoje é que eles pensam: *Eu sou um cristão, então como posso ter pensamentos tão terríveis?*

Meu amigo, ouça cuidadosamente o que vou lhe dizer: você não pode impedir os pássaros de voarem sobre a sua cabeça, mas certamente pode impedi-los de construir um ninho nela! Você não pode impedir sua carne e o diabo de colocar pensamentos negativos e tentações na sua mente. Mas pode ter vitória sobre os seus pensamentos ao perceber que **todos** eles estão sendo continuamente lavados pelo sangue de Jesus. A obra redentora de Cristo é a sua vitória sobre os pensamentos em sua vida.

Acusações Contra a Graça

No livro de Romanos, Paulo disse: "Que diremos, pois? Permaneceremos no pecado, para que seja a graça mais abundante?"[9] Obviamente, Paulo deve ter sido mal interpretado e acusado de dizer às pessoas para pecar mais, pois a graça deve abundar. Essa é a mesma acusação que tem sido lançada contra mim.

Entretanto, Paulo **nunca** disse: "Vamos pecar mais, pois a graça vai abundar", nem eu jamais disse isso. Quero tornar explicitamente claro novamente: eu, Joseph Prince, sou veementemente, agressivamente e irrevogavelmente contra o pecado! O pecado é corrupto e conduz a consequências destrutivas. Eu estou do mesmo lado de todos que são contra o pecado, somente com esta diferença: alguns crentes acreditam que a vitória sobre o pecado está em pregar mais da lei, mas eu descubro na Bíblia que a vitória sobre o pecado está na pregação da graça de Deus.

Vamos ler o que Paulo disse neste contexto:

> Sobreveio, porém, a lei para que a ofensa abundasse; mas, onde o pecado abundou, superabundou a graça (Romanos 5:20, AA).

Você já notou que a lei entrou para que o pecado pudesse abundar? Isso claramente significa que quanto mais você prega a lei, mais o pecado abunda. Em resumo, quando vê o pecado e prega mais da lei, você está literalmente adicionando madeira ao fogo.

236 | Capítulo 19

A Superabundância da Graça de Deus

Ao dizer que "onde o pecado abundou, a graça superabundou", estou pregando a mesma mensagem que Paulo pregou (é bom estar na companhia de Paulo). O que Paulo quis dizer, que é o que eu também quero dizer, é isto: **o pecado não impede a graça de fluir, mas a graça de Deus impede o pecado.** Pergunte a si mesmo o que é maior, os seus pecados ou a graça de Deus? A resposta é óbvia. A graça de Deus sempre é maior! De fato, quando você lê "onde o pecado abundou, superabundou a graça" no texto original em grego, isso na verdade diz que onde o pecado abunda, a graça "**superabunda**".[10] Então, onde há pecado, a graça de Deus é superabundante!

Não podemos ter receio de pregar a graça, porque ela é o único poder para deter o pecado na vida das pessoas. Quando você falha, em lugar de se sentir culpado e condenado, receba a superabundante graça de Deus que lhe diz que você ainda é a justiça de Deus! É a Sua superabundante graça que resgatará você daquele pecado. Aqueles que se enlameiam na culpa e na condenação são os que não têm capacidade de subjugar seus pecados. Uma vez que acreditam que a graça de Deus se foi, que esperança eles podem ter? A vitória sobre o pecado vem somente quando as pessoas encontram a superabundância da graça de Deus. É a Sua graça que torna os pecadores justos!

A vitória sobre o pecado vem somente quando as pessoas encontram a superabundância da graça de Deus.

A Justiça de Deus Está ao Seu Lado Hoje

"Pastor Prince, como eu posso ser justo se não faço nada certo, e especialmente quando já errei?"

Vou responder à sua pergunta se você me disser isto: como Jesus podia ser condenado como um pecador se Ele não cometeu pecado?

Jesus levou todos os seus pecados sobre Si mesmo, na cruz. E uma vez que os seus pecados já foram punidos, seria "injusto" da parte de Deus exigir o pagamento por eles novamente. Ele não pode punir seus pecados duas vezes! Sim, é santo, certo e justo para Deus punir o pecado. Mas já o tendo punido no corpo do seu substituto, Jesus Cristo, Deus não exige punição por seus pecados novamente, justamente porque Ele é santo e justo.

Então, se você entender que a justiça de Deus já foi executada na cruz, perceberá hoje, como um crente da nova aliança sob a graça, que a santidade de Deus, a retidão de Deus e a justiça de Deus estão AO SEU LADO exigindo sua soltura, libertação, cura, prosperidade... a justiça de Deus hoje exige que você tenha e desfrute de **todos os benefícios da cruz**.

Não deixe essa revelação poderosa passar despercebida. Esse é o Evangelho de Jesus! Devido ao fato de que todos os seus pecados foram punidos no corpo do seu substituto Jesus Cristo, a justiça de Deus está ao seu lado, exigindo sua justificação e perdão. É por isso que, mesmo quando você fracassar, a graça de Deus vai superabundar e sobrepujar sua falha. Ela já foi punida no Calvário.

A Bíblia diz que "Se, todavia, alguém pecar, temos Advogado junto ao Pai, Jesus Cristo, o Justo; e ele é a propiciação pelos nossos pecados."[11] Jesus é o seu Advogado hoje e Ele exige sua soltura. Seu sangue foi derramado e Se tornou a propiciação (o propiciatório) por todos os seus pecados. Quando Deus olha para você, tudo que Ele vê é o sangue de Jesus que o torna completamente justo. Aleluia!

O Apóstolo Paulo Pregou a Graça Radicalmente

Estou pregando o Evangelho que Paulo pregou, e o estou pregando radicalmente, como ele fez, para que o povo de Deus possa desfrutar verdadeira liberdade e vitória em Sua graça. Mas por pregar essa boa-nova, meu nome tem sido arrastado na lama em alguns círculos. Percebo que as pessoas que têm escutado minhas pregações ou me odeiam ou me amam. Bem, eu acredito que estou em boa companhia. Há uma coisa que você precisa saber sobre Jesus: você não pode ficar em cima do muro quando vem a Ele. Não há meio termo. Você o ama ou, então, o odeia com paixão assim como os fariseus. Para aqueles que me odeiam, eu não levo isso para o lado pessoal, porque eles, na verdade, estão odiando o Evangelho. Estão defendendo a lei, não percebendo que ela é o ministério da morte e da condenação.[12]

Agora, seja o que for que eu tenha pregado neste livro, eu conduzi você para a Bíblia? Eu exaltei a Jesus Cristo e Sua obra consumada? Ou sou um daqueles que exaltam o homem e seus esforços? O Evangelho da graça faz do homem um nada, e direciona tudo de volta para Jesus. Inversamente, a lei sempre aponta para o homem. Ela lhe diz que a menos que **você** faça isso e a menos que **você** faça aquilo, não receberá aquele milagre ou aquela reviravolta revolucionária.

Anos atrás, foram faladas algumas palavras realmente desagradáveis sobre mim com relação ao Evangelho da graça que eu estava pregando, e eu me senti desencorajado. Isso aconteceu no ano de 2000. Naquele período, aconteceu de eu estar em Nova Iorque com Wendy, e como de costume, fui dar uma olhada em uma livraria cristã. Encontrei uma, mas antes de entrar nela, disse: "Deus, Tu podes me encorajar? Eu sei que este Evangelho vem de Ti, mas preciso de um pouco de encorajamento da Tua parte."

Enquanto estava na livraria, fiquei vagando ao redor de uma estante na qual encontrei uma série de livros do Dr. Martyn Lloyd-Jones. O Dr. Martyn foi o pastor da Westminster Chapel, em Londres, por cerca de trinta anos. Ele era bem respeitado tanto no meio carismático como nos círculos não carismáticos, e foi considerado por muitos o Charles Spurgeon da igreja moderna. No entanto, eu não era familiarizado com seus ensinamentos naquele tempo e nunca tinha ouvido sua pregação, nem tinha lido o que ele ensinou sobre a graça. Mas isso estava prestes a mudar.

Lembro-me de ter ficado pensando por que eu estaria sendo atraído para aquela seção, já que os livros do Dr. Martin Lloyd-Jones estariam disponíveis mesmo quando eu voltasse para casa. Ainda assim, segui a direção do Espírito Santo e peguei um livro aleatoriamente. Abri em um trecho que era um ensinamento do Dr. Lloyd-Jones sobre Romanos 8:1, que diz: "Portanto, agora nenhuma condenação há para os que estão em Cristo Jesus." Ele dizia: "O apóstolo [Paulo] está declarando expressamente que se você é um cristão, seus pecados e os meus — pecados passados, presentes e futuros — já foram tratados de uma vez para sempre!" Uau! Fiquei empolgado, porque isso soou como a mesma mensagem que eu vinha pregando, e havia uma escassez de tais ensinamentos. Você não ouve muitas pregações assim, nestes dias. Eu sabia que aquela era a resposta à oração que eu fizera antes de entrar na loja, então continuei lendo:

O apóstolo [Paulo] está declarando expressamente que se você é um cristão, seus pecados e os meus — pecados passados, presentes e futuros — já foram tratados de uma vez para sempre! Você percebe isso? Muitos dos nossos problemas são consequências da nossa falha em perceber a verdade neste versículo. "Portanto, agora nenhuma condenação há para os que estão em Cristo Jesus" é muito frequentemente entendido significando que apenas os pecados passados foram negociados. Claro que significa isso; mas também significa os seus pecados presentes — e mais, significa que qualquer pecado que você tenha a chance de cometer já foi tratado também. Você jamais, de jeito nenhum, poderá se encontrar debaixo de condenação. Isso é o que o apóstolo está dizendo — nada pode jamais trazer o cristão de novo a uma posição de condenação...

O cristão jamais pode estar perdido; o cristão jamais se encontra em condenação. "Nenhuma condenação" é uma expressão absoluta, e não devemos depreciá-la. Fazê-lo é contradizer e negar a Bíblia...

Mas por que o apóstolo diz isso e com que parâmetro ele o faz? Não é algo perigoso de dizer? **Isso não incitaria**

as pessoas a pecar? Se dissermos aos cristãos que seus pecados passados, presentes e futuros já foram removidos por Deus, não estaremos mais ou menos dizendo a eles que estão livres para sair por aí e pecar? Se você reage deste modo à minha declaração, fico ainda mais feliz, porque eu, obviamente, sou um bom e verdadeiro intérprete do apóstolo Paulo.[13]

À medida que lia essa passagem, senti-me realmente renovado e fortalecido. Foi muito bom ouvir as palavras de um maduro homem de Deus que tinha pregado este mesmo Evangelho, antes de eu nascer. Ele estava efetivamente dizendo que se os ministérios não estão sendo acusados das mesmas coisas das quais Paulo foi acusado, significa que não estão sendo verdadeiros intérpretes da mensagem de Paulo (lembre-se de que Paulo foi acusado de dizer que deveríamos pecar mais para que a graça pudesse abundar). Então, quando li seus escritos, senti que estava em boa companhia — primeiramente a de Paulo, e agora a do querido Dr. Martyn Lloyd-Jones.

Quando você prega o verdadeiro Evangelho, a graça radical deve ser pregada. Quando estive na Suíça, em 1997, o Senhor me disse: "Se você não pregar a graça radicalmente, a vida das pessoas jamais será radicalmente abençoada e radicalmente transformada." Venho fazendo isso ainda mais desde então, e com o encorajamento renovador do Senhor que recebi naquela livraria em Nova Iorque, eu soube que não pararia de pregar a graça radicalmente, porque eu quero ver vidas radicalmente transformadas e crentes vivendo com a verdadeira vitória sobre todo hábito e pecado destrutivos. Este é o Evangelho que Paulo pregou.

É o Evangelho que vai levá-lo a uma vida vitoriosa sem esforço, em Cristo Jesus!

Quando a graça é pregada radicalmente, a vida das pessoas é radicalmente abençoada e transformada.

Capítulo 20

O Problema da Mistura

Você sabe por que muitos crentes hoje têm uma perspectiva confusa sobre Deus? O que teria levado os crentes a pensar que Deus algumas vezes está zangado com eles e em outras se agrada deles? Por que alguns crentes pensariam que seu Pai Celestial os puniria com doenças e enfermidades, quando seria impensável para eles infligir tais medidas draconianas a seus próprios filhos? O que contribui para esta aparente esquizofrenia que existe no Corpo de Cristo hoje? Eu proponho a você que esta confusão deriva do chamado "Galacianismo".

O Galacianismo é essencialmente uma mistura de alianças. É uma doutrina que combina ensinamentos sobre Deus que contém um pouquinho da lei e também um pouquinho da graça. A igreja na Galácia estava lutando contra isso, e considerando o tom severo do apóstolo Paulo ao escrever aos gálatas, é óbvio que ele pontuou essa questão muito seriamente.

Você nunca vai encontrar Paulo dizendo aos crentes na igreja de Corinto, "Ó, coríntios tolos!", embora saibamos que a igreja em

Corinto estava uma bagunça. O povo estava envolvido em todo tipo de pecados aparentes. Eles estavam envolvidos em rixas, invejas e ciúme, e alguns deles estavam indo para o templo das prostitutas. Havia crentes processando uns aos outros na justiça. As pessoas também estavam usando inapropriadamente os dons do Espírito. Em suma, havia todo tipo de atividades imorais acontecendo na igreja de Corinto. Havia um caos total! Nem assim Paulo os chamou de "coríntios tolos" ou, em nosso moderno vernáculo, "coríntios ESTÚPIDOS"! Pesquise em sua Bíblia. Você não vai encontrar nenhuma ocorrência.

Ao contrário, Paulo aceitou os coríntios e disse-lhes: "Fiel é Deus, pelo qual fostes chamados para a comunhão de seu Filho Jesus Cristo nosso Senhor."[1] Ele falou a eles positivamente, assegurando-os de que não "lhes faltasse nenhum dom" e que fossem confirmados até o fim, e que "fossem irrepreensíveis para o dia do nosso Senhor Jesus Cristo".[2] Isso não é maravilhoso?

Uma Doutrina Errada É Pior que Um Comportamento Errado

Agora, observe o absoluto contraste entre o tratamento de Paulo para a igreja de Corinto e para a igreja da Galácia. Para a igreja da Galácia, ele disse: "Ó, tolos gálatas! Quem vos enfeitiçou...?"[3] E acrescentando, diz novamente: "Sois assim insensatos?..."[4] Paulo estava zangado! Ele ficou transtornado pelo que estava acontecendo na Galácia, e deixou claro que não estava nada feliz com os gálatas. Muitas pessoas esperariam que Paulo ficasse mais indignado com os crentes em Corinto, mas ele não ficou. Sua intensa reação para com a igreja na Galácia revela **o que é prioritário para Deus**. Fica claro que aos olhos de Deus **crer numa doutrina errada é pior do que ter um comportamento errado**!

Para o caso de você não ter entendido da primeira vez, vou dizer novamente: para Deus, **uma doutrina errada é muito pior do que**

um comportamento errado! Quando surgiu o comportamento errado em Corinto, Paulo foi legal com os crentes. Ele foi capaz de lidar com o comportamento errado deles, porque sabia que a graça de Deus era capaz de cuidar da orgia de comportamento errado deles. Foi por isso que ele conseguiu falar positivamente com eles, e até mesmo dizer: "Dou sempre graças a Deus a vosso respeito, pela **graça de Deus** que vos foi dada em Cristo Jesus..."[5] Mas quando surgiu uma doutrina errada na Galácia, ele censurou os crentes ali, porque eles anularam a graça de Deus ao misturá-la com a lei.

Logo no primeiro capítulo de Gálatas, Paulo diz, "Admira-me..." ou como você e eu diríamos hoje, "Estou chocado..." O que chocou a Paulo? Ele prossegue: "Admira-me que estejais **passando tão depressa** daquele que vos chamou na **graça de Cristo** para outro evangelho, o qual não é outro, senão que há alguns que vos perturbam e querem perverter o evangelho de Cristo."[6]

Paulo estava zangado porque os gálatas estavam se distanciando da **"graça de Cristo"** para um evangelho diferente, e porque havia algumas pessoas que queriam "perverter o evangelho de Cristo". Paulo tinha pregado o Evangelho da graça aos gálatas, mas ele descobriu que havia judaizantes que introduziram elementos da lei entre eles, misturando a graça de Deus com a lei. Não subestime este problema. Foi um problema sério, e deixou Paulo muito zangado. Mas Paulo era cheio do Espírito Santo e sua ira era inspirada no Espírito, portanto, ela nos beneficia para nos ajudar a realmente entender por que a mistura da lei com a graça o irritou tanto.

A Graça É a Solução Para o Comportamento Errado

Imagine que você tem uma pilha de roupa suja em sua sala de estar e todo dia a pilha se torna maior. O mau cheiro da pilha se torna mais forte e mais insuportável a cada dia que passa. Isso é um grande problema? Bem, depende. Enquanto a máquina de lavar estiver funcionando, não será um problema por muito tempo. Não importa quanta roupa suja você tenha, enquanto sua máquina de lavar estiver funcionando, ainda há esperança. A roupa suja se tornará um problema somente se você destruir ou se livrar da máquina de lavar. Sem uma máquina de lavar, a roupa suja que está se empilhando certamente se torna um grande problema. O que você vai fazer com toda essa roupa suja se não tiver uma máquina de lavar funcionando corretamente?

Veja, a roupa suja é o "comportamento errado" e a máquina de lavar é a "graça". Agora, não me interprete mal, pois certamente não queremos que nossas casas fiquem fedendo. Mas se você tem um comportamento errado, enquanto houver graça na igreja, ela vai ensinar e dar a você o poder de superar seu comportamento errado. Mas se não houver graça na igreja, ou se a graça estiver misturada com a lei e anulada, então que esperança há para superar seu comportamento errado?

Permitindo Que a Mistura Perverta o Evangelho de Cristo

Foi por isso que Paulo teve de ser firme com os gálatas. Ao permitir que a graça fosse misturada com a lei, os gálatas tinham pervertido o Evangelho de Cristo. Paulo tinha pregado o Evangelho da graça a eles, mas depois que ele se foi, alguns judaizantes vieram e lhes disseram mentiras, tais como: "Sim, é bom que vocês estejam salvos pela graça, mas não é suficiente para vocês terem apenas a Jesus. Vocês também devem conhecer e obedecer à lei de Moisés para agradar a Deus." Em essência, eles estavam dizendo: "A graça é boa, mas a graça deve ser balanceada com a lei." Então, eles ensinaram aos gálatas coisas como os Dez Mandamentos e lhes disseram que tinham de ser circuncidados. A resposta de Paulo foi declarar uma dupla maldição sobre aqueles que pregassem um falso evangelho aos gálatas! Sua postura rígida para com aqueles que pregavam essa mistura representa o coração de Deus hoje.

Você Não Pode Balancear a Graça Com a Lei

"Pastor Prince, você acredita na graça, enquanto eu acredito que se deve guardar a lei para ser justificado. Realmente importa se eu acredito em algo diferente de você?"

Bem, importou o bastante para Paulo, a ponto de ele pronunciar uma maldição dupla. Muitos crentes não acham que é uma questão séria ter mistura. Mas nossa resposta à mistura da lei com a graça deveria estar alinhada com a de Paulo — ele ficou chocado que os gálatas estivessem misturando lei e graça.

Em muitos lugares hoje, o problema não é a lei pura em si. Você não encontra a lei pura nas igrejas cristãs. O que você vai encontrar em muitos lugares hoje é uma mistura de lei com graça. Você vai ouvir ensinamentos que combinam a antiga aliança com a nova. Você vai ouvir coisas como: "Sim, você está salvo pela graça, mas agora que está salvo, é melhor não se garantir só com ela. Precisa começar a viver uma vida santa, guardando os Dez Mandamentos." Isso se chama mistura: você tem um pouquinho de graça e um pouquinho de lei. Muitos crentes pensam que isso — balancear lei e graça — é certo, e tudo bem. No entanto, o Senhor me mostrou que **o que o homem chama de balanceamento, Deus chama de mistura**.

Meu amigo, você não pode balancear lei e graça. Ou sua justificação é inteiramente uma obra da graça de Deus ou é por suas próprias obras. Sua graça será anulada quando você adicionar ainda que só uma pequena mistura dos esforços humanos para ser justificado. Isso é sério. Deus odeia a mistura.

Enquanto a maioria das pessoas não tem problema algum em concordar que foram salvas pela graça, elas, porém, ainda se sujeitam à lei. Estão dependentes das "obras da lei" ou sua obediência à lei para ganhar, obter ou merecer as bênçãos de Deus. Quando fazem algo bem feito segundo sua avaliação, esperam ser abençoadas. Mas quando ficam aquém ou falham, elas amontoam sobre si culpa e condenação, e esperam ser punidas.

Graça é o favor imerecido, inalcançável e inadquirível de Deus —
no momento em que você tenta merecer o favor
gratuito de Deus, Sua graça é anulada.

Na nova aliança, Deus não quer que sejamos abençoados quando obedecemos à lei e amaldiçoados quando falhamos. Esse sistema não soa um tanto espantosamente parecido com a antiga aliança? Graça é o favor imerecido, inalcançável e inadquirível de Deus — no momento em que você tenta merecer o favor gratuito de Deus, Sua graça é anulada.

Na nova aliança, Deus quer que sejamos abençoados por causa de Seu filho e do que Ele fez na cruz. Não tem nada a ver com nosso desempenho ou capacidade de guardar a lei. Aqueles que ficam tentando se justificar por sua própria observância da lei, ainda têm a mentalidade da antiga aliança, mesmo que professem que estão na nova aliança. Eles retornaram ao velho sistema que estava baseado em obras e obediência, em vez de crer no novo sistema, que está baseado na fé e na crença. Quando há uma mistura entre a antiga e a nova aliança, entre a aliança da lei e a aliança da graça, você perde os dois e os benefícios das duas alianças são anulados! Como sabemos isso? Qual a base bíblica disso? Vamos dar uma olhada no que Jesus disse:

> E ninguém põe vinho **novo** em odres **velhos**; do contrário, o vinho novo rompe os odres, o **vinho é derramado**, e os **odres são destruídos**. Mas o vinho novo deve ser colocado em odres novos (Marcos 2:22, TVO).

Quando compartilhou sobre o vinho novo e os odres velhos, Jesus estava se referindo a quê? Ele estava se referindo à mistura das duas alianças. O vinho novo representa a nova aliança da graça, enquanto o odre velho representa a antiga aliança da lei. Você já viu um odre velho alguma vez? Eles são frágeis, pesados e inflexíveis. Essa é a lei. Ela é inflexível. E quando você despeja o vinho novo da graça dentro do odre velho da lei, você perde os dois, porque o odre vai se romper e o vinho vai se derramar. As virtudes de ambas, tanto da antiga quanto da nova aliança, serão eliminadas e perdidas.

Não consigo entender por que muitos crentes ainda estão tentando balancear lei e graça. Se você estiver a favor da lei, seja a favor da lei completamente. Se for a favor da graça, então seja a favor da graça completamente. É impossível balancear a ambas! Foi por isso que Jesus também disse:

> Conheço as tuas obras, que nem és frio nem quente. **Quem dera fosses frio ou quente**. Assim, porque és morno e nem és quente nem frio, estou a ponto de vomitar-te da minha boca (Apocalipse 3:15-16).

Ao longo de anos, tenho ouvido pregadores ensinando que em Apocalipse 3:15-16 Jesus estava se referindo às pessoas que não são "crentes brasas vivas de Jesus". Você já ouviu essa expressão antes? E o que "crente brasa viva de Jesus" significa? Tradicionalmente, fomos ensinados que isso significa que você está lendo dez capítulos da Bíblia por dia, testemunhando para seus colegas e frequentando cada reunião de oração que você encontra! Ser frio significa apenas o oposto — quando você para de fazer essas coisas inteiramente.

O versículo tem sido pregado sempre como se tratasse das nossas ações e comportamentos. Mas Jesus disse que preferia que fôssemos frios ou quentes, e não mornos. Isso não faria sentido se Ele estivesse se referindo a ações e comportamentos, porque ser mornos por Jesus ainda seria melhor do que ser completamente frios, certo? Então por que Ele quis que a igreja de Laodicéia fosse fria (já que eles não eram quentes)? Ora, vamos! Eu sempre digo à minha igreja: quando vierem aos cultos, não se esqueçam de trazer seus cérebros com vocês!

248 | Capítulo 20

Não se apegue a tudo que você ouve. Você precisa provar a mensagem e assegurar-se de que ela é consistente com o Evangelho de Jesus. Evangelho simplesmente significa "boa-nova". Então, se o que você está ouvindo não é uma boa-nova, mas em lugar disso coloca medo, dúvida, julgamento e condenação em seu coração, jogue isso fora, meu amigo, porque isso não é o Evangelho de Jesus.

Seja Quente ou Frio, Não Morno

Agora, você gostaria de conhecer o que Apocalipse 3:15-16 realmente significa? Os dois versículos só fazem sentido quando são interpretados à luz da mistura das alianças da lei e da graça na igreja de Laodicéia. O Senhor estava dizendo que Ele queria a igreja fria — inteiramente sob a lei — ou quente — inteiramente sob a graça. Veja, se você estivesse ao menos completamente sob a lei, isso o levaria a se desesperar e correr para os braços seguros de Jesus. A lei revelaria a você sua iniquidade e incapacidade de manter a medida completa dela, e isso o levaria a reconhecer sua necessidade da graça de Deus.

Mas quando você tem uma mistura, na qual acredita na graça, mas ainda fica na lei, você neutraliza o poder de convencimento da lei para trazê-lo ao fim de si mesmo e levá-lo a clamar pela graça do Salvador. É por isso que você não pode ser frio e quente ao mesmo tempo, ou estar a favor da lei e da graça ao mesmo tempo. No momento em que você empreende esforços para balancear a graça com a lei, você neutraliza a ambas, e cada aliança é roubada de seu efeito completo em sua vida. Você se torna morno por causa da mistura, e Deus odeia a mistura, porque ela lhe rouba o poder de reinar em vida por meio da abundância da Sua graça! Você não pode colocar vinho novo em odres velhos. Você perde os dois!

Tentar balancear graça e lei rouba de você o poder de reinar em vida por meio da abundância da graça de Deus.

Isso é exatamente o que Paulo estava dizendo aos Gálatas quando lhes explicou o propósito da lei:

> Assim, a Lei foi o nosso tutor até Cristo, para que fôssemos justificados pela fé. Agora, porém, tendo chegado a fé, já não estamos mais sob o controle do tutor (Gálatas 3:24-25, NVI).

A lei era nosso "tutor", ou de acordo com a versão em inglês King James, era nosso "bedel",* para nos conduzir ao fim de nossos esforços e a Cristo. É impossível para o homem manter o padrão da lei. Os fariseus rebaixaram a lei a um nível em que a pudessem guardar. Eles realmente pensavam que suas obras, sua leitura das Escrituras e suas orações em voz alta poderiam justificá-los. Mas quando Jesus entrou em cena, Suas palavras mais duras — Ele os chamou de "raça de víboras"[7] — foram reservadas para esses verdadeiros legalistas. Jesus elevou a lei de volta a seu padrão puro. De acordo com Ele, se você apenas fantasiar sobre uma mulher, você é culpado de adultério. Se apenas ficar zangado com um irmão sem motivo, você é culpado de assassinato.

"Pastor Prince, esse é um padrão impossível. Todos nós vamos falhar!"

Exatamente! Finalmente você está entendendo! Jesus estava mostrando para nós o verdadeiro padrão da lei e da santidade de Deus. É impossível para o homem guardar a Sua lei! Se você **não estiver a favor** da graça, então se certifique de ser inteiramente "frio" — ou seja, de estar completamente debaixo da lei. Não misture lei e graça. Se você se colocar completamente sob a lei, descobrirá que ela será seu tutor para conduzi-lo ao fim de si mesmo. Quando finalmente entender que não pode salvar a si mesmo, você se voltará

---

* Bedel = *Schoolmaster*, no original em inglês. Descreve a função do supervisor atuante em escolas, que garante que os estudantes não fiquem fora da sala de aula e mantenham a ordem (Nota da tradutora).

para o Salvador e Sua graça, e preencherá seu coração. Repare, se você pensa que **pode,** Suas mãos ficam atadas e Deus não pode. Mas quando você sabe que **não pode**, é quando ELE PODE! Captou?

Você Pode Salvar a Si Mesmo?

Antes de um salva-vidas tentar resgatar alguém que esteja se afogando, ele esperará até que a pessoa desista de seus esforços para se salvar. Se a pessoa ainda está lutando, com suas mãos e pernas se debatendo e chutando para todo lado, um salva-vidas bem treinado não vai chegar perto dessa pessoa ainda, porque ele sabe que se pular na água, os dois afundarão. Então, embora o salva-vidas queira salvar a pessoa se afogando, ele não pode fazer isso até que ela fique exaurida de sua força, e desista de tentar se salvar. Então, ele imediatamente agarra e prende a pessoa junto a si, e a conduz em segurança.

Do mesmo modo, quando você acha que ainda pode se salvar, a graça de Deus não flui. Se você misturar lei e graça, ambas vão "afundar" e você perderá AMBAS. Em outras palavras, a pessoa que está se "afogando" deve **saber** que está se afogando e que não pode se salvar por si mesma (Ora, isso não é uma grande revelação?). Só quando a pessoa desiste de seus esforços, a graça pode vir e resgatá-la. Jesus não teve efeito sobre os fariseus justamente porque eles pensavam que eram autossuficientes em sua observância da lei, e não viam necessidade de um Salvador. Eles não tiveram a revelação de que estavam se afogando!

Caindo da Graça

Paulo disse aos gálatas: "De Cristo vos desligastes, vós que procurais justificar-vos na lei; da graça decaístes."[8] Essa é a verdadeira definição de "cair da graça". Hoje, quando alguém peca, os ministros dizem que a pessoa "caiu da graça". Mas Paulo **nunca** disse aos coríntios que eles tinham caído da graça, a despeito de todos os seus pecados. Cair da graça então é pender para a lei. Observe que a graça é o patamar mais alto. Se você está sob a lei, você caiu do patamar mais elevado, o da graça. Na arca da aliança, o propiciatório está posicionado **acima** dos Dez Mandamentos. Você cai da graça quando volta para os Dez Mandamentos.

A lei faz dos esforços humanos um tudo, ao passo que a graça dá toda a glória a Deus. Foi por isso que Paulo disse aos gálatas que o Evangelho não é um evangelho para agradar ao homem.[9] Essencialmente, ele estava dizendo: "Se eu quisesse agradar ao homem, pregaria a lei." As pessoas legalistas reagem quando ouvem que não podem mais se vangloriar de seus próprios esforços em manter a lei. As únicas pessoas que apreciam a graça são aquelas que chegaram ao fim de si mesmas, ao fim de seus próprios esforços para se salvar. Elas tentaram repetidas vezes até que finalmente desistiram e admitiram que não eram capazes de satisfazer o padrão inflexível da lei. É quando estão prontas para receber o favor imerecido de Deus — Sua graça salvadora.

Todos nós somos contra o pecado,
mas graça é o poder para sair dele.

Meu amigo, todos nós somos contra o pecado, mas graça é o poder para sair dele. Quanto mais embaraçado fica com a lei, mas a lei vai incitar o pecado em você. A lei foi planejada para expor o pecado. É triste que muitos pregadores se recusem a aceitar o Evangelho da graça, até que eles mesmos são pegos em pecado. Só quando finalmente estão enlaçados pelo pecado, eles realmente percebem que somente a graça pode lhes dar o verdadeiro poder sobre o pecado. Foi isso que Paulo assegurou, quando disse: "Porque o pecado não terá domínio sobre vós; pois não estais debaixo da lei, e sim da graça."[10]

A boa-nova é que você pode abraçar a graça do nosso Senhor HOJE, e ter domínio sobre o pecado HOJE!

Minha Jornada Para Entender a Graça

A propósito, para o caso de você estar se perguntando, **eu não fui apresentado ao Evangelho da graça por causa de nenhum pecado moral**.

O Senhor revelou Sua graça a mim por meio das minhas próprias lutas contra todos os ensinamentos errôneos que eu tinha recebido na juventude. Ouvi tantos legalistas pregando que eu realmente acreditava que tinha perdido a minha salvação. Acreditava que tinha cometido o pecado imperdoável de blasfêmia contra o Espírito Santo. Eu caminhava pelas ruas evangelizando as pessoas, pensando o tempo todo que tinha perdido a salvação. Fiz isso porque esperava que um dia aqueles a quem eu testemunhasse fossem para o céu e Deus lhes perguntaria: "Como você foi salvo?", e eles diriam: "Por causa de alguém chamado Joseph Prince." Então, Deus perceberia que eu estava no inferno e ele se lembraria de mim. Eu realmente acreditava nisso!

Tentei com toda a minha vontade, com toda a minha força e vigor manter a lei. Eu confessava todos os meus pecados quase a cada minuto, até minha mente estar prestes a explodir. Mas somente quando cheguei ao fim de mim mesmo enxerguei minha necessidade do meu lindo Salvador Jesus Cristo, e foi então que Ele abriu os meus olhos para a nova aliança da graça. Bem, essa foi minha jornada de descoberta do evangelho da graça. Por isso, meu amigo, eu sei o que significa estar debaixo da lei. Minha experiência pessoal evidenciou a impossibilidade de manter a lei e isso me levou a Cristo, exatamente como Paulo disse que aconteceria.

É Tempo de Sair da Babilônia

Amado, misturar lei e graça é perigoso. Isso o levará à confusão. Levará você a pensar que Deus algumas vezes se agrada de você, mas em outras está zangado com você. A confusão lhe faz acreditar que o mesmo Deus que cura hoje pode também puni-lo com uma doença no dia seguinte. A mistura conduz à confusão, e Deus não é o autor da confusão. Mas, louvado seja Deus, a Revolução do Evangelho está libertando as pessoas ao redor do mundo.

Eu vejo o Corpo de Cristo saindo da Babilônia. A palavra "Babilônia" significa "confusão pela mistura",[11] e eu vejo a Igreja saindo do cativeiro da mistura e da confusão. Aleluia! A Igreja esteve na Babilônia por tempo demais, mas está saindo.

Meu amigo, é tempo de você sair da mistura e da confusão. Escolha a aliança da graça ou a aliança da lei. Ou você desfruta as bênçãos do Senhor por meio do Seu favor imerecido, inalcançável e inadquirível, ou acredita em seus esforços próprios e em seu próprio comportamento para merecer, atingir e adquirir favores do Senhor. Você não consegue manter os dois. Eu oro para que você escolha o primeiro. Saia da Babilônia e desfrute a abundância da graça de Deus hoje!

Capítulo 21

O Segredo Para Uma Grande Fé

Você já sentiu alguma vez como se precisasse de mais fé? Você alguma vez já se olhou e disse para si mesmo que se tivesse mais fé, conseguiria seu avanço financeiro ou cura?

Meu amigo, eu tenho uma boa notícia para você hoje: fé não é uma luta. O **ouvir a fé** e as **obras da lei** estão totalmente em oposição. E visto que a lei tem a ver com nossos esforços próprios, **não há esforço próprio na fé**.

Dou graças a Deus por minhas raízes no ensinamento da Palavra da Fé. É verdadeiramente sobre os ombros de grandes homens de Deus, como o irmão Kenneth E. Hagin, que somos capazes de enxergar mais longe no que diz respeito ao conhecimento da Palavra de Deus hoje. Ao amadurecer na fé, aprendi muito sobre ela com o irmão Hagin, que verdadeiramente tem uma revelação especial de fé vinda do Senhor. Eu o honro e respeito profundamente por tudo que ele me ensinou.

No entanto, após muitas gerações de ensinamentos de fé, há pessoas que fizeram da fé uma obra. Você já ouviu pessoas dizendo: "Ah, isso aconteceu a você porque você não teve fé o bastante" ou "Ah, você precisa ter uma grande fé para alcançar essa reviravolta"? Não sei como você se sente quando ouve coisas assim, mas eu sempre me sinto condenado por não ter mais fé.

O Ministério da Desqualificação

Durante anos, o meu ministério foi um ministério que desqualificou as pessoas. Eu pregava: "A razão pela qual você está doente é que há algo errado com você." Eu ensinava "as sete razões" pelas quais as pessoas não conseguiam a cura, e quanto mais pregava seguindo essas diretrizes, mais eu via as pessoas não sendo curadas. Eu dizia à minha congregação: "Não há nada de errado com Deus, não há nada de errado com a Sua Palavra, então só pode haver algo errado com você!" Eu pensava que aquilo era uma boa pregação, porque era o que eu tinha ouvido outros pregadores pregando também. Mas, um dia, enquanto estava pregando assim, ouvi o Senhor falando dentro de mim. Ele disse: "Pare de desqualificar o Meu povo! Meu sangue já os qualifica. Pare de desqualificá-lo!"

Não há nada de errado com Deus, nada de errado com a Palavra de Deus, e por meio do sangue de Jesus, não há nada de errado com você! Receba o seu milagre!

Agora, eu sei que a fé é o oposto da lei, e que quanto mais as pessoas se tornam conscientes de si, mais olham para seus esforços próprios para receberem algo do Senhor, e mais a fé é desgastada nelas. Então, quando o Senhor abriu os meus olhos para a graça, eu mudei inteiramente o que estava pregando e comecei a declarar para o meu povo: "Não há nada de errado com Deus, não há nada de errado com a Palavra, e sabe de uma coisa? Através do sangue de Jesus, não há **nada de errado com você**! Receba o seu milagre!"

Aleluia! Quando eu parei de apontar nas pessoas o que estava errado com elas, e em lugar disso passei a apontar para **o que estava certo por causa de Jesus**, a fé foi transmitida, e começamos a experimentar uma explosão de milagres de cura como nunca antes. Cânceres foram curados, tumores foram sobrenaturalmente removidos e vidas foram transformadas. É isso que acontece quando os crentes sabem que são feitos justos pelo sangue de Jesus. Eles começam a entender que têm o direito comprado por sangue para serem curados, para experimentar avanços financeiros e para desfrutar a restauração em seus casamentos!

A fé não se torna mais uma barreira para receber as promessas de Deus. As pessoas param de pensar que são incapazes de receber transformações por não terem fé suficiente. De jeito nenhum! Quando os crentes se apropriam da revelação de que não há nada de errado com Deus, nada de errado com a Sua Palavra e, por Sua graça, nada de errado com eles, sabe o que acontece? Algo acontece com a fé deles. Começam a ver mais de Jesus. Começam a se tornar mais e mais conscientes daquilo para o qual Jesus os QUALIFICOU. E quanto mais veem o que Jesus fez por eles, mais fé desabrocha dentro deles e os milagres começam a surgir. Aleluia!

Amado, você não precisa desejar que tivesse mais fé para qualquer que seja o milagre que esteja pedindo a Deus exatamente agora. Veja Jesus na cruz por você, e a fé que você precisa para enfrentar qualquer situação ou desafio desabrochará em sua vida. Apenas olhe para Jesus! Ele é o Autor e Consumador da fé.[1] A fé vem pelo ouvir, e ouvir a Palavra de Cristo. Quanto mais de Jesus você ouvir, mais a fé vai aumentar em seu coração. Aproprie-se dos ensinamentos que pregam tudo sobre Jesus e Sua obra consumada. Não há poder na filosofia humana ou nas tradições do homem, mas há poder no Evangelho de Jesus Cristo!

Recebi um testemunho poderoso de uma senhora da nossa igreja que apenas se sentou em um dos nossos cultos, ouvindo Jesus sendo pregado. Não houve imposição de mãos ou qualquer oração específica pelos doentes naquele dia. Mas quando ela foi para casa naquela noite, ela quase desmaiou, porque um cisto que estivera em seu corpo por meses desaparecera. Todo louvor e glória a Jesus! Deus confirma a Sua Palavra através de sinais e maravilhas. Quando as pessoas ouvem o Evangelho de Jesus, a fé é transmitida e a cura flui.

O Segredo Para Receber o Seu Milagre

Participei de uma conferência, anos atrás, e me lembro de ouvir sobre todo tipo de coisas que tínhamos de fazer para receber os milagres de Deus. Por exemplo, foi dito a nós que tínhamos de fazer longas orações. Por favor, não me entenda errado. Não estou dizendo que não acredito em oração. Eu amo ir ao meu Papaizinho em oração. Eu também ensinei à nossa igreja a importância de orar, especialmente orar em línguas. Mas o segredo de obter milagres em sua vida está em orar?

Também tenho ouvido pessoas dizendo que a chave para os milagres está em jejuar 40 dias e 40 noites.

"Pastor Prince, eu gostaria que você soubesse que Jesus jejuou 40 dias e 40 noites!"

Bem, isso aconteceu com Jesus. Mas a pergunta que devemos nos fazer é: "Jesus nos disse para jejuar?" Agora, eu sei que quando os discípulos de Jesus foram incapazes de expulsar certo espírito de um garoto, a Bíblia (nas duas versões, Almeida Revista e Atualizada e Almeida Revista e Corrigida) registra que Ele, em referência ao espírito, disse: "Esta casta não pode sair senão por meio de oração [e jejum]."[2] Então, as pessoas leem este único versículo e concluem que o segredo para o poder espiritual é o jejum. Mas você sabia que no texto original em grego a palavra "jejum" não aparece nesse versículo?[3] Isso foi adicionado pelos tradutores! E se você olhar para as traduções inglesas NASB e NIV,* não encontrará a palavra "jejum" nesse versículo.

---

* *NASB* é a sigla da versão *New American Standard Bible* (Nova Bíblia Padrão Americano, em livre tradução) e NIV é a sigla da *New International Version* (Nova Versão Internacional, em livre tradução). Nas versões mais conhecidas em língua portuguesa, a NVI traz essa observação e a ARA e AA trazem a expressão [e jejum] entre colchetes, indicando a inserção dos tradutores (Nota da tradutora).

Em 1 Coríntios, o apóstolo Paulo disse que maridos e esposas não deveriam privar-se um do outro para relações sexuais "senão por consentimento mútuo por algum tempo, para vos aplicardes ao jejum e à oração; e depois ajuntai-vos outra vez, para que Satanás não vos tente pela vossa incontinência" (Na versão Almeida Corrigida Fiel).[4] Novamente, após ler este único versículo de Paulo, as pessoas disparam a dizer que o segredo para o poder espiritual é a abstinência de relações íntimas com o cônjuge! Agora, se você pesquisar o texto grego original (ou as traduções Almeida Revista e Atualizada e Almeida Revista e Corrigida), a palavra "jejum" não aparece aqui também![5]

Se você está curioso para saber a que Paulo realmente se referia, então quero lhe contar que ele estava, na verdade, encorajando os maridos e esposas a terem uma vida sexual saudável, e não se privarem um ao outro do prazer sexual. Deus quer que você desfrute seu casamento, e quando você o faz, a Palavra de Deus declara que o diabo não tem brecha para tentá-lo. No mesmo versículo, Paulo diz aos maridos e esposas: "Ajuntai-vos novamente, para que satanás não vos tente por causa da incontinência". Pense nisso assim: depois que um homem come em casa, ele não tem mais fome quando sai com seus amigos (quem tem ouvidos, ouça!).

Ao longo do Novo Testamento, Paulo raramente fala sobre jejum. No entanto, o Corpo de Cristo de algum modo tem dado um jeito de fazer das obras do próprio homem (como o jejum) a ênfase principal. A ênfase de Paulo era a nova aliança da graça, mas em lugar de focar ou entender a nova aliança, as pessoas estão obcecadas em fazer! Elas dizem: "Esqueça esse negócio de graça. Apenas me diga o que fazer."

E você já observou o modo como as pessoas jejuam? Ao jejuar, elas se certificam de que todo mundo o saiba. Elas cheiram mal, seu cabelo fica despenteado, elas ficam mal-humoradas, os maridos ficam zangados com a esposa e os filhos, e até chutam o cachorro! Eu consigo imaginar um desses indivíduos dizendo para sua esposa: "Mulher, você não sabe que eu estou em jejum hoje? Por que você preparou uma refeição tão maravilhosa para as crianças? Eu consigo sentir o aroma do meu escritório! Você não percebe que está me levando a tropeçar?" E quando seu filho corre para ele e quer brincar, ele sumariamente empurra o filho para longe: "Vai embora, garoto! Papai está ocupado com a Palavra hoje. Vá brincar sozinho. Pare de me perturbar." Se é isso que acontece quando você está jejuando — bem, eu acho que é melhor você quebrar o jejum. Vá comer algo e desfrute a companhia de sua família!

Se você estiver jejuando, o mundo inteiro não precisa saber disso. Por favor, lave o rosto, use xampu no seu cabelo, coloque uma colônia após o banho e escove os dentes! A propósito, isso é uma advertência da Bíblia.[6] Ela diz que você não deve declarar seu jejum ao homem, para que eles não fiquem impressionados com seus esforços. Em lugar disso, você deve ungir sua cabeça com óleo!

Agora, eu jejuo? Sim, eu jejuo, no sentido de que muitas vezes estou tão envolvido com o Senhor em oração ou com o estudo da Sua Palavra que me esqueço de comer. Ele abre os meus olhos para certas verdades, um versículo leva a outro, e em minha avidez por ler mais da Sua Palavra, eu inconscientemente perco minhas refeições regulares, e até mesmo acontece de eu me abster de dormir para estar na Sua presença. Mas conscientemente eu não entro em um jejum acreditando que jejuar me fará alcançar meu milagre.

Você Está Manobrando o Braço De Deus?

Quando você não entende o que significa se colocar sob a lei ou se colocar sob a graça, pode acabar tentando manobrar o braço de Deus com seus esforços, para convencê-lo de que você merece uma reviravolta ou milagre Dele. Você realmente acha que porque jejuou 40 dias e 40 noites, ou orou por 12 horas sem parar, Deus tem de responder às suas orações? Você está tentando manobrar o braço de Deus com suas obras? Ora, vamos, meu amigo, a única razão pela qual Deus responde às nossas orações hoje é a obra consumada de Jesus.

Não se engane mais. Deus não é devedor a nenhum homem. Nossos esforços para orar por um longo tempo, nossas pesadas orações e nosso jejum não o impressionam. Nenhum homem consegue merecer as bênçãos de Deus por seus próprios esforços. Não tem nada a ver com nossos sacrifícios. Tem a ver com o **Seu** sacrifício!

Pela virtude de Jesus, todas as bênçãos de Deus e Seu poder de realizar milagres já são seus quando você crê em Seu Filho.

Tudo o que Deus vê é a obra consumada do Seu Filho na cruz, e pela virtude de Jesus, todas as Suas bênçãos e Seu poder de realizar milagres são agora seus, se você crê em Seu Filho. Ouça cuidadosamente o que Paulo disse aos gálatas, os quais estavam dependendo de seus esforços próprios:

Aquele, pois, que vos concede o Espírito e que opera milagres entre vós, porventura, o faz pelas obras da lei ou pela pregação da fé? (Gálatas 3:5).

Olhe para todas as pessoas que receberam milagres de Jesus durante o Seu ministério na Terra. Nem uma só delas o mereceu. Elas não fizeram nada para obter seus milagres. Simplesmente receberam seus milagres por causa da graça de Deus. E também não encontramos qualquer registro de que aqueles que tentavam merecer as bênçãos de Deus — os fariseus — receberam qualquer coisa de Jesus!

Quando Você Vê Jesus Em Sua Graça, Ele o Vê Em Sua Fé

Há alguns anos, o Senhor falou comigo e disse: "**Quando o Meu povo vê a Minha graça, Eu vejo a fé deles.**" Você se lembra da mulher com o fluxo de sangue, que tinha sangrado por 12 anos? Ela não somente viu Jesus como alguém cheio do poder de cura, mas também o viu como alguém cheio de graça. Como sabemos disso? Porque ela sabia muito bem que, segundo a lei de Moisés, era considerada impura por causa de sua condição, e não deveria tocar em ninguém, muito menos ser vista abrindo caminho entre a multidão. Ainda assim, ele acreditava que se pudesse apenas tocar a orla da túnica de Jesus, seria curada.

Em lugar de esperar punição por quebrar a lei de Moisés, ela estava esperando ser curada! Ela não viu em Jesus severidade e condenação. Ela o viu como um gracioso Salvador, transbordando em misericórdia e compaixão. No momento em que tocou Sua túnica, imediatamente o fluxo de seu sangue estancou, e ela sentiu em seu corpo que fora curada de sua aflição. Ela era ao menos consciente de sua fé? Não, ela era consciente somente de Jesus e de Sua graça. Quando ela **viu Sua graça**, Ele olhou ao redor e **viu sua fé**. Com grande ternura, Ele lhe disse: "Filha, a tua fé te salvou."[7]

A fé para qualquer mudança ou milagre em sua vida desabrocha quando você vê a graça de Jesus.

Você não precisa tentar invocar a fé para cura ou finanças. A fé para qualquer mudança ou milagre em sua vida desabrocha quando você vê a graça de Jesus. Ele morreu para que você pudesse viver! Você não merecia, mas mesmo assim Ele fez isso por você. Veja Jesus na cruz por você. Essa é a demonstração da graça Dele. E quando você vê a Sua graça, sua fé se torna inconsciente, e os milagres surgem!

O Segredo Para Uma Grande Fé

Você sabia que houve somente duas pessoas na Bíblia de quem Jesus afirmou terem uma "grande fé"?

A primeira foi o centurião romano.[8] Ele veio a Jesus e disse: "Senhor, meu servo está deitado em casa imobilizado, e está sofrendo". E o Senhor disse: "Eu vou até lá e vou curá-lo." Mas o centurião respondeu: "Não, Senhor, eu não sou digno de receber-te sob meu teto. Apenas dize uma palavra e meu servo será curado. Eu também sou um homem com autoridade, e tenho soldados comandados por mim. Quando digo a um soldado para vir, ele vem. Quando digo a um soldado para ir, ele vai. E quando digo a meu servo para fazer algo, ele o faz." Agora, atente para a resposta de Jesus. Ele disse: "Não encontrei uma tão grande fé nem mesmo em Israel."

Enquanto eu lia a Bíblia, certa noite, o Senhor me perguntou: "Por que aquele homem teve uma grande fé?" Imediatamente, respondi que era porque ele, sendo um centurião romano, era um homem de autoridade e assim entendeu a autoridade do Senhor Jesus. Eu estava confiante sobre minha resposta, pois tinha aprendido que para ter uma grande fé, precisamos entender a autoridade do Senhor e a autoridade que ele dá ao crente.

O Senhor me disse: "Bem, e quanto à outra pessoa de quem Eu disse ter uma grande fé?" Ele estava se referindo à mulher sírio-fenícia que tinha uma filha possuída pelo demônio.[9] Ela tinha ido a Jesus e suplicado a Ele que expulsasse o demônio de sua filha. Mas Jesus respondeu: "Não é bom tirar o pão dos filhos e atirá-lo aos cachorrinhos." Jesus estava dizendo que não era bom jogar o pão destinado aos judeus para uma gentia. Mas a mulher replicou: "Sim, Senhor, mas mesmo os cachorrinhos comem das migalhas que caem da mesa de seus senhores." E Jesus disse: "Ó, mulher, grande é a tua fé! Seja conforme a tua vontade." Naquela mesma hora, sua filha foi curada.

O Senhor prosseguiu: "Bem, se o centurião tinha uma grande fé porque entendeu a autoridade, e quanto a essa mulher? Ela não era um soldado. Era uma dona de casa." O Senhor me pegou com esse argumento, e eu pensei: *Bem, lá se vai a teoria que aprendi nos anos passados, pois que autoridade esta dona de casa podia ter compreendido, não sendo um soldado?* Então, o Senhor disse: "Filho, olhe para o denominador comum entre estas duas pessoas e você descobrirá o segredo para uma grande fé."

Amigo, eu estava empolgado. Estava prestes a descobrir o segredo para ter uma grande fé! Mas depois de mais de meia hora, eu ainda estava sentado em meu escritório, procurando pelo denominador comum. Eu estava procurando, procurando, e não chegando a nada. Eu simplesmente não conseguia encontrar a resposta. Finalmente, minha brilhante "mente relâmpago" me disse que eu deveria pedir a resposta ao Senhor. Então eu disse: "Senhor, Tu tens que me mostrar, porque eu não consigo ver a resposta." Um era um homem, a outra era uma mulher. Um era um soldado, e a outra era uma dona de casa. Eu não conseguia visualizar o que eles tinham em comum.

Então o Senhor disse o seguinte para mim: "Ambos eram gentios. Eles não eram judeus." E Ele disse: "Um era romano e a outra era uma cananeia. Ambos não estavam sob a lei de Moisés e, portanto, não se qualificavam. Eles não estavam sob condenação e então podiam ter uma grande fé para receber de Mim." Uau, que revelação poderosa! A lei é de fato oposta à fé!

Você sabia que há um versículo em Gálatas que diz que "**a lei não é da fé**"?[10] Em Romanos, a Bíblia também diz: "Pois, se os da lei é que são os herdeiros, anula-se a fé e cancela-se a promessa."[11] Então, claramente não há como darmos às pessoas a lei e ainda esperar que tenham fé. A lei as desqualificará de receberem qualquer bênção do Senhor. Somente a fé em Sua graça qualificará o povo de Deus e os levará a ter uma grande fé, para receber o que precisam do Senhor. Este é o segredo para ter uma grande fé para qualquer situação em sua vida!

Não fique somente com a minha palavra sobre isso. Pesquise na Bíblia por si mesmo e veja se a revelação que recebi do Senhor é bíblica. Está bem ali, na Bíblia. Eu não aprendi isso de um homem. Nem li em livro algum. Foi uma revelação Dele. E observe que quando o Senhor fala, Ele sempre se volta para a Bíblia, e Ele é sempre consistente com Sua Palavra escrita.

Fé Inconsciente

Eu creio de todo o meu coração que quando você se coloca sob a graça e é liberto das obras da lei, a fé deixa de ser uma luta ou barreira, porque você passa a caminhar numa fé inconsciente. Você não ficará se perguntando "Eu tenho fé o suficiente?" o tempo todo, mas verá a Jesus em Sua graça, e a fé brotará do seu interior. É simples assim. Tudo que você recebe de Deus, recebe pela fé em Sua graça. Caminhamos por fé. Combatemos o bom combate por fé! A vida cristã é uma vida de fé em Sua graça. Quanto mais de Sua graça você recebe, mais fé brota. Nosso problema no passado foi que colocamos nossa fé em nossa própria fé, e isso não funcionou. Devemos colocar a nossa fé na graça e no amor de Deus, pois a Bíblia diz que a fé funciona pelo amor.[12] Essa não é uma referência ao nosso amor, mas ao amor de Deus por nós.

Fé é trazer para fora do âmbito do espírito o que já está lá, algo que já é uma verdade sua.

Fé não é tentar fazer acontecer algo que não está ali. Fé é trazer para fora do âmbito do espírito o que **já** está lá, algo que já é uma verdade sua. Não estou dizendo a você para confessar algo que você não é. Se confessar ou não confessar que é a justiça de Deus em Cristo, você ainda é a justiça de Deus em Cristo. Mas se confessar, você se torna consciente disso. Você percebe essa verdade, e ela se torna poderosa e real em sua vida.

Você não confessa que é justo **a fim de se tornar** justo. Você confessa que é justo porque **já é** justo! Do mesmo modo, você confessa que é rico não para se tornar rico, mas sim porque já é rico por meio de Jesus. Na cruz, Ele se tornou pobre para que através do Seu poder você pudesse se tornar rico.[13] Você confessa isso para ser consciente de que por intermédio de Jesus você já é rico. Isso não é ter fé na fé. Isso é fé na bondade e na graça de Deus.

Fé No Sangue de Jesus

Muitos crentes estão obcecados em olhar para sua própria fé para salvá-los, e assim promover bênçãos em suas vidas. O que não percebem é que não é a sua fé que os salva. É a graça de Jesus, é o Seu sangue que os salva. Se você acredita que é o sangue que o salva, Deus vê isso como fé no sangue. Ainda assim, não é sua fé no sangue que o protege, liberta ou salva. É simplesmente e apenas o sangue que salva você. Quero ilustrar essa verdade com uma representação do que pode ter acontecido na noite anterior à noite em que os israelitas foram libertos do Egito.

Na noite da Páscoa, Deus disse: "Quando eu vir o sangue, passarei por vós."[14] Lembre-se, houve nove pragas, mas não foram as pragas que libertaram os israelitas do Egito. Foi o sangue do cordeiro. Após as nove pragas, o coração do Faraó ainda estava endurecido, então Deus finalmente usou sua carta de trunfo, e só então o Faraó libertou os israelitas.

O trunfo de Deus era o sangue do cordeiro. O diabo não tem defesa contra o sangue. Observe, os primogênitos dos israelitas foram protegidos não porque eles eram bons. Eles foram protegidos por causa do sangue do cordeiro. Se os filhos de Israel tivessem falhado na aplicação do sangue do cordeiro nos umbrais de suas casas, seus primogênitos não teriam sido poupados — eles teriam morrido juntamente com os primogênitos dos egípcios. Eles tampouco foram protegidos porque eram judeus, mas por causa do sangue do cordeiro. Deus não disse: "Quando eu vir o bom nome da sua família, todos os seus títulos maravilhosos ou que você é de uma nacionalidade em particular, Eu passarei adiante de você." Não, a bênção foi inteiramente baseada no sangue do cordeiro! "**Quando eu vir o sangue...**"

Do que fala o sangue do cordeiro? Fala do sangue do nosso sacrifício, Jesus Cristo. Ele é o verdadeiro Cordeiro que tira o pecado do mundo.[15] Da mesma maneira, hoje, Deus não olha para o seu bom comportamento, observância da lei, herança cristã ou títulos para abençoá-lo e guardá-lo de todo o mal. Não, Ele olha para o sangue de Jesus. A partir do momento em que você recebe a Jesus Cristo, Seu sangue o cobre perfeitamente!

Agora, vamos olhar para o modo como duas famílias judias devem ter passado a noite daquela Páscoa.

Na primeira família, na qual tanto o pai quanto o filho são primogênitos, o filho pergunta ao pai: "Papai, você colocou o sangue nos umbrais da porta?"

O pai diz: "Sim, filho, eu fiz como Moisés instruiu. Mas realmente espero ter fé o suficiente no sangue."

"Papai, papai, você tem fé o suficiente?"

"Eu não sei", o pai encolhe os ombros desamparadamente. "Eu realmente não sei se tenho fé no sangue!"

Enquanto ouvem os gritos e o choro vindos das casas egípcias, eles se abraçam fortemente, tremendo de medo ao longo da noite.

Na segunda família, outro pai e seu filho primogênito estão esperando para passar por aquela noite significativa. Mas, no aconchego de seu lar, tanto o pai como o filho estão cantando louvores e adorando a Deus.

O pai sorri para seu filho e diz: "Filho, fizemos o que Deus nos disse para fazer. Colocamos o sangue nos umbrais e nas vergas das janelas. Agora, deixemos o restante com Ele. Ele nos protegerá. Não precisamos temer."

Eles também ouvem os gritos desoladores e o choro vindos das casas egípcias, mas continuam a cantar louvores e a adorar a Deus.

Agora, deixe-me perguntar a você: qual família foi libertada? Qual família foi salva? A resposta é AMBAS! Ambas as famílias foram libertadas porque o anjo da morte viu o sangue nos umbrais e assim passou adiante em ambos os lares. A primeira família, portanto, temeu e sofreu desnecessariamente. Para a segunda família, não foi nem a fé no sangue, nem seus louvores e adoração a Deus que a salvou.

O Segredo Para Uma Grande Fé | 267

Somente o sangue salvou os membros dessas famílias! No entanto, porque na segunda família eles creram que o sangue os salvaria, não se preocuparam nem tremeram de medo desnecessariamente, mas passaram a noite em descanso, alegria e na paz *shalom*.

Quando você crê que é o sangue que o salva, Deus vê isso como fé no sangue. Mesmo assim, não é ter fé no sangue que salva você. É somente o sangue que o salva. Pare de se perguntar como seria se você tivesse fé o bastante e apenas creia que é o sangue que o salva, liberta e abençoa. Creia que é **somente** o Seu sangue, e não o Seu sangue **mais** suas próprias obras (sua própria fé), ou Seu sangue **mais** sua observância dos mandamentos que salva a você.

Pare de se perguntar se você tem fé o suficiente e apenas creia que é somente o Seu sangue que o salva, liberta e abençoa.

Então, não fique preso à dependência de sua capacidade de ter fé, nem dependa de suas obras para guardar sua fé. Tenha uma revelação renovada de Jesus e de Seu sacrifício na cruz, e você verá Sua graça por você. Você não terá dúvidas de que Deus, que não poupou Seu Filho, lhe dará liberalmente todas as coisas![16]

Meu amigo, **quando você vir a graça de Deus, Ele o verá em sua fé**. A fé não será mais uma luta, quando você vir a Jesus! Ela brotará inconscientemente e você vai caminhar em verdadeira vitória sobre cada área de derrota em sua vida hoje!

Capítulo 22

Coisas Boas Acontecem

Alguns anos atrás, tive a oportunidade de ter comunhão com um pregador da Palavra de Fé que pastoreia uma igreja em Bergen, Norway. Ele compartilhou um testemunho de um dos membros de sua igreja comigo. Esse membro da igreja em particular era um homem de negócios que tinha desenvolvido o hábito de ver pornografia em seu quarto de hotel durante suas muitas e frequentes viagens de negócio. Ele tentou o melhor que podia para frear o hábito, empregando todo tipo de disciplina espiritual, mas não conseguia parar. Ele estava sendo consumido pela vergonha e condenação.

Cada vez que ele tinha de deixar sua família para alguma viagem de negócios, seu coração ficava cheio de temor, porque ele sabia que não conseguiria superar a tentação, não importa o quão disciplinado tentasse ser. Então, em uma de suas viagens de negócio que o trouxe a Cingapura, ele visitou a nossa igreja e adquiriu alguns dos meus sermões em áudio sobre a graça de Deus. Depois de ouvir as mensagens por cerca de três semanas, ele se viu completamente liberto daquele hábito impuro! Aleluia!

Hoje, quando esse precioso irmão viaja, ele não depende de sua própria força de vontade para superar a tentação de ceder à pornografia em seu quarto de hotel. Ele descansa completamente na revelação de que é tão justo quanto Jesus, pela graça de Deus. E quanto mais ele se conscientiza de que é justo, mais a tentação para pecar secretamente em seu quarto de hotel se dissipa. Acorde para a justiça e não peque! É a graça de Deus que nos dá a verdadeira vitória!

Esse é o poder do Evangelho. É o poder de Deus para sua santidade! Você pode recorrer aos seus esforços próprios e à força de vontade para tudo que quiser, mas isso só o levará para mais longe. Meu amigo, coloque sua dependência completamente na graça de Deus. Ela é o único poder que pode libertá-lo de todos os cativeiros!

Ouvi outro empolgante testemunho quando estive em Norway para uma conferência na igreja do meu querido amigo, pastor Äge Äleskjær. O pastor Äge compartilhou comigo sobre um milagre que tinha acontecido com uma pessoa de outra igreja de Norway. Ela foi completamente curada da surdez em um ouvido após ouvir as gravações de mensagens que eu tinha pregado na conferência. Enquanto estava ouvindo uma das minhas mensagens, seu ouvido abriu com um estalo, e essa pessoa foi CURADA! Não houve mãos impostas sobre ela. Ninguém orou por ela. Ela foi curada por ouvir o Evangelho de Cristo sendo pregado. Toda a glória a Jesus! Esse é o poder do Evangelho, meu amigo.

Quanto mais ouvirmos a boa-nova, mais milagres e transformações veremos.

Quando as pessoas ouvem a boa-nova de que todos os seus pecados foram perdoados por causa da cruz de Jesus, algo sobrenatural acontece. Foi o que aconteceu no livro de Atos. Quando o apóstolo Paulo pregou sobre o perdão, milagres de cura ocorreram enquanto o povo ouvia. O homem que era coxo desde o ventre de sua mãe caminhou pela primeira vez em sua vida. O povo na igreja está procurando por grande poder, mas onde ele é encontrado? O livro de Atos declara que onde há grande graça, há grande poder![1]

A Revolução do Evangelho está se espalhando por todo o mundo. Anote minhas palavras: se mais e mais pessoas ouvirem o verdadeiro Evangelho, que não é contaminado pelos esforços do homem, cada vez mais se ouvirá desses milagres e transformações sobrenaturais na igreja. Agrada a Deus curar, resgatar, prosperar e libertar aqueles que simplesmente creem no Evangelho através da loucura da pregação. Então, na medida em que Sua Palavra é liberada, se você crer que está perdoado e justificado, será pleno! Exatamente agora, enquanto você está lendo este livro que é totalmente sobre Jesus, você está sendo curado, está se tornando próspero e sendo abençoado!

Boas Coisas Acontecem Para Aqueles que Acreditam que Deus os Ama

"Mas, Pastor Prince, o que o perdão tem a ver com cura?"
Leiamos o que a Palavra de Deus diz em Salmos 103:

> Bendize, ó minha alma, ao SENHOR, e tudo o que há em mim bendiga ao seu santo nome. Bendize, ó minha alma, ao SENHOR, e não te esqueças de nem um só de seus benefícios. Ele é quem perdoa todas as tuas iniquidades; quem sara todas as tuas enfermidades; quem da cova redime a tua vida e te coroa de graça e misericórdia; quem farta de bens a tua velhice, de sorte que a tua mocidade se renova como a da águia (Salmos 103:1-5).

Observe o modo como o Espírito Santo ordenou Seus benefícios: o perdão de suas iniquidades vem antes da cura de suas enfermidades. Em outras palavras, ao saber que foi perdoado de **todos** os seus pecados — passados, presentes e futuros — a cura de todas as suas enfermidades se segue.

Há muitos crentes que estão sofrendo com doenças e enfermidades por causa da culpa. Não importa se há uma base real ou não para a culpa e a condenação, elas ainda são destrutivas. É por isso que o Evangelho é tão poderoso. Essa é a boa-nova da graça e do perdão de Deus que liberta o crente de cada sensação de sujeira ou condenação, e dá a ele o poder de se libertar do círculo vicioso da condenação e do pecado.

A culpa e a condenação perpetuam o ciclo do pecado, enquanto a graça de Jesus, o Seu sangue e a Sua justiça libertam e oferecem liberdade do pecado. Jesus disse à mulher flagrada em adultério: "Nem eu tampouco te condeno; vai e não peques mais."[2] O poder para subjugar o pecado está na dádiva da não condenação. Meu amigo, Deus o perdoou de todas as suas iniquidades. Jamais se esqueça desse benefício, bem como dos demais benefícios que a obra consumada de Jesus comprou para você. Bendiga ao Senhor por todos os Seus benefícios e bênçãos para você todos os dias!

Certa vez, quando eu estava me preparando para pregar, o Senhor compartilhou isto comigo: "Coisas boas acontecem a pessoas que creem que Deus as ama." Eu usei isso como título para o meu sermão. É provavelmente um dos mais longos sermões que já recebi Dele, mas ele é muito poderoso. As coisas boas que lhe acontecem não dependem de quem você é, quais qualificações acadêmicas você tem ou qual é a sua profissão. As boas coisas simplesmente acontecem para você quando crê que Deus o ama! Ele o ama o tempo todo. Mesmo quando você falha, Ele o ama! Seu amor não é como o nosso amor. O nosso amor é condicional, mas o amor Dele não é condizente com o nosso comportamento. Ele é condizente inteiramente com Sua graça e com a obra do Seu Filho, Jesus Cristo.

Coisas boas acontecem a você quando crê que Deus o ama!

Você sabe como Paulo orou pela igreja de Éfeso? A igreja de Éfeso foi uma das igrejas mais espirituais da época de Paulo, e ele orou para que eles pudessem ser capazes de compreender "qual a largura, o comprimento, a profundidade e altura" do "amor de Cristo".[3] Você consegue ver a figura da cruz de Jesus aqui? A largura, o comprimento, a profundidade e a altura apontam para as quatro extremidades da cruz.

Observe a ênfase de Paulo no amor **de** Cristo. Em outras palavras, não é o nosso amor **por** Cristo. Paulo estava orando para que eles tivessem uma revelação do amor de Jesus por eles e não do amor deles por Jesus. Agora, observe de perto o resultado de saberem do Seu amor por eles: eles ficaram "cheios de toda a **plenitude de Deus**". Eu ouvi muitos sermões dizendo que se você fizer isso ou aquilo, será cheio da plenitude de Deus. Mas isso não é o que a Bíblia diz. Ela diz que quando **conhecer o amor de Cristo**, você será cheio da plenitude de Deus!

Paulo não para por aí. Ele prossegue dizendo: "Ora, àquele que é poderoso para fazer infinitamente mais do que tudo quanto pedimos ou pensamos..."[4] Deus se torna grande em sua vida quando você conhece o Seu amor. Ele dará a você não apenas excessivamente, não apenas abundantemente, mas excessiva e abundantemente acima de TUDO que você peça ou pense. Então, quando conhece o Seu amor por você, pode PEDIR GRANDE e PENSAR GRANDE, e Deus ainda excederá isso que você pediu ou pensou! Mesmo assim, há pessoas hoje que continuam a vangloriar-se de seu amor por Deus, acreditando que Ele as abençoará de acordo com suas boas obras. Isso está errado!

Uma Revelação Renovada do Amor de Deus

Em minha própria vida, houve algumas coisas para as quais eu vinha crendo em Deus para realizar, mas durante anos nada aconteceu, até que percebi o quanto Deus me ama. Quando percebi o quanto Ele me ama, foi como se de repente uma comporta de Suas bênçãos se abrisse totalmente, e todo tipo de coisas começassem a acontecer para mim, em mim e ao meu redor. Coisas boas acontecem para aqueles que sabem que Deus os ama.

Lembro-me de um incidente em que Deus revelou Seu amor a mim muito claramente. Minha filha Jessica tinha cerca de dois anos de idade e estava sofrendo com um ataque viral. Wendy e eu a levamos a vários médicos. Eles colocaram todo tipo de agulhas nela para os testes de sangue, mas não encontravam nenhuma razão ou remédio para a doença dela.

Meu coração doía ao ouvir minha Jessica chorando dia e noite. Tentei tudo que sabia. Eu estava perdido e de mãos atadas. Ficava confessando a Palavra de Deus, gritava, levantava as mãos... nada dava resultado. Durante dias, minha pequena princesa apenas ficava chorando de dor. Quando finalmente não consegui mais me segurar, fui ao Senhor e comecei a prantear em Sua presença, com o som do choro do meu bebê ainda audível, embora eu tivesse me trancado em meu escritório. Orei, chorando: "Senhor, Tu tens de falar comigo. O que está acontecendo? Tenho tentado fazer tudo que sei."

O Senhor então me levou a Gênesis 22, na passagem em que Deus diz a Abraão para oferecer seu filho Isaque como holocausto para Ele. Deus disse a Abraão: "Toma agora o teu filho, teu único filho Isaque, a quem amas..."[5] Embora Abraão tivesse dois filhos, Isaque e Ismael, Deus reconheceu somente a Isaque, que tinha nascido do Espírito (uma figura do resultado da graça). Ele não reconheceu a Ismael, que foi nascido da carne (uma figura do resultado do esforço próprio). De qualquer modo, enquanto eu lia o que Deus dissera a Abraão sobre Isaque ser seu filho — e seu único filho — pensei comigo: *Deus estava realmente forçando a barra aqui.* Deve ter sido muito difícil para Abraão sacrificar seu filho, e Deus ainda tinha de "jogar na cara" dele, enfatizando que Isaque era seu único filho, a quem ele amava: "Toma agora o teu filho, o teu **único** filho Isaque, **a quem amas**."

Então, cheguei à parte em que Abraão estava prestes a matar seu filho, mas Deus o interrompe. Abraão olha, então, para trás, e encontra um carneiro preso em arbustos pelos chifres. Deus tinha providenciado um carneiro para o sacrifício! Enquanto eles subiam por um lado da montanha, o carneiro subia pelo outro lado. (Meu amigo, quando você não vir a provisão vindo em sua direção, não se preocupe. Toda vez que você se move na direção do propósito de Deus, Ele providenciará para você. Sua provisão está a caminho, vindo do outro lado da montanha!) Então Deus impediu Abraão de enterrar a faca em seu filho. Ele disse: "Não estendas a tua mão contra o rapaz, nem faças nada a ele; porque agora sei que temes a Deus, **pois não poupaste o teu filho, o teu único filho, por Mim.**"[6]

Quando eu li a última parte desse versículo, o Espírito Santo abriu os meus olhos em um lampejo. Ele me mostrou que Deus, na verdade, vinha falando comigo sobre Ele mesmo. Ele era o Pai que deu o Seu Filho. Toda a história do menino carregando a madeira nas costas e indo para o sacrifício era uma figura de Jesus carregando a cruz em Suas costas para o lugar do sacrifício, no Calvário! Deus estava nos dizendo que nos daria o Seu Filho — **o Seu único Filho, o Filho a quem Ele amava** — em resgate por nós. Até que você saiba o quanto Deus ama Jesus, você não saberá o quanto Deus ama você, porque Deus deu Jesus para salvá-lo.

> *Ele o amou tanto que não poupou o Seu Filho, o Seu único Filho, o Filho a quem Ele amava, por você.*

Enquanto eu lia essa passagem, percebi o quanto Deus me amava. Ele me amava tanto que não poupou o Seu Filho, o Seu único filho, o Filho a quem Ele amava, por mim. Àquela altura, eu tinha começado a chorar novamente em meu escritório, mas não eram mais lágrimas por minha filha. Eram lágrimas que vieram de uma percepção profunda e íntima do transbordante amor de Deus por mim. Naquele momento, senti todo o Seu amor sobre mim. E bem ali, naquele momento, minha filha parou de chorar no outro quarto. Daquele ponto em diante, ela ficou completamente curada! Enquanto eu estava experimentando uma revelação renovada do amor de Deus por mim, o milagre para a minha filha aconteceu! Amado, coisas boas acontecem para aqueles que sabem que Deus os ama.

A Lei é Um Fardo Pesado

A razão de as pessoas estarem cheias de amargura, raiva e ressentimento não é porque Deus não as ama. O problema é que elas pensam que precisam conseguir o amor de Deus através de sua conduta e de fazerem boas obras. Quando Jesus disse: "Vinde a mim, todos os que estais cansados e sobrecarregados, e eu vos aliviarei."[7] Ele não estava falando a pessoas que estavam cansadas de trabalhar em suas atividades seculares. Estava falando a pessoas que estavam sob o pesado fardo da lei. Estava falando com aqueles que estavam trabalhando sob a lei para agradar a Deus, aqueles que estavam carregando o pesado fardo da lei. Jesus estava lhes dizendo para pararem com seus esforços próprios e deixar que Ele lhes desse descanso. Veja, a lei exige, enquanto a graça concede o descanso. A lei diz: "Faça o bem e receba o bem. Faça o mal e receba um golpe!" E não é isso que qualquer outro sistema de crença diz?

Certas vezes, quando ouço o modo como alguns pregadores pregam, realmente me pergunto: a cruz mudou alguma coisa? O sistema de ser abençoado quando você faz o bem e ser amaldiçoado quando falha já teve seu lugar antes de Jesus vir. Por que eles ainda estão ensinando que estamos sob esse sistema hoje? Ora, vamos, meu amigo, não negue a cruz de Jesus. A cruz de Jesus mudou tudo. Jesus recebeu todo o nosso "mal" e nós pegamos todo o "bem" Dele! Esse é o Evangelho de Jesus Cristo. Ele é baseado inteiramente em Sua graça!

Você é Amado de Deus

Quando Jesus foi batizado no rio Jordão, uma voz vinda do céu disse: "Este é o meu Filho amado, em quem me comprazo."[8] Isso está registrado na Bíblia para seu benefício. Hoje, Deus aceita você no Amado. Exatamente agora, Ele está bastante satisfeito com você porque você está em Cristo. Hoje, o modo como Jesus é o amado Filho de Deus é o mesmo modo como você é um filho amado de Deus. De fato, Jesus orou ao Pai para que Seus discípulos (que nos abrangem também) soubessem que do mesmo modo que o Pai o ama, Ele os ama.[9]

Imediatamente após ser batizado, Jesus foi levado pelo Espírito ao deserto, para ser tentado pelo diabo. O que o diabo disse a Jesus? Ele disse: "Se Tu és o Filho de Deus, ordena a estas pedras que se tornem em pão."[10] Repare que o diabo astutamente usou a Palavra quando provocou Jesus a provar que ele era o Filho de Deus. Deus havia anunciado audivelmente que Jesus era Seu "Filho amado", mas o diabo não mencionou a palavra "amado" quando tentou a Jesus dessa maneira. E ele faz a mesma coisa com você hoje, porque ele sabe que se lembrá-lo de que você é o amado de Deus, todos os seus planos, maquinações e estratégias do mal para tentá-lo serão frustrados. **Uma vez que você sabe que é amado de Deus, não importa o que o inimigo intente contra você, sempre irá falhar.**

As pessoas entregam suas vidas ao pecado quando se sentem rejeitadas e indesejadas. Mas quando sabem que são amadas de Deus, nenhuma tentação pode ser bem-sucedida contra elas. Vamos dar uma olhada na resposta de Jesus ao diabo, na primeira tentação. A primeira tentação foi para que Ele transformasse pedras em pão. Há alguma lei no Antigo Testamento que diga que você não pode transformar pedras em pão? Não. Então, o que o diabo estava dizendo?

Quando o diabo disse: "Ordena a estas PEDRAS que se tornem em pão", ele estava, na verdade, dizendo a Jesus para extrair Seu sustento da lei, que estava escrita em PEDRAS. Agora, repare o que Jesus respondeu: "Nem só de pão vive o homem, mas de toda **palavra** que procede da boca de Deus."[11] Quando Jesus mencionou a "palavra que procede da boca de Deus", Ele se referia à palavra *rhema*,[12] ou "nova palavra". O que Deus tinha dito a Jesus antes de Ele entrar no deserto? Ele dissera: "Este é o Meu Filho **amado**, em quem me comprazo." Essa é a palavra sobre a qual nós também vamos viver hoje!

Você é o amado de Deus através de Jesus Cristo. Nós não vivemos pelos Dez Mandamentos escritos e gravados em pedras. Não há sustento no ministério da morte e da condenação. Jesus morreu na cruz para que pudéssemos estar Nele, e então pudéssemos viver pela mesma palavra que procede da boca de Deus quando Ele chamou Jesus de Seu amado. Hoje, Deus vê você em Cristo. Ouça-o dizer a você: "Você é o meu amado, em quem me comprazo"!

Faça Rolar a Pedra

O Senhor me disse há muitos anos atrás: "Filho, o seu ministério é fazer rolar a pedra." Deixe-me explicar a você o que isso significa. Na história de Lázaro,[13] Jesus ordenou às pessoas que fizessem rolar a pedra do túmulo de Lázaro. Embora as pessoas protestassem dizendo que Lázaro já estava morto há quatro dias e que o odor estaria terrível, Jesus insistiu, porque sabia que Lázaro seria ressuscitado.

Veja, embora Lázaro estivesse vivo, a vida ressurreta não podia fluir enquanto ele estivesse atado atrás da pedra. A pedra tinha de ser removida para a vida ressurreta surgir. Meu ministério é sobre isto — fazer rolar a pedra. Há muitos crentes que **têm** a vida ressurreta porque já foram salvos, mas não experimentaram um avanço revolucionário em seus corpos, finanças, vida familiar e carreira, porque ainda estão atados, mãos e pés, e imobilizados atrás da pedra. Antes de a vida ressurreta fluir, a pedra deve ser retirada!

Meu amigo, a pedra é uma figura da lei. A lei foi escrita e gravada em pedras, e enquanto os crentes estiverem sob a lei, o ministério da morte e da condenação os amarra. Minha missão, dada pelo Senhor, é fazer rolar a pedra dos crentes que são salvos e nascidos de novo. Você precisa retirar a lei que o amarra. Quando faz rolar a pedra, então é quando Lázaro vem para fora, e é quando você vê a glória de Deus!

As pessoas estão com medo de que, se você rolar a pedra da lei, dará ao povo uma licença para pecar. Mas você já notou que as pessoas já pecam sem uma licença e que estar sob a lei não as impede de pecar? A resposta para o pecado está na graça. É a graça que impede o pecado. Ao rolar a pedra, não estamos fazendo rolar a pedra da morte, da carne que fede (o perdido), mas do povo ressurreto (crentes). Assim como Lázaro, que já tinha sido trazido à vida, a pedra se mostra um obstáculo ao seu surgimento.

Meu amigo, saber que você é o amado de Deus por Sua graça dá a você o domínio para superar seus hábitos pecaminosos e tentações. As tentações não conseguem ser bem-sucedidas quando você tem uma revelação de que é amado de Deus. Quando você conhece o quanto é precioso e valioso para Deus, e a profundidade do amor do seu Papaizinho por você, por que iria querer desperdiçar sua vida envolvido em pecados que só trazem destruição e morte?

As tentações não conseguem ser bem-sucedidas quando você tem a revelação de que é o amado de Deus.

Quando o diabo tentar jogar tentações contra você, ele nunca vai lembrá-lo de que você é o amado de Deus. Ele quer que você questione sua identidade e posição como filho amado, porque ele sabe que uma vez que você duvidar de que é o amado de Deus, ele conseguirá fazer você se sentir distante de Deus. Ele conseguirá amontoar culpa e condenação sobre você e tentá-lo ainda mais. Ele dirá coisas do tipo: "Como você consegue ter esses pensamentos? Você ainda chama a si mesmo de cristão?" Portanto, mesmo quando falhar, continue a se ver como amado de Deus. Você ainda é a justiça de Deus em Cristo Jesus!

Ocupe-se Com o Amor de Deus

"Mas, Pastor Prince, como eu posso dizer que ainda sou um amado de Deus se eu falhei?"

Você pode porque o amor Dele por você é constante e incondicional. Você é amado por Deus por causa do que tem feito? Não! Você é amado de Deus por causa do que Jesus fez na cruz! Portanto, Deus não vai deixar de amá-lo por causa do que **você** faz. Na verdade, Ele o amou quando você ainda estava no ventre da sua mãe, e continuará a amá-lo quando o vir face a face.

Quero compartilhar com você minha experiência com o amor de Deus quando eu tinha falhado e mandado tudo para os ares. Sabe, Wendy é uma esposa maravilhosa. Ela não só é realmente linda, mas também muito sábia. Algumas vezes ela me dá uma sugestão, e quando eu aplico exatamente o que ela sugeriu, as pessoas me dizem: "Pastor Prince, que ideia brilhante!" Ela realmente me faz muito bem. Então, obviamente, ela é de fato competente. Mas, não importa o quão maravilhosa ou brilhante ela é, há vezes em que temos "fortes discussões" porque ela não vê a "minha sabedoria" (como você sabe, nós, pastores, não brigamos. Nós só temos "fortes discussões" com nossas esposas. Nós também nunca nos preocupamos. Nós temos apenas "cuidados e apreensões").

O pior momento em que temos uma dessas "fortes discussões" é quando estamos a caminho da igreja e eu tenho de pregar! No passado, essas discussões acaloradas duravam algumas vezes até mais de um dia. Mas quando eu descobri o quanto o Senhor me ama, bem no meio do silêncio de gelo que se segue a essas discussões fortes, eu ouvia Jesus me dizendo: "Filho, você sabe que no meio da sua raiva, Eu ainda amo você?"

Antes disso, eu sequer cogitaria a possibilidade dessa palavra vir do Senhor porque fui ensinado que no momento em que você fica com raiva ou falha, está fora da comunhão com Deus. Fui ensinado que a partir do momento em que eu falhasse, as bênçãos desapareceriam e o favor de Deus pararia! E por acreditar assim, isso influenciou o modo como vivi minha vida cotidiana, bem como o meu relacionamento com a minha esposa. Como resultado, eu costumava ficar mais zangado ainda com ela porque a culpava por me fazer ficar fora da comunhão com Deus. Assim, a raiva só aumentava.

Hoje, porém, eu conheço a verdade. Sei que mesmo quando falho, Deus e eu estamos ainda "grudados" (ainda estamos "na boa", entende o que quero dizer?), por causa do sangue de Jesus. Deus ainda me vê como Seu amado. Eu tenho a dádiva da justiça, independente de qual seja o meu desempenho. Eu sei que Deus ainda me ama, que nossa comunhão não está quebrada, e que o Seu favor ainda flui em mim.

Amado, não há nada que você consiga fazer hoje que faça Deus amá-lo mais, e não há nada que consiga fazer que o faça amá-lo menos, de jeito nenhum. Quando você falha, essa é a hora em que você precisa se fortalecer no amor Dele por você. Comece a se ver como um discípulo a quem Jesus ama. Personalize o Seu amor por você do modo que João fez. Ele se referiu a si mesmo como "um discípulo a quem Jesus amava" cinco vezes no seu próprio evangelho!

O sol brilha igualmente sobre cada folha do gramado no campo. Mas quando você personaliza o amor de Deus por você, é como se pegasse uma lente de aumento e a colocasse sobre uma folha do gramado. Fazer isso intensifica a luz e esquenta a folha, e não demora muito, ela começa a queimar. Amado, não é suficiente saber que Deus ama a **todos**. Você precisa saber e crer que Ele ama a **você**, e deixar que essa revelação arda no seu coração, especialmente quando você falhar. E enquanto se sustenta no amor Dele, esse amor começa a transbordar em você. É isso que eu faço.

Quando você está pleno do amor de Deus por você, toda a raiva se dissipa. Certa vez, tive a revelação do Seu amor por mim bem no meio das minhas falhas — descobri que as "fortes discussões" com Wendy se tornaram mais curtas e menos frequentes, e o amor de Cristo se tornou cada vez mais real. Em lugar de cozinhar a raiva, descobri que se tornava mais fácil para mim me virar para Wendy no meio das nossas "discussões", sorrir e rapidamente me reconciliar com ela. Isso é o que acontece quando você se ocupa com o amor de Deus e não com as suas falhas! A propósito, hoje, minha esposa e eu temos um dos mais empolgantes casamentos do planeta, totalmente pela graça de Deus.

Seja um Davi que Derruba Golias

Amado, comece a praticar o amor de Deus por você e isso se traduzirá em vitória na sua vida cotidiana. Havia um gigante feio de nome Golias. Eu tenho certeza de que você conhece a história de como um jovem pastorzinho chamado Davi veio contra Golias e o derrotou. Não há detalhes insignificantes na Bíblia. Até mesmo os nomes na Bíblia carregam segredos para o nosso benefício.

O nome "Golias" vem da raiz hebraica *galah*, que significa "exilar".[14] Ser exilado é ser esvaziado de tudo que você é e tudo o que é seu. Portanto, o nome de Golias essencialmente significa que ele tinha sido esvaziado de tudo — um exilado. Que nome! Golias é uma figura do diabo — Jesus o esvaziou de todas as suas armas contra nós.[15] O nome "Davi", por sua vez, significa "amado".[16] A batalha no vale de Elá foi, assim, uma batalha entre um amado de Deus e um exilado esvaziado. Agora, pegue essa revelação! Isso leva alguém que sabe que é amado de Deus a derrubar um gigante! Este é o segredo de se tornar um matador de gigantes! Não importa qual é o seu gigante hoje. Pode ser um problema conjugal ou uma situação financeira. Comece a ver que você é um amado de Deus e os seus gigantes cairão com um estrondo.

Comece a ver que você é um amado de Deus e os seus gigantes cairão com um estrondo.

Meu amigo, Deus o ama. Você é o filho amado Dele, não por causa do que tem feito. Ele o ama como você é porque você foi lavado e se tornou mais alvo que a neve pelo sangue de Jesus. Viva cada dia guiado por estas palavras do Seu amoroso Pai Celestial: "Você é o meu amado, em quem me comprazo." Todo o Seu favor é sobre você, sua família, seu local de trabalho e em tudo que você faz. Você é uma bênção aonde quer que vá.

Se Deus não poupou o Seu Filho por você, por que ele pouparia cura, provisão financeira, proteção, paz mental e todas as outras bênçãos? Se o Deus Todo-Poderoso é o seu amoroso Pai e você é o Seu amado, que medos você pode ter? Medo do passado, do presente e do futuro? Medo de não ter o suficiente? Medo da doença? Medo da morte? Medo da punição? Amado, quando você tem uma revelação sobre o quanto Deus o ama e que Ele o vê completamente justo pelo sangue de Jesus Cristo, todos os seus medos se dissipam, porque se Deus é por você, quem pode ficar contra você?

Amado, tire os olhos das circunstâncias e clame sem medo ao Seu Pai. Ele o ama e jamais o julgará nem condenará! Ele o ama com um amor eterno. Sustente-se no Seu amor por você e receba Dele excessiva e abundantemente além de tudo que você pode pedir ou pensar!

Palavras Finais

Ao longo deste livro, dediquei-me a mostrar a você o Evangelho de Jesus Cristo através das Escrituras e dos exemplos das minhas lutas com os ensinamentos errôneos que recebi enquanto estava amadurecendo no Senhor. Mostrei a você que sob a dispensação da graça, Deus não o está julgando nem pune Seus filhos com doenças, enfermidades ou acidentes. Por causa da obra consumada de Jesus na cruz, Ele nunca vai ficar zangado com você nem censurá-lo quando você falhar. Então, jamais se esqueça da principal cláusula da nova aliança, que diz que dos seus pecados e obras de iniquidade Ele não se lembra mais!

Muitos crentes estão fracassando hoje porque não conhecem o Deus da nova aliança da graça. Acredito de todo o meu coração que por ter começado esta maravilhosa jornada comigo pela estrada de Emaús e ter visto por si mesmo, começando por Moisés e os profetas, todas as coisas pertinentes a Jesus Cristo e Sua obra consumada, seu coração agora arde diante do Seu extravagante amor por você. Jesus verdadeiramente coloca a "maravilha" de volta à graça!

Hoje, Deus está pronto para abençoar você em todas as coisas com a Sua graça — Seu imerecido, inalcançável e inadquirível favor — em cada área de sua vida. Pare de tentar merecer e adquirir sua própria aceitação diante de Deus com suas próprias obras e esforços. Isso só vai frustrar a graça de Deus e anular os efeitos da cruz em sua vida. Meu amigo, Jesus já consumou a obra. Creia com todo o seu coração que isso não tem a ver com o que você precisa fazer hoje, mas com o que já foi feito e conquistado em seu lugar.

Amado, preguei a você o Evangelho de Jesus Cristo e estou cumprindo a missão que o Senhor me confiou em 1997: pregar a graça radicalmente para que vidas possam ser radicalmente transformadas. Sei que se você crer na boa-nova da graça de Jesus, sua vida começará a ser radicalmente transformada, juntamente com os incontáveis crentes ao redor do mundo que já têm sido impactados pela Revolução do Evangelho.

Oro para que este livro destrua os muros de controvérsia que o inimigo tem erguido ao redor dos ensinamentos da graça de Deus e da dádiva da justiça, a fim de que você possa de fato receber não apenas a graça, mas a "**abundância da graça**", e receber não apenas a justiça, mas a "**dádiva da justiça**", e **comece a reinar em vida**. Comece reinando sobre o pecado, sobre a doença, sobre a condenação, sobre a perda financeira e sobre a maldição da lei, através do ÚNICO, Jesus Cristo.

Tudo isso que compartilhei funciona mais potencial e efetivamente dentro do ambiente de uma igreja local. Essas verdades são para o bem maior do Corpo de Cristo, por isso jamais devem resultar em você se tornar uma lei para si mesmo. Amado, quero vê-lo desfrutando a segurança da cobertura de uma igreja local, onde há responsabilidade e submissão. É onde suas bênçãos são tremendamente multiplicadas.

Agradeço a você por fazer esta jornada comigo e por me dar a oportunidade de revelar-lhe mais de Jesus. Você tem sido uma companhia maravilhosa. Vamos fazer isso novamente em breve! Nesse meio tempo, aguardo com empolgação ouvir de você como o nosso Senhor Jesus tocou e impactou sua vida com a Sua maravilhosa graça.

Tudo tem a ver com Jesus e Sua obra consumada!

Você é destinado a reinar por intermédio Dele.

Este é o segredo de uma vida de sucesso, plenitude e vitória sem esforço, pois tudo já foi feito para você!

NOTAS

Capítulo 1

Destinado a Reinar

1. NT:936, Biblesoft's New Exhaustive Strong's Numbers and Concordance with Expanded Greek-Hebrew Dictionary (Novo Dicionário Biblesoft Expandido de Números e Concordância Exaustiva em Grego e Hebraico da Bíblia de Strong, em livre tradução), Copyright © Biblesoft e Tradutores da Bíblia Internacional, Inc.
2. Crowther, J., Kavanagh, K., Ashby, M. (eds). Oxford Advanced Learner's Dictionary Of Current English, 5a Edição. Great Clarendon Street, Oxford: Oxford University Press, 1995. p.85.
3. João 19:30
4. R Badham, música Magnificent (Magnífico, em tradução livre), Blessed (Abençoado, em tradução livre), CD do Hillsong Austrália, 2002.
5. Colossenses 2:13
6. Hebreus 10:11, TVO
7. 1 Coríntios 15:10

Capítulo 2

A Lei Foi Cumprida

1. Gálatas 2:21
2. Colossenses 2:14
3. Mateus 5:17, NVI
4. Efésios 6:12
5. Romanos 3:20

6. Romanos 4:15
7. Apocalipse 12:10

Capítulo 3

Controvérsias Que Cercam o Evangelho da Graça

1. João 10:10
2. Lucas 6:19
3. 2 Coríntios 8:9
4. Mateus 7:11
5. Hebreus 8:7-8
6. 1 Coríntios 15:56
7. Romanos 10:3
8. 2 Coríntios 5:21
9. 1 Coríntios 15:34, AA
10. Mateus 10:16
11. Mateus 11:28-30
12. João 14:6

Capítulo 4

Nós Temos Sido Roubados!

1. 2 Coríntios 5:21
2. Colossenses 2:13
3. Apocalipse 1:8
4. Romanos 6:14

Capítulo 5

Deus Está Julgando os Estados Unidos da América?

1. 2 Pedro 3:9
2. 1 Reis 22:52
3. 2 Reis 1:1-15

4. Gênesis 19:25
5. 2 Timóteo 2:15
6. Lucas 9:54-56
7. João 3:17
8. João 10:10
9. Gênesis 18:32
10. Gênesis 19:22-24
11. Romanos 4:8
12. 1 João 2:1
13. 1 João 4:17
14. Mateus 5:21-22, 27-28, TVO
15. Tiago 2:10
16. Romanos 3:23

Capítulo 6
A Conspiração do Diabo
1. Levítico 26:28
2. Isaías 53:2
3. Salmos 103:4
4. Léxico Grego de Thayer, Base de Dados Eletrônica, Copyright© 2000 pela Biblesoft.
5. 2 Coríntios 12:7, NVI
6. Números 33:55
7. Ver 2 Coríntios 12:9
8. Mateus 10:16

Capítulo 7
O Evangelho que Paulo Pregou
1. Romanos 10:17
2. NT:5547, Biblesoft's New Exhaustive Strong's Numbers and Concordance with Expanded Greek-Hebrew Dictionary (Novo Dicionário Biblesoft Expandido de Números e Concordância Exaustiva em Grego e Hebraico da Bíblia de Strong, em livre tradução), Copyright © Biblesoft e Tradutores da Bíblia Internacional, Inc.
3. Atos 14:7
4. Atos 13:44
5. Atos 13:45, NVI
6. Mateus 27:51
7. João 10:10
8. Atos 14:3-4, NVI

9. Atos 14:5 NVI
10. Atos 14:3
11. Gálatas 1:8, NVI
12. Gálatas 1:9, NVI

Capítulo 8
A Principal Cláusula da Nova Aliança
1. Mateus 12:31
2. João 15:26, **NVI**
3. Marcos 3:22
4. Marcos 3:28-30
5. Mateus 5:29-30
6. Mateus 12:34, 23:33
7. Colossenses 2:13, ACF
8. NT:3956, Biblesoft's New Exhaustive Strong's Numbers and Concordance with Expanded Greek-Hebrew Dictionary (Novo Dicionário Biblesoft Expandido de Números e Concordância Exaustiva em Grego e Hebraico da Bíblia de Strong, em livre tradução), Copyright © Biblesoft e Tradutores da Bíblia Internacional, Inc.
9. Mateus 26:28
10. João 19:30

Capítulo 9
A Cachoeira de Perdão
1. Lucas 7:44-47
2. Mateus 5:21-22, 27-28
3. Romanos 14:23, RA-TVO
4. 1 Coríntios 6:19
5. Wuest, Kenneth S. (1954). "In These Last Days: The Exegesis Of First John', *Wuest's Word Studies From The Greek New Testament Volume II*. Grand Rapids, Michigan: Wm. B. Eerdmans Companhia e Editora. p.103.
6. Hebreus 9:12, Efésios 1:7
7. Hebreus 10:1-14
8. Marcos 2:3-12

Capítulo 10
O Ministério da Morte
1. 2 Coríntios 3:6
2. 2 Coríntios 3:13, ACF

288 | Notas

3. Êxodo 32:28
4. Atos 2:41
5. 1 Coríntios 15:56
6. Romanos 6:14
7. Hebreus 8:7
8. Hebreus 8:6
9. Hebreus 8:13
10. Romanos 1:16
11. Tiago 2:10
12. Romanos 5:20, NVI
13. Romanos 3:20
14. Gálatas 3:24, RA
15. Gênesis 3:22
16. Gênesis 3:24
17. João 10:10

Capítulo 11
Arrancando a Raiz Mais Profunda
1. © 1998–2007 Fundação Mayo para Educação e Pesquisa Médica (MFMER). *Stress: Unhealthy Response To The Pressures Of Life.*. Extraído da publicação de 24 de Abril de 2007 do web site www.mayoclinic.com/health/stress/SR00001
2. Goleman, Daniel. (Publicado em 15 de Dezembro de 1992). New Light On How Stress Erodes Health.. *The New York Times*. Extraído da publicação de 24 Abril de 2007 no web site query.nytimes.com/gst/fullpage.html?sec=health&res=9E0CEFDB103FF936A25751C1A964958260
3. Colbert, Don, M.D. (2005). *Stress Less*. Lake Mary, Florida: Siloam, A Strang Company. p.14-15.
4. Hebreus 10:22
5. Hebreus 10:2
6. OT:7853, Biblesoft's New Exhaustive Strong's Numbers and Concordance with Expanded Greek-Hebrew Dictionary (Novo Dicionário Biblesoft Expandido de Números e Concordância Exaustiva em Grego e Hebraico da Bíblia de Strong, em livre tradução), Copyright © 1994, Biblesoft e Tradutores da Bíblia Internacional, Inc.
7. Apocalipse 12:10
8. Hebreus 8:12

9. João 14:16
10. 1 Coríntios 15:34, AA
11. Mateus 12:35, ACF
12. João 3:17
13. João 14:26, RA
14. Provérbios 10:6

Capítulo 12
A condenação Mata
1. 2 Coríntios 3:7,9
2. Romanos 7:10-11, AA
3. Romanos 7:7-8
4. Romanos 5:20, AA
5. Romanos 7:15, AA
6. Romanos 7:19,24
7. Wuest, Kenneth S. (1955). 'Romans In The Greek New Testament', *Wuest's Word Studies From The Greek New Testament Volume I*. Grand Rapids, Michigan: Companhia Editora Wm. B. Eerdmans. p.127.
8. Romanos 7:25, AA
9. Deuteronômio 21:18–21

Capítulo 13
A Dádiva da Não Condenação
1. Mateus 26:28
2. João 9:1-7
3. OT:7853, Biblesoft's New Exhaustive Strong's Numbers and Concordance with Expanded Greek-Hebrew Dictionary, Copyright © Biblesoft e Tradutores da Bíblia Internacional, Inc.
4. Romanos 8:1
5. Isaías 54:17
6. Hebreus 9:22
7. João 8:4
8. Romanos 6:14
9. Romanos 7:15
10. Romanos 7:24
11. Romanos 8:3

Capítulo 14
Não Mais Consciência do Pecado
1. Lucas 7:37-39, 48
2. Tito 2:11-12

Destinados a Reinar | 289

3. Strong, James, LL.D., S.T.D. (2001). *The New Strong's Expanded Exhaustive Concordance of the Bible, Red-Letter Edition*). Nashville, Tennessee: Thomson Nelson Editores. NT:38)
4. Salmos 139:23
5. Hebreus 8:12
6. 1 João 4:17
7. João 10:15,17
8. João 1:29
9. 2 Coríntios 5:21
10. Hebreus 10:14
11. Hebreus 10:10
12. Levítico 1:9, 13, 17
13. Hebreus 10:1-4
14. Hebreus 10:19, AA
15. Hebreus 10:22
16. Mateus 9:2-7

Capítulo 15
O Caminho para Emaús
1. Lucas 4:18, AA
2. Lucas 24:17
3. Lucas 24:32
4. NT:1695, Biblesoft's New Exhaustive Strong's Numbers and Concordance with Expanded Greek-Hebrew Dictionary (Novo Dicionário Biblesoft Expandido de Números e Concordância Exaustiva em Grego e Hebraico da Bíblia de Strong, em livre tradução), Copyright © 1994, Biblesoft e Tradutores da Bíblia Internacional, Inc.
5. NT:1695, Léxico Grego de Thayer, Banco de Dados eletrônico. Copyright © 2000, por Bibliasoft.
6. Provérbios 4:22
7. Lucas 24:13
8. Lucas 24:33
9. Salmos 119:25
10. Atos 14:8-10
11. 1 Reis 17:18
12. Romanos 8:17
13. João 3:14-15
14. Provérbios 25:2
15. Números 21:4-5, AA
16. Salmos 78:24-25

17. João 6:48-50
18. 1 Coríntios 1:23-24
19. Números 21:6
20. Números 21:8
21. Números 21:9
22. Romanos 8:3
23. Êxodo 27:1-4

Capítulo 16
O Segredo de Davi
1. Atos 13:22
2. OT:7521, Biblesoft's New Exhaustive Strong's Numbers and Concordance with Expanded Greek-Hebrew Dictionary (Novo Dicionário Biblesoft Expandido de Números e Concordância Exaustiva em Grego e Hebraico da Bíblia de Strong, em livre tradução), Copyright © 1994, Biblesoft e Tradutores da Bíblia Internacional, Inc.
3. Salmos 132:4-5
4. Salmos 132:8
5. 1 Samuel 4:4
6. Êxodo 25:22
7. Êxodo 25:10-22, Êxodo 37:1-9
8. Isaías 55:12, Marcos 8:24
9. Isaías 2:20; Cânticos de Salomão 5:11, 14-15
10. OT:3727, Biblesoft's New Exhaustive Strong's Numbers and Concordance with Expanded Greek-Hebrew Dictionary (Novo Dicionário Biblesoft Expandido de Números e Concordância Exaustiva em Grego e Hebraico da Bíblia de Strong, em livre tradução), Copyright © 1994, Biblesoft e Tradutores da Bíblia Internacional, Inc.
11. Números 17:1-10
12. Salmos 78:24-25
13. Números 21:5
14. 1 João 2:2
15. NT:2435, Biblesoft's New Exhaustive Strong's Numbers and Concordance with Expanded Greek-Hebrew Dictionary (Novo Dicionário Biblesoft Expandido de Números e

290 | Notas

Concordância Exaustiva em Grego e Hebraico da Bíblia de Strong, em livre tradução), Copyright © 1994, Biblesoft e Tradutores da Bíblia Internacional, Inc.

16. 1 Samuel 6:19
17. Tiago 2:13
18. Salmos 30:5, 106:1
19. OT:7157, Biblesoft's New Exhaustive Strong's Numbers and Concordance with Expanded Greek-Hebrew Dictionary (Novo Dicionário Biblesoft Expandido de Números e Concordância Exaustiva em Grego e Hebraico da Bíblia de Strong, em livre tradução), Copyright © 1994, Biblesoft e Tradutores da Bíblia Internacional, Inc.
20. Salmos 132:6
21. Salmos 132:14, AA
22. Êxodo 32:16-28
23. Atos 2:1-41
24. Apocalipse 3:20
25. Apocalipse 3:14
26. João 1:17
27. Mateus 18:20

Capítulo 17
Uma Figura da Pura Graça
1. Gênesis 3:21
2. João 1:29
3. Apocalipse 5:5-6, NVI
4. Êxodo 7:14-18
5. João 2:1-11
6. Êxodo 14:11
7. Êxodo 15:23-25
8. Êxodo 16:2-4
9. Êxodo 17:3
10. Êxodo 19:12
11. Tiago 2:10
12. Êxodo 20:3
13. Êxodo 32:1-8
14. Êxodo 34:7
15. Hebreus 8:12, 10:17
16. Romanos 7:7
17. Hebreus 8:13

18. Atos 13:39
19. Colossenses 1:12, NVI

Capítulo 18
Só Uma Coisa Lhe Falta
1. Romanos 2:4
2. Lucas 5:8
3. 1 João 4:19, NVI
4. 1 João 4:10
5. NT:3340, Léxico Grego de Thayer, Banco de Dados eletrônico. Copyright © 2000, por Biblesoft.
6. Mateus 3:2
7. Hebreus 6:1
8. Marcos 1:15
9. Êxodo 20:3
10. Tito 2:11-12, NVI

Capítulo 19
O Segredo para Uma Vida Vitoriosa Sem Esforço
1. Romanos 7:7-8
2. Êxodo 19:8
3. 1 Coríntios 15:56
4. Romanos 6:14
5. 1 Coríntios 15:34, RA
6. Charles Haddon Spurgeon. A Defense Of Calvinism. *The Spurgeon Archive*. Acessado em 15 de abril de 2007, em www.spurgeon.org/calvinis.htm
7. Cantares de Salomão 4:3
8. Wuest, Kenneth S. (1954). 'In These Last Days: The Exegesis Of First John'. *Wuest's Word Studies From The Greek New Testament Volume II*. Grand Rapids, Michigan: Wm. B. Eerdmans Companhia Publicadora. p.103.
9. Romanos 6:1-2
10. NT:5248, Biblesoft's New Exhaustive Strong's Numbers and Concordance with Expanded Greek-Hebrew Dictionary (Novo Dicionário Biblesoft Expandido de Números e Concordância Exaustiva em Grego e Hebraico da Bíblia de Strong, em livre tradução), Copyright © 1994, Biblesoft e Tradutores da Bíblia Internacional, Inc.

11. 1 João 2:1-2
12. 2 Coríntios 3:7-9
13. Lloyd-Jones, D Martyn. (1973). *Romans – The Law: Its Functions & Limits:Exposition Of Chapters 7:1–8:4*. Grand Rapids, Michigan: Zondervan Publishing House. p.272–273.

Capítulo 20
O Problema da Mistura
1. 1 Coríntios 1:9
2. 1 Coríntios 1:7-8
3. Gálatas 3:1, NVI
4. Gálatas 3:3
5. 1 Coríntios 1:4
6. Gálatas 1:6-7, TVO
7. Mateus 12:34, 23:33
8. Gálatas 5:4
9. Gálatas 1:10
10. Romanos 6:14
11. OT:894, Biblesoft's New Exhaustive Strong's Numbers and Concordance with Expanded Greek-Hebrew Dictionary (Novo Dicionário Biblesoft Expandido de Números e Concordância Exaustiva em Grego e Hebraico da Bíblia de Strong, em livre tradução), Copyright © 1994, Biblesoft e Tradutores da Bíblia Internacional, Inc.

Capítulo 21
O segredo Para uma Grande Fé
1. Hebreus 12:2
2. Marcos 9:29, AA
3. Wuest, Kenneth S. (1950). 'Mark In The Greek New Testament'. *Wuest's Word Studies From The Greek New Testament Volume I*. Grand Rapids, Michigan: Wm. B. Eerdmans Companhia Publicadora. p.187.
4. 1 Coríntios 7:5
5. Wuest, Kenneth S. (1950). '*The Epistles: 1 Corinthians*'. *The New Testament: An Expanded Translation*. Grand Rapids, Michigan: Wm. B. Eerdmans Companhia Publicadora. p.393.
6. Mateus 6:6-18
7. Marcos 5:34

8. Mateus 8:5-13
9. Mateus 15:21-28
10. Gálatas 3:12
11. Romanos 4:14
12. Gálatas 5:6
13. 2 Coríntios 8:9
14. Êxodo 12:13
15. João 1:29
16. Romanos 8:32

Capítulo 22
Coisas Boas acontecem
1. Atos 4:33
2. João 8:11
3. Efésios 3:18-19
4. Efésios 3:20
5. Gênesis 22:2
6. Gênesis 22:12
7. Mateus 11:28
8. Mateus 3:17
9. João 17:23
10. Mateus 4:3
11. Mateus 4:4
12. NT:4487, Léxico Grego de Thayer, Banco de Dados eletrônico. Copyright © 2000, por Biblesoft.
13. João 11:1-44
14. OT:1540, Biblesoft's New Exhaustive Strong's Numbers and Concordance with Expanded Greek-Hebrew Dictionary (Novo Dicionário Biblesoft Expandido de Números e Concordância Exaustiva em Grego e Hebraico da Bíblia de Strong, em livre tradução), Copyright © 1994, Biblesoft e Tradutores da Bíblia Internacional, Inc.
15. Colossenses 2:15
16. OT:1732, *The Online Bible Thayer's Greek Lexicon and Brown Driver & Briggs Hebrew Lexicon*. Copyright© 1993, Woodside Bible Fellowship, Ontario, Canada. Licença obtida do Institute for Creation Research.

292 | Notas

Oração de Salvação

Se você quer receber tudo o que Jesus fez por você e fazer Dele seu Senhor e Salvador, por favor, faça esta oração:

Senhor Jesus, obrigado por me amar e por morrer em meu lugar na cruz. Teu precioso sangue me limpou de todo pecado. Tu és meu Senhor e Salvador, agora e para sempre. Eu creio que Tu ressuscitaste da morte e estás vivo hoje. Por causa da Tua obra consumada, eu agora sou um filho amado de Deus e o céu é o meu lar. Obrigado por me conceder a vida eterna e preencher meu coração com Tua paz e alegria. Amém.

Gostaríamos de ouvir você

Se você fez esta oração ou se tem um testemunho para compartilhar após a leitura deste livro, por favor, envie um email para nós: info@josephprince.com